第5章 歓待のゲーム

装丁――松田行正＋杉本聖士

表現のエチカ

芸術の社会的な実践を考えるために

桂 英史
Eishi Katsura

青弓社

表現のエチカ

芸術の社会的な実践を考えるために

——目次

序章 芸術実践論の条件

第1章 表現衝動と社会実践

第3章

路上の倫理学

第4章

ポスト・アーカイヴ型アーキテクチャをめぐって

序章

芸術実践論の条件

本書『表現のエチカ――芸術の社会的な実践を考えるために』は、その書名が示しているとおり、さまざまな芸術活動、とりわけ同時代芸術で発揮されているさまざまな表現の実践（プラクティス）について、倫理という観点を重視しながら論じるものである。

私はここ数十年、メディア研究という専門分野から芸術の分野に関わってきた。どのようにして芸術家は作品の発表を通じて社会に何かを知らせようとしたり、未来に向けて自らの表現を痕跡として残そうとしているのか。そんな問題意識をもちながら、さまざまな作品や表現の現場を観察したり思考したりしてきた。その観察や思考の究極的な目的は、大げさに言うと「芸術とは何か」あるいは「芸術が存在する世界とは何か」という問いに少しでも答えたいという、人知れず抱いてきた野心である。この問いに対する明晰な解答など存在しないことは百も承知だが、問いをもちつづけながら、芸術表現を観察したり、それについて思考したりすることは、私にとってとても楽しいことであり喜びでもありつづけている。

その楽しくもあり喜びでもある観察や考察のプロセスで、インターメディアという考え方がいつも頭のどこかにあったような気がする。インターメディアは言わずと知れたアラン・カプローらが試みた芸術運動を総称した用語である。当初は「行為の芸術」として構想され、芸術が存在しうる「環境」について思考し、実際にさまざまな実験的試みがおこなわれた。最終的には二十世紀後半の芸術史にあって、最も影響を与えた概念のひとつだと考えられているし、実際私もそうだと思う。

インターメディアという用語は、メディア研究の観点からは、いわゆる出版、新聞、放送、インターネットなどのコミュニケーションを媒介する形式を横断するといった理解になってしまいがちである。しかしながら、芸術分野でのインターメディアという専門用語はその内容を知れば知るほど、メディア研究に従事してきた私を、いい意味で大きく裏切った。カプローのインターメディアは、表現を成立させる物質的な基礎を横断したり解体することをどうやら意図していて、その物質的な基礎を乗り越えることによって「環境」という経験の質を大きく変容させてしまうことを示唆していた。これは、芸術と向き合ううえで態度を決めかねていた私に、ちょっとした転機を与えることになった。結果的に、本書の論を進めていくうえでもインターメディアは、折に触れて論考の基礎となっている。

仮にインターメディアという考え方がなかったら、いま当たり前のようにおこなわれているインスタレーション、ミックスドメディア、パフォーマンス、インプロビゼーションなどの、現代芸術特有の表現形態やプロジェクト型の芸術活動はこれほど一般化することはなかったかもしれない、と思ったりもする。

そういった考え方で構想された空間は、環境と位置づけたほうが表現の幅が広がることがある。また、新しいメディウムの登場や技術革新によって展示や上演の新しい方法が発明されたとしても、「関係の新しいかたちを構想し実際にやってみること」によって、その表現について検証することができると考えられるようになった。つまり「行為の芸術」は、経験の質を大きく変えてしまうのだ。

人間が人生のなかで好むと好まざるとにかかわらず得られる経験には、さまざまなものがある。もちろん芸術もひとつの経験である。これは間違いない。この人生のなかで得られる多様な経験のなかで、私はジョットやティツィアーノあるいはエドゥアール・マネといった画家が残した絵画作品を鑑賞したり、「関係の新しいかたちを構想し実際にやってみること」という行為の芸術に触れたりするとき、単に芸術家あるいは鑑賞者という固定された立場だけから芸術について語ることができるのだろうかといぶかしく思っていた。

私はジョットやティツィアーノあるいはマネの作品を、フィレンツェやパリにまでわざわざ足を運んで鑑賞したこともある。ベネチア・ビエンナーレやドクメンタにも足を運んだ。その際、ひとまず私は単なる観光客である。美術館に着いてチケットを買い、なかに入って作品を見たり、カフェでコーヒーを飲んだり、帰り際にミュージアムショップでカタログやお土産を買ったりする。その点では、ミュージアムやイベント会場のなかでは私はひとりの消費者である。鑑賞者というと受動的な印象を与えるけど、わざわざ相当なコストをかけて出かけていき作品を見ようというわけだから、実はかなり意識的で社会的な行動である。

美術館なりビエンナーレなりに足を運ぶことは、リゾート地にいってビーチで昼寝したりショッピングモールで買い物したりすることとは、消費の観点からも大した違いはない。比較することもそれほど意味はないかもしれない。しかしながら、同じ消費行動でも、両者は「喜び」の質が違うのだと思う。この「喜び」について、芸術論は接近しなければならないのだと、私はいつしか思うようになっていた。経験の質によって、「喜び」は大きく違ってくるからだ。

そこで本書では、この「喜び」について考えるにあたって、最高善が幸福とされるアリストテレスの『ニコマコス倫理学』で提示されているプラクティス（実践：practice）の観点で整理しておく。

プラクティスという言葉は、日常的に「すぐにでも使える」とか「実用的」あるいは「練習」といったように、かなり多義的である。ここで私が想定している実践はアリストテレスに沿って、もう少し意味を限定している。

人間の経験についてアリストテレスは、エピステーメー（学）、テクネー（技術）そしてフロネーシス（知慮）といった、知的性質があることを『ニコマコス倫理学』で分析した。そしてそれぞれの経験には、根拠となる活動があるとも論じている。エピステーメーに対してはテオーリア（観想）、テクネーに対してはポイエーシス（制作）、そしてフロネーシスに対してはプラクティス（実践）という活動があると指摘している。さらにアリストテレスは制作（ポイエーシス）や観想（テオーリア）から実践を区別している。しばしば「理論と実践」という対比の背景には、当然ながら過去の哲学者たちが培ってきた無数の思考が深く関わっている。

最高善が幸福とされる『ニコマコス倫理学』で、「よく生きること」をアリストテレスは説いている。禅問答のようだが、幸福以上に大切なことはなく、そのためには「よく生きること」について考えることだとアリストテレスは言う。

「よく生きること」のなかに芸術が含まれているとすれば、表現する喜びあるいは芸術に関わる鑑賞や参加の経験は、表現することがきっかけになった、特別な経験である。一方で、芸術はいわゆる古代への畏怖と羨望を糧に成長してきた。二十一世紀の同時代であっても、古代回帰はまだ根強く人々の間に生き残っている。この古代回帰は自然あるいは社会に対してはたらきかける本能のようなものだ。それどころか、ときには論理的で明晰な分析家に眉をひそめられるほど、強いイデオロギーとなっている。芸術の分野はそのような過去と未来を往来できる世界観のひとつなのだ。だとすると、芸術は総合的な知識や知恵をもちいて、同時代性はもとより、論理性、明晰さ、身体性そして歴史性などを世界へのはたらきかけとして表現することだと考えることもできる。

プラクティスを通じて観察したり思考したりすることで、「行為の芸術」として構想や「芸術が存在する世界とは何か」という問いに対する応答をテキストに変換できるような気になってきたのだ。

この芸術という名前を与えられた世界へのはたらきかけは、倫理について考えることに深く関わっているために、ときに本質を表すことになる。実践は『ニコマコス倫理学』の時代から、エチカ(倫理学)と同盟関係にある行動として理解されていたと私は思う。実践は特別な経験をもたらし、倫理について考えさせてくれる機会を提供すると考えている。実践という行為によって、世界には特別な時間と空間が現れる。そのための活動はそれ自身が目的となり、その活動そのものに喜びがある。だからこそ、芸術は直接価値を扱う技芸として続いてきたのだと思う。

エピステーメーやテクネーといった側面からは、芸術について数多く論じられてきている。だが本書では、それらと一線を画して(もちろん参考にしているものも膨大にあるが)、芸術を倫理と同盟関係にある実践として論じ、何が自分にとっての善であるかを理解しようとすることで、「芸術とは何か」という問いに対する答えを、別なアプローチで一歩進めたいと考えている。

フロネーシスとそのための活動であるプラクティス(実践)という側面から考えることによって、多少は「芸術とは何か」、あるいは「社会にとって芸術とは何か」という問いに答えられそうな気がするからである。そうなると、その人間の倫理的行為は、古代回帰と未来志向の往復運動にずっと付いて回っているはずで、不可思議で複雑な因縁をもっていると言わざるをえない。

インターメディアにみられるように、「関係の新しいかたちを構想し実際にやってみること」が芸術的な実践であるとするならば、私がこの二十年あまりに芸術の分野と関わってきたなかで、本書を構成し論を進めるにあたり、以下のように「社会」「お金」「歴史」「倫理学」という四つの切り口から論じようと思っている。

社会

「社会と芸術」というテーマをとりたてて目新しく語ることは凡庸だろう。近年、そのテーマはアート・プロジェクト、ソーシャリー・エンゲイジド・アートあるいはソーシャル・アート・プラクティスなどといった呼称で論じられ、アートの新しい潮流として注目されている。ここで論じられているのは、現実社会に積極的に関わり、人々との対話や協働のプロセスを通じて、なんらかの社会変革（ソーシャル・チェンジ）をもたらそうとするアーティストの活動の総称である。でも人間同士の交際や社交の機会を意味する社会という概念を考えると、芸術はそもそも交際や社交を仲立ちしてきたはずなので、もともと社会的だといえるのではないか。そう考えるのはごく自然なことである。むしろ実社会から切り離されて語られたり、評価されたりしてきたことのほうが問題で、こうした芸術運動に、インターメディアで実践されてきたことを考慮に入れると、それほど新しさは感じられない。二十世紀に「前衛」と呼ばれた人の多くは社会のことを深く広く考えて、前時代的な考え方を、とりわけ攻撃し、解体し、その解体と攻撃が新しい時代を切り開く解放運動だという認識が特に強かった。したがって、社会と芸術を考えるなどといって、みんなで料理をつくって食べたり、地図をつくったりすることも特に新しいことではない。そればかりか、むしろ芸術（とりわけ日本語で「アート」と書かれる場合にはその傾向は顕著になる）を悪用したり搾取したりして、新しい宗教に勧誘しているかのようなものも少なくない。ただ視点を少し変えると、こうした広義の「芸術的な活動」は、芸術に対しておおらかさを求めているように思えることもある。それは、巨匠主義とそれと密接に関係しているアートマーケットが強くなってしまった二十世紀後半以降の芸術に対するひとつの反動でもある。

したがって、本書では「アート」と称して、料理をつくってみんなで食べたり、街歩きして地図をつくったりすることも、同時代芸術としての必然性がある芸術的な行為としていったん引き受け、それが「社会」という概念との関係で論じられる芸術論に向き合っていきたいと思っている。

そうした社会のさまざまな問題、とりわけ「関係の新しいかたちを構想し実際にやってみること」を、ここでは芸術的な実践と総称して、実践という観点から論じてみたい。そうしたことを論じていくプロセスで、「芸術は人生を送るうえでどのような意味をもつか」という素朴な問いにも、なんらかの示唆ができればと考えている。

マルクス主義では生産的実践を重視する。ここでの実践は、人間が自覚的に環境（人間・社会・自然）に対してはたらきかけて、これになんらかの影響を与えて変革していく行為とされる。そう考えると、なるほど芸術という生産的な実践が芸術作品や芸術家が好むと好まざるとにかかわらず資本化されてしまうことは、避けては通れないプロセスだ。だからこそ、芸術は社会的な文脈に沿って、お金や資本主義と正面から向き合わなければならない。

お金

芸術作品はアートマーケットという専門的な市場で売買されている。もはや株式や投資信託などと同様に、需要の変動によって貨幣あるいは金融商品としての役割を果たしている。だがビジネスモデルとしてはとても古い。基本的には骨董市のモデルである。この骨董市に「新しさ」で価値を最大化するという、ジレンマに満ちた市場がアートマーケットにほかならない。

アートマーケットとは、もともとそういう不思議な市場である。現在の状況を見ていると、これに加えてセレブレティ（知名度）という記号消費的な側面がますます強くなっているとも言えるので、情報・知識の市場という側面も強くなっている。もちろん、このアートマーケットで無視できなくなっている情報・知識の市場という側面は、少していねいに見ておいたほうがいいだろう。

本書では一貫してお金の問題、おおげさに言えば資本主義のあり方を、芸術的な実践を思考するうえで、どこかで必ず意識することにした。モダニズムという芸術運動も資本主義の成熟と無縁ではないし、芸術をめぐる倫理は資本主義のあり方と密接な関係があるからだ。とりわけ第二次世界大戦後の現代芸術や映像芸術の揺籃期（非商業映画）で、それらが「売れる」美術作品として評価されていくプロセスにあって、コマーシャルギャラリーがアートマーケットでおこなった諸活動と、批評や歴史家が果たした役割は無視できない。

本書ではとりあえず、モダニズムと呼ばれる芸術運動が資本主義の高度化や成熟のプロセスに沿って消費する対象、つまり文化的な資源である前に消費財や金融商品として受容されてきたことを常に考慮に入れながら表現という行為を論じている。

先にあげたインターメディアやアバンギャルドも、資本主義と真っ向から向き合った芸術運動であるのは言うまでもない。演劇のベルトルト・ブレヒト、美術のマルセル・デュシャン、そして音楽のジョン・ケージのように、芸術としての条件になってきた伝統的な様式や物理的な形式をわざと霧散させ、そこでは使用者、消費者あるいは観客と呼ばれる受容者に対して、情報や知識をめぐる「イメージ」や「コンテクスト」などを価値として共有する構想や戦略が、表現者としての芸術家の表現となってきた。

こうした情報や知識に作品としての価値を求めるような芸術表現と資本主義との関係は、これまで美術史でもメディア史でも経済学史でもあまり論じられていない。情報・知識の市場としてアートマーケットを位置づける本質的な対象として、資本主義の諸問題が新しく芸術家の実践のなかに浮かび上がってくるはずである。

しかもそれは必ずしも現代の対象に限られるものではなく、工業社会の成立とともに、そしてその漸次的な成熟の内部に萌芽的であるにせよ、すでに原型として成立したのではないか。その問いに答えるためには、実践という活動と、そのプロセスで立ち現れてくる倫理的な側面について論じなければならない。

歴史

芸術はいつも歴史的である。ウフィッツィ美術館やルーブル美術館などを訪れても、そのことを強く感じる。並べられた作品は歴史を表象しているかのようだ。それぞれの作品は、別にそこに並べられることを想定してつくられたわけではないのに、ウフィッツィやルーブルで並べられた様子を見ていると、最初からそこにあることが必然であるかのような気がしてくる。歴史酔いのような症状が、美術館にいる私を襲う。

図書館に並ぶ書物はもとより、博物館や美術館には文化財や芸術作品が並んでいる。棚は実際にはなくても、展示室では並べる秩序にひとつの意味をつくりだし、その意味を共有することで何かを伝えようとする。その意味を積み重ねることによって、並べる秩序は独自の「棚の論理」となっていく。美術館を見ていると、特にその秩序が大きな力のはたらきによってできているようにしばしば感じる。

美術館や博物館だけではなく、その根拠となる資料が集められたアーカイヴを機会や縁があって訪ねることがある。そこでも、それぞれに独特な「棚の論理」を実感せざるをえない。棚の中に視覚化された秩序は、もちろん研究や思考のひとつの結晶である。長い間、資料を所有し継承しようとする人たちの強い意志とその意志に応える分厚い利用者が存続しつづけることで、美術館は美術館となり、アーカイヴはアーカイヴたりえる。いつの時代も、深い探究心をもつ研究者や歴史家の存在があってこそ、アーカイヴは歴史の根拠になり、美術史や音楽史あるいは演劇史の根拠となる。実は都市でさえ、建築が並んだ棚のように思えることもある。都市計画はまず大きな棚を設計し、そのなかに建築物という書物を並べる。

その「棚の論理」に導かれて、歴史は語られてきた。いや、語られるべき歴史のために「棚の論理」が確立したのかもしれない。だとすると、アーカイヴに関して語られるべきは、「棚の論理」というアーキテクチャ（設計思想）ということになるだろう。

私は美術史や音楽史あるいは演劇史が根拠づけてきた「棚の論理」に思考を重ねていくにつれて、キリスト教カトリックの父権主義や寛容の精神が芸術史と深く関わっているのではないかと考えるようになってきた。

「棚の論理」は、モノの所有や蒐集を表象している。古いモノには記憶という認知の構造を超えた思考と想像力が内蔵されている。私たちが生きる知覚と感情の世界に、資本としての「かたち」が視覚化されている。世界の資本化にとって、棚の論理は最も基礎的なアーキテクチャ（設計思想）である。芸術家は自分が死んでも作品が生きつづけることを自覚しながら、本来的に時間に挑戦しつづける。芸術家は現在から未来に向かっているだけでなく、そのつど芸術史をさかのぼりながら、過去の人たちの経験や知見をひそかに更新している。大げさに言えば、芸術家は歴史のなかで生きようとする人たちであり、それが芸術家としての矜持である。

したがって、「芸術はいつも歴史的である」というテーゼを批判的に問い直すうえで、「棚の論理」というアーキテクチャを疑ってみようと思う。少しでも「棚の論理」を解体することで、芸術が歴史的であることを解剖してみたいと思っている。

倫理学

本書の書名に入れている「エチカ」は、直訳すると倫理学という意味のラテン語である。このエチカをテーマとする芸術論に多少なりとも違和感を覚える読者もいるかもしれないので、本書での論考を始めるにあたって、その意図について、ここでは必要最小限の説明をしておきたい。

エチカ(倫理学)は一般的には規範の根拠について考える学問である。規範は、人々が社会のなかで生活していくうえで、行動したり判断したりする際の基準である。たとえば人種差別や原子力利用が悪いのだとすると、どうして悪いのかを考えるのがエチカである。

移民や難民、ジェンダー、生命倫理、環境問題、貧困問題など、世界が抱えているさまざまな問題は、芸術など関係なくいつだって切実である。同時代をテーマとする現代芸術にとっては、どうあっても避けられないテーマである。これらのテーマに向き合う芸術は飛躍と破綻、あるいは逸脱が許された、奔放な表現行為のように思われている。その奔放な表現を発揮すればするほど、善悪、自由、真偽といった究極的な判断と向き合わざるをえなくなる。その多くが尽きるところ、同時代の「善の構想」(ジョン・ロールズ)をなんらかの方法で表現しているように私には思える。

本書で私が「エチカ」という言葉に導かれて論じてみたいことは、いわゆる一般的な倫理学で考察されている基本的な課題とはいささか異なっている。「なぜ××すべきなのか」「なぜ△△はいいのか」という問いについて思考するためには、「××すべきと判断する〈わたし〉」あるいは「△△をいいと判断する〈わたし〉」のあり方について考えざるをえないだろう。〈わたし〉のあり方によって、善悪、自由、真偽といった判断は違ってくるからだ。

善悪、自由あるいは真偽といった判断について考えるために、私は難解とされるスピノザの『エチカ』と数十年格闘してきた。いまでも数パーセント程度しか理解していないかもしれないが、私なりに『エチカ』をデカルト批判として読んできた。その『エチカ』を考えるために、同時代の芸術が格好の思想的なプラットフォームだと考えるようになった。同時代芸術の現場に立ち会ったり教育に携わったりするうちに、芸術を通じて、さまざまな視点から〈わたし〉のあり方を思考することができるのではないかと思うようになったのだ。とりわけ、ルネサンス以降のさまざまな芸術運動の動向が、〈わたし〉のあり方で決められてきたように思えてならない。

見せる、聞かせる、演じるといった芸術表現がもっている、底知れぬ包容力は明晰さとしての光を操る特権として認識されてきたように思う。だからこそ、ギリシャやローマの時代から古典としての地位を獲得し、歴史のページを飾る芸術家が数多く記憶されてきたのだ。この理性がエンジンとなって、物語をつくりだしてきたのだ。

しかしながら、〈わたし〉をめぐる物語は高度に発達しすぎてしまった。資本主義社会における〈わたし〉の物語は、あまりにも洗練され、情報として流通することになってしまった。人々は物語そのものではなく、情報流通の規模と速度に陶酔している。だからこそ、私は本書で、表現という行為に〈わたし〉をめぐる倫理学(エチカ)を投入することによって、私たちが生きている規模と速度が幅を利かせる世界のなかで、もはやはっきりしなくなってしまった才能や資質への回路を、あらためて開いてみなければならないと考えたのである。

現代芸術をめぐる衝動やはたらきかけは、一瞬であっても日常的な経験の質を変えてしまう。それは、時代背景や社会のあり方を考える契機となる。新聞や本を読んで、時代の変化や世界のあり方を考えることとはいささか違って、より思考や感情の奥底に触れる機会になる。だからこそ、本書で取り上げる社会、歴史、お金、倫理学という四点セットは、現代芸術について考えようとすると、必ず覆いかぶさってくるのだ。もちろん芸術家も多くの言葉で懸命に自らの芸術的な行為を言語化しようとする。ところが作品のレベルになると、単に社会の問題を内面化して表現しているのではなくて、心の奥底に潜む「人間とは何か」とか「他者とどう向き合うか」「社会での芸術の役割とは何か」「女性の存在感とは何か」「芸術家とはどのような専門家か」といった心の葛藤に端を発するテーマが中心になる。

何か表現したいという衝動があってそれを作品にする。そう、おもしろいと思ったり、やる気になったりするから芸術家は表現を始める。そのとき、必ずしも論理的な説明ができる動機があるとはかぎらない。むしろ自分のなかにある衝動とは具体的にどのようなものなのかということを確かめたくて、作品を制作し発表している芸術家のほうが多いかもしれない。〈わたし〉のあり方が知りたくて、つい自然や社会に対してはたらきかけをおこなっていることもあるのだ。

そうした衝動やはたらきかけの本質は、近代人が教義のように大切にしてきた「人類愛」「人間性」「国民国家」「個人」「平等」への信仰に揺さぶりをかけることもある。本書では、そうした近代と向き合ってきた表現にも視線を向けることになるだろう。また自己と他者の二元論についても、生産者と消費者あるいは表現者と受容者といった凡庸な例を超えて、単純な二元論を疑いながら、もう少し慎重に論じておく必要がある。

芸術的な実践はスピノザの「実践」を「人間が人間社会のなかで「喜び」をもって「生きる」可能性を広げるための「実践の哲学」である」とも考えている。

以上のようなことを考慮しながら、次章以降ではまずは社会について、続いて都市文化としての芸術の成り立ちをやや詳しく論じながら、芸術的な実践の歴史的な構造や物質的な存在様態にも視線を注いでみたい。その視線の先には常に「芸術とは何か」とか「社会にとって芸術とは何か」という問いがある。その問いについての解答を、倫理という観点を常に意識しながら、ややしつこく思考し検証してみることで、芸術実践論の先駆けになりたいと考えている。

第1章

表現衝動と社会実践

歌うドイツ人

二〇〇六年に開催されたサッカーワールドカップ・ドイツ大会。地元ドイツの開催で、普段に増して優勝の期待が高まるドイツ代表は順当にベスト4に駒を進めた。準決勝の相手はイタリア。盛り上がらない理由はない。

ドイツ国歌を選手や監督、観客が一体となって斉唱する様子を眺めながら、テレビを見ている私もある種の高揚感を覚えている。不覚にも、と言ってもいいかもしれないが、国歌で国民国家を称揚することにある種の感動を覚えたのだ。ドイツ人でもなければ、ドイツ代表のなかにとりたてて好きな選手がいるわけでもない。もちろん試合がおこなわれるスタジアムにいるわけでもない。遠く離れた日本でテレビ観戦しているだけなのに、私には言いようのない高揚感が突然訪れた。後になっても、このときのことはいろいろ思い出しては考えたりしたものだ。というか、いまでもこのときのことを思い出しては考えてしまう。何について考えるのか。国歌についてである。

ワールドカップの試合前の国歌斉唱は、たった数分間で国威を発揚するメディアイベントになっている。選手入場に続く国家斉唱は強烈なイニシエーションにほかならない。このメディアイベントが、ワールドカップの各試合をいっそうおもしろくしているとも言えるだろう。

スタジアム、数万人の観衆、スペクタクル（見せ物）、全世界へのテレビ中継といった要因とともに、さらに国家斉唱とくれば、ある種の高揚感や陶酔をもたらすにはあまりあるお膳立てである。

「近代とは何か」とか「国民国家とは何か」といった問いに応答する方法は、多くの思想家や歴史家によって論じられてきた。しかしながら、思想家や歴史家が専門の立場でどんなに論じても、国歌斉唱が国民国家を肯定するイベントになってしまうことを説明できていないような気がする。

私がなぜか高揚感を覚えたドイツ国歌。このメロディーはフランツ・ヨーゼフ・ハイドンが作曲したことはよく知られている。ハイドンの合唱曲のひとつがドイツ国歌として、いまでもサッカーワールドカップやオリンピックの場でも歌われているわけだ。私もドイツ国歌がハイドンの作曲だと知ったときには、どういうわけか「ああ、なるほど」と膝を打ったものである。

この妙に納得してしまう感じは、ハイドンが音楽史的にはルートヴィヒ・ベートーベンやフランツ・シューベルト、ロベルト・シューマンたちが活躍していた十九世紀のドイツ・ロマン派に属する作曲家であることにも関係している。

国歌を歌うことを芸術だと思っている人はあまりいないだろう。私も思っていないし、芸術ではないと言う人がほとんどだろう。だが、クラシック音楽になじみがない人でも、オペラや合唱が音楽という芸術の形式のひとつであることは知っている。

そのあたりについてもう少し明るい人になると、ドイツではロマン主義の時代にドイツ語でのオペラが確立して、歌うことが芸術として確立したことを思い出したりもするかもしれない。さらには、歌う芸術が市民をつくったとも言えるほど、この時期のドイツは歌うことが大きな役割を担っていた。

一般の人たちが芸術に親しむにあたって、歌うことはそのほかの芸術表現と比べてハードルが低い。道具もいらないし、場所もそれほど選ばない。みんなで歌う合唱となれば、練習してうまくいけば一体感は得られるし、歌う曲を決めたり練習の日程を決めたり、コンクールをめざして目的を共有することは結果的に合意形成のプロセスにもなる。歌うことで、創造的なコミュニティができあがるわけだ。[1]

中高生の合唱コンクールや地域のママさんコーラスがいまでも各所でおこなわれているのは、都市や学校などの共同体のメンバー、すなわち市民や生徒の人間関係をつくる役割もある意味果たしてきたからなのだ。

教養としての芸術

このように、歌うことがコミュニティをつくりあげるような芸術の役割を教養として位置づけたのが、十九世紀中葉までに定着する「ドイツ教養市民層」と呼ばれる、ドイツ独自の新しい社会階層である。

十九世紀のドイツ・ロマン派の音楽が花開いていた時代、ドイツ語で合唱することは、ドイツ民族の個性を尊重するロマン主義的傾向、たとえばドイツ民族や国家観を内面化することを定着させたのだとも言える。その結果、十九世紀中葉までに定着する「ドイツ教養市民層」は近代化を進めるにあたり指導的な役割を担う、近代ドイツ特有の知識人層になった。合唱という教養が歌う個人という主体概念や、国語を学習することにつながった。それとともに、個人や国語は、国民国家や近代社会の規範をつくる原動力になった。「ドイツ教養市民層」が定着していくなかで、フランツ・ハイドンは合唱曲を洗練し、その後に続くウォルフガング・アマデウス・モーツァルトは合唱曲の形式を完成させ、ベートーベンの『交響曲第九番』も続いた。

オペラも、ドイツ語で上演されることが珍しくなくなった。教養としての合唱音楽が民衆の芸術として受け入れられ、アマチュアが合唱するための合唱曲が数多くつくられたのである。

ハイドンはベートーベンやシューベルト、シューマンなど、いまで言うクラシック音楽の巨匠たちと同時代に生きた作曲家である。この巨匠たちは十九世紀のドイツ・ロマン派として音楽史に名を刻んでいる。私たちがクラシック音楽と呼ぶ際、そのほとんどがこのロマン主義に生きた人たちが遺した芸術的な資産を指している。

クラシック音楽というと、教養ある人たちの高尚な趣味というステレオタイプな思い込みに行き着いてしまうかもしれない。その思い込みの背景には、社会を担うエリート層という社会集団の存在が関係している。そのエリート層を支えるのが、教養であり、学歴であり、専門性だった。とりわけ「ドイツ教養市民層」と言うときの「教養」は社会集団をつくり、合意形成を学ぶ場としての役割を担っているのである。ピエール・ブルデューが教養に「文化資本[2]」という特別な地位を与えたのも無理はない。合唱だけでなくあらゆるジャンルの芸術が教養としての役割を担い、近代社会の原動力となるエリート意識をつくりだしたとも言える。

近代社会の成立には、一般的には機械論的世界観とロマン主義という思潮の大きな影響があったとされる。この十八世紀後半から十九世紀前半にヨーロッパで流行したロマン主義は、近代以降のアートという概念が成立するきっかけとしても大きな影響を及ぼしている。

近代芸術はもともとロマン主義的な土壌が確立したヨーロッパの知的風土を背景としている。ロマン主義の知的風土とは、秩序の美しさを称揚する美意識である。とりわけ、アートにとって決定的なのは個人という考え方がロマン主義を通じて確立したことだ。近代以降の芸術を語るうえでも、個人というテーマは現在まで新鮮さを保ちつづけている。ロマン主義は個人の内面を尊重し、感情や想像力を解放するという理想のもとに表現される芸術のムーブメントである。

この理想のもとに、恋愛が表現され、民族の意識を高めるようなテーマも好んで取り上げられた。宗教的なテーマが芸術の宿命だった時代は市民革命によって去り、市民という意識の高まりによって個人にテーマがグッと近づいてきたのだ。これが一般的に語られているロマン主義の特徴である。恋愛やセックス、あるいは自らの民族や国家といったテーマは現在に至るまで、アートでも文学でも映画でも定番である。ハイドンがそうだったように、個人の内面をテーマにすることがロマン主義（後期ロマン主義）として確立したのである。

そうした作品がつくられ、人々に受け入れられるにつれて、不安や憂鬱あるいは郷愁といった人間個々の内面を告白するような表現は洗練されていった。その洗練さを身につけることによって、歴史や現実、あるいは自然といった「他者」に向き合うことが芸術家の態度として確立したと言える。それぞれの時代で他者に向き合うことが、同時代を生きる芸術家にとって大きなテーマとなったのである。

個人の道具化

このように十九世紀のロマン主義を発端として近代芸術という概念が生まれたのだと考えると、一般的に芸術が文化の一ジャンルとして定着していくうえで重要な役割を果たしてきたと思われる社会的背景としては、およそ次の三つにまとめることができる。

まずひとつめは、近代という時代にそもそも備わっていた、政治かつ社会経済の時代背景に基づく機械論的世界観や国民国家の考え方である。国民国家とはある意味で、機械のように正確に動く官僚組織が、国語と国民を根拠として人々を機械の部品のようにコントロールし管理する国家である。国民国家がその資産の「豊かさ」を誇示している国立美術館は、国家の法律や政策に基づいて芸術作品が文化財として収集され公開されている。このことは、正確に動く官僚組織という機械のような組織によって、歴史化された作品の管理と統制を誇示していることにほかならない。

ふたつめとしてあげられるのは、芸術というジャンルが文明（civilization）の価値として、近代になってあらためて発明されたことだ。芸術はその社会経済的な状況のなかで特別な地位を獲得するためにあらためて発明された価値観であるとも言える。

機械論的世界観を基礎とする資本主義社会は、労働を集約して生産力を高めて経済成長をもたらすような社会構想がすべての基礎となっている。その社会構想のなかで、生産に直接は関与しない芸術というジャンルは豊かさの象徴、あるいは歴史的事件として位置づけられるようになったのだ。

三つめが公共性である。現在の芸術を語るうえで、公共性は最も重要なテーマのひとつである。公共性がすべての人々に関係し共通して開かれている状態や状況を意味するのだとすれば、芸術の活動のなかには、特定の誰かのためではない、すべての人に共通の利益や財産となる可能性があるということになる。

芸術家の創作（作品や演奏）を独占的に私有する人もいるが、その人が、誰もが見たり聞いたりできるように公開したとしたら、それもまた公共性をもつことになる。

この公共性に向き合った芸術家は市民社会の人々の連帯を隠喩として表現するかもしれないし、あるいは政府や自治体などの権力に抑制され統治された状態を批判し、そしてそれを乗り越えようとする先導者になろうとするかもしれない。

もちろんここにあげた三つの特徴は、ゲオルク・W・F・ヘーゲルが普遍的で絶対的な原理とした「民族の意識」のような観念が基礎となっている。国民国家が統治の原則になり芸術が文明の価値となるにつれ、かつ社会での公共的役割が強まるにつれ、後期ロマン主義以降の近代芸術は、表現する側も、それを受け入れる側も、個人を内面化することを余儀なくされた。近代化のなかの個人を取り巻く表現。それがある意味で芸術の宿命になった。芸術は個人を道具化する最大の方法のひとつとなったと言っていいだろう。▼3

近代社会での「社会との相互作用に基づく芸術」

近代の先導者たちの運動は、十九世紀後半から二十世紀以降に起こった芸術運動としてのモダニズム、たとえば自然主義、印象派、表現主義、バウハウス、デ・スティル、未来派、ロシア・アバンギャルド、シュルレアリズム、ダダなどの前衛芸術として花開き、数多くの近代芸術の巨匠を生み出すことになった。

前衛芸術と聞くと、過激さや、反社会的だったり反権力的だったりするにおいも漂わせながら、どこか人を引き付けるかっこよさをもっていると感じる人もいるかもしれない。確かにそういった側面も少しはあるだろう。

そうした前衛芸術が美術史に鮮烈な史実を与えていく一方で、アーティストによる社会的現実に対する介入が、日常生活にエンパワーメント（活気）をもたらすことや、社会変革のきっかけを人々に感じさせることもあることもまた自覚されるようになる。

資本主義社会と機械論的世界観の爛熟によって、芸術家がおこなう活動は社会への関与、換言すれば社会的差異への意識が必然とされている表現であることが求められるようになった。そして、それはときには権力に利用されるものに翻訳可能なものにもなった。その社会との関係を重視する考え方で発表される作品や活動は、さまざまな形態で世に問われてきた。ロマン主義以降のモダニズムが生み落とした申し子である。

しかしながら、社会的な関与[4]、たとえば都市問題や福祉あるいは教育などの分野で、さまざまなコミュニティ活動や政治運動を美術や演劇といった創造的で象徴的な表現と、なんらかのかたちで結び付けているアーティストや専門家はとても多い。社会的関与はアートにとってはそれほど特別なことではない。むしろ社会的現実が表現の動機になっていることが多い。

現代芸術の分野では、どれも「社会に関与する芸術」と言ってもさほど的外れではないと思えてくるほど、社会から断絶された芸術というものは少ない。近代は経済や技術によって同時代という意識を歴史として積み重ねる運動体でありつづけてきた。社会的な転回[5]とわざわざ力んで宣言しなくても、同時代の芸術（コンテンポラリー・アート）は近代社会によってつくられると言ってもいいのだ。

ここでことさら社会を強調して論じることは、芸術論からますます離れていってしまうような気がしてくることも確かである。これはなぜなのか。どんな表現、あるいは作品が「社会との相互作用に基づく芸術」に相当するのかという問いが、かなり漠然としているからかもしれない。

そこで、より具体的に「社会との相互作用に基づく芸術とは何か」という問いを立ててみよう。その問いを念頭に置きながら、「社会と芸術との相互作用」の起源にさかのぼって考えてみよう。「社会と芸術との相互作用」の起源のひとつであるコミュニティ・アートは、当初は芸術に触れる機会を平等にするためのプログラムとして一九六〇年代にイギリスで始まったとされる。コミュニティ・アートという呼称は妙な印象を与えてしまうかもしれないが、ひとまずこのまま話を進めよう。

コミュニティ・アートは近代化された都市を舞台にして生まれたものである。一部の富裕層だけではなく、さまざまな境遇にある人たちが芸術に触れるチャンスをつくろうという、いわば芸術をめぐる啓蒙的活動がコミュニティ・アートだった。これはいわばカルチュラル・デモクラシーの流れから生まれてきたものだと考えていいだろう。十九世紀の合唱ブームのように、ある芸術の形式が広まったときには、権力はそれを統治の便宜として利用しようとするものである。しかもたいていの場合、自由や民主主義が大義となっていることが多い。

その結果、アートに触れる機会は平等にあるべきだという理念に寄り添ったコミュニティ・アート団体が多くの地域にでき、その活動は地域や人々の日常生活をテーマとするような地域活動の性格を帯びるようになる。たとえばある演劇作品の共同制作が男女、人種や障害あるいは地域など、さまざまなバリアーを超えて自分たちの民主主義や自治意識などを啓蒙し、政治的な立場を表明するような活動にまで発展したとする。なるほど確かに啓蒙的で、民主主義下での学校のような役割を果たしている。それがカルチュラル・デモクラシー、つまり文化的な民主主義と呼ばれるゆえんである。はたらきかける側とはたらきかけられる側が相互に行動を起こしはじめると、それなりの啓蒙活動になるという典型である。

カルチュラル・デモクラシー[6]。これはなかなかくせものである。アートはとてもいいもので、それに触れる機会は平等で民主的であるべきだ、という考え方である。これは裏を返せば、アートが特権的でありつづけてきたことの反動なのかもしれない。アートの特権的な性格に関してはあとの課題にしておくことにして、ここではコミュニティという都市生活の単位とアートの関係について少し踏み込んでおこう。

前述したようなアートを通じた民主主義運動に一九六八年から資金的な援助をしてきたのが、アーツ・カウンシル（芸術評議会）と呼ばれる機関である。文化芸術活動を支援してカルチュラル・

デモクラシーを促す機関として、いまや日本を含めてさまざまな国や地域にもうけられているが、そのカルチュラル・デモクラシーも一九七〇年代から八〇年代にかけて、大きく様子を変えていく。

多くの地方自治体が助成のプログラムを定着させるころになると、国や自治体の文化政策に基づいて、アーツ・カウンシルはダンスや演劇などの芸術団体や美術館などへの助成をおこなう機関としての性格を強めていった。つまり、文化政策に基づいて助成をおこなう公的機関となっていったのである。さらにその公的支援を受けた活動は、もはや民主主義というコミュニティ運動が後退して、教育プログラムあるいはコミュニティの浄化政策を支援するプログラムとしての性格を色濃くしていった。つまり特権的ではないアートとは、民主的で、健全でなければならないようだ。いささか妙な気分にさせられるが、民主主義の学校のような性格を持ち合わせていると言われれば致し方ない面もあるだろう。

つまり芸術表現の啓蒙的な性格そのものを都市の秩序や治安の維持、あるいは公衆衛生などに社会的な意義があるとされてきたのが、コミュニティ・アートである。そこでおこなわれる活動やその成果としての作品は、商業的に劇場で上演されたり、ギャラリーやアートフェアで取り引きされたりする作品になることはない。むしろ行政サービスに類する「市場の失敗」とも言える活動で、資金面もおのずと政府や自治体からの補助金や個人や民間からの寄付に頼ることになる。

近年の社会環境の変化により、たとえば一九九〇年代になると、コミュニティ・アートという言葉では活動の内容が伝わりにくいこともあって、参加型アート（Participatory Art）という言葉がもちいられることが一般的になっていった。

また参加型アートでは、芸術団体や美術館は必ずしも地域住民だけを対象とするわけではなくなったため、コミュニティ・アートという言葉では誤解を招く可能性がでてきたと言える。

コミュニティ・アートの活動が地域性にとどまらず、より大きな社会的問題やニーズを反映する参加型アート活動に及ぶにいたって、参加型のスタイルはソーシャリー・エンゲージド・アート（Socially Engaged Art）とも呼ばれるようになってきた[7]。

コミュニティ・アート団体をはじめとする各種団体なども、アーツ・カウンシルなどの助成機関からの委託事業として活動するようにもなっている。行政がアーティストやアートマネージャーを雇い、活動を展開することも増えるようになり、その活動のなかからコミュニティ・アート団体として発展する場合もある。より大きな社会課題やニーズを反映し、啓蒙的な活動が制度化すればするほど、カルチュラル・デモクラシーだったはずのコミュニティ・アートが行政化（Municipalisation）していくというジレンマに陥ってしまうことも明らかになっていく[8]。

構想される「新しいパブリック」

コミュニティ・アートというのはどこか落ち着きの悪い用語である。ここでコミュニティが意味しているのは、言うまでもなく都市生活を送るうえでの基本単位であり、いわゆる共同体と呼ばれる地域の結び付きである。芸術と都市は古代から深い関わりがあり、芸術の根源を探っていくことは都市の歴史について考えることにいや応なく結び付く。とりわけ、近代都市は統治の中枢、産業経済の現場、そして近代人の生活空間といった複合的な役割を担っている。そこでは市民という統治の主体に重要な位置が与えられるようになった。

さらに市民は単なる社会集団ではなく、定住の証しを歴史化しているという意味で、人間の集団であると同時に集合的な記憶でもある。市民であることのアイデンティティを歴史化し、モニュメントとして視覚化するために都市には独自な造形物がつくられてきた。都市計画に基づく道路や区画の整備をおこなう土木事業や建築、あるいは都市の景観に至るまで、近代が生んだ国民国家と資本主義は自然を抑圧することで、都市を構想してきた。このような技術と資本を基礎とする国民国家のテクノクラシーにあって、都市の想像力とは自然の抑圧である。裏を返せば、近代的な都市とは権力者と資本家が上塗りした抽象的思考や造形能力のモザイクなのである。

近代都市は都市計画を欲望し、都市計画は建築を欲望する。その建築とともに発明されたのが、「新しいパブリック」だった。建築は常に広場と記念碑を欲望する。建築で場を蹂躙してしまったことをあたかも弁解するように、国民国家はあらためて「新しいパブリック」を求める。「新しいパブリック」をつくろうとするテクノクラシーにとって、一九六〇年代の「世界」を無視することはできない。六〇年代の「世界」とは言うまでもなく「冷戦」である。第二次世界大戦後の冷戦下で、「自由」の観念は自由主義というイデオロギーを支える根拠としてだけではなく、国民国家にとって国内外の人たちに向けて視覚化されなければならなかった。とりわけアメリカは、共産主義陣営に対してそうした視覚化を必要としていた。レーニン像や天安門に掲げられた毛沢東の肖像のように、個人崇拝を視覚化する共産圏のパブリック・アートに対抗して、抽象彫刻で自由を視覚化しようとしたわけである。世界情勢がそうした「新しいパブリック」を求めたのだ。パブリック・アートはそうした「新しいパブリック」に貢献する。

国民国家のイデオロギーや自由の視覚化にアートを利用するなど、いささかばかばかしいと思えたりする。国民国家の儀礼はこういう表現で理想を視覚化しようとするものらしい。そこで視覚化される自由の大切さは、まず自由をめぐる想像力を目で見ることができるという現実である。自由に完全はない。不完全であるために、人々は自由をその目で確かめたくなる。

自由主義だろうと、共産主義だろうと、思想や信条に関係なく人間はみなその生命に限りがある。限りがあるということは、その生に対して自由は抑圧されているとも言える。そのとき、抑圧をめぐって理想と哲学が動きはじめる。

ただ、自由という言葉そのものはなかなか厄介だ。その自由の理解にはあまりにも幅広い考え方があるからだ。その自由の概念について、アイザィア・バーリンは「積極的自由」と「消極的自由」に分類し政治学のなかで体系化している[9]。

自由にも種類があるという考え方は新鮮である。たとえば「そんなの個人の自由でしょ」と言うときの自由は、どんな人からも自由を妨げられないという意味で、権力に干渉されない「自由」である。そのような自由を「消極的自由」と呼ぶ。

その一方で、いささか逆説的な言い方だが、ときに権力は私たちを「自由」にする。いわゆる基本的人権は自由を保障し、権力は人々に教育を与え、差別や偏見を法によって抑制し、富の再分配によって格差を是正しようとする。社会や経済が課す規範から解き放たれ自己の意志を実現できる

「自由」を、バーリンは「積極的自由」と呼んだ。

積極的自由の考え方では、個人の自由を保障する共同体の善、つまり福祉に沿って国民国家の国益を優先して権力の生活への介入を積極的に求め、各個人が政治参加することを期待する。都市のあり方は常に、共同体の善を最大化するパターンの集合として構想されてきた。

二十世紀後半のパブリック・アートは、この積極的自由に下支えされて進化を遂げてきた。アメリカ合衆国をはじめとする西側諸国は、ソビエト連邦をはじめとする共産主義陣営に対して、「自由」というイデオロギーを視覚化する必要があったのである。アメリカの場合、その公認は公共施設庁(GSA)の下にある全米芸術基金(NEA)が建築のプランと一体化した「アート・イン・アーキテクチャ(Art in Architecture)」というプログラムが担っている。[10] 全米芸術基金(NEA)は国内のアーティストを顕彰するという、アートを国家事業として財政支援する目的で設立された組織である。その起源も一九六〇年代にある。

プロセスアートが大切にしたプロセスと、都市計画がときには建築よりも重視したパブリックは、同じ精神に根ざしていると言える。それは都市や国家という共同体をめぐる起源や権威を視覚化し、信用や信頼の証しにしようとするものだ。いわば自由と豊かさの視覚化である。だからこそ高級そうに見えなければならないし、何からも抑圧されていないように見える必要がある。自由や豊かさを公共空間で視覚化しようとする、ある種のプロパガンダである。

パブリック・アートが、その作品の意味がその作品が置かれる場との関わりで解読されることを望むとすれば、それはすでに大きな限界を抱え込んでいることにもなる。というのも、積極的に自由や豊かさという意味をもたせようとする人たちの理想に応じた意志があらわになっても不思議ではないからだ。

パブリック・アートが一般化していくことに歩調を合わせるかのように、年を追うごとに「対話的芸術」や「コミュニティに関わる芸術」または「地域密着型の芸術」といった社会改良型の活動が「芸術と社会」という文脈で語られるようになってきた。アーティスト・イン・コミュニティ(Artist in Community)[11]のなかでも、芸術を生業とするアーティストやアート関係者が自分たちの作品を地域に滞在して制作をおこなうアーティスト・イン・レジデンスはその典型である。地元の歴史やニーズを反映するものとして、たとえば空き店舗をいかした作品展示、地元の人たちとの共同制作、あるいは屋外での大規模なインスタレーションの展示などもひとまずこの部類に属する。

多くの場合、普段は積極的に芸術活動をおこなわない人たちか、芸術活動にさほど興味がない人たちとプロのアーティストとが作品制作やコラボレーションをおこなうケースもここに含まれる。芸術にあまり関心がない人たちや動機のない人をその気にさせるだけでも多くの時間と労力を必要とする。「そんなことをやって税金の無駄遣いではないか」とか「それが何の役に立つのか」といった問いにも、折に触れてさらされるにちがいない。一方、その問いがないところで、単に「ファンの集い」に行政が支援するようになってしまっては、アートを地域で推進することの意味はない。

こうした陥りやすいジレンマも考慮に入れると、先に述べた近代的な芸術が芸術として浸透していく背景として重要な役割を果たしてきたと思われる要素の三つめ、つまり広い意味での公共性の確立を念頭に置いた芸術活動がコミュニティ・アートの中心的な課題だということになる。

事実コミュニティ・アートは一九六〇年代になるといささか政治色が強くなっていき、都市生活での多様性をコミュニティのなかでどのように積極的に受け入れ、日常生活にエンパワーメント（活気）を与えていくかという使命を帯びはじめたのである。

前衛芸術と社会的実践

こうして「社会との相互作用に基づく芸術」を「社会のためのアート」という立場から考えてみると、参加や対話のプロセスを含むさまざまな表現活動は、これまで見えていなかった（認識されることがなかった）社会の課題を可視化する可能性に賭けた試みであることは確かだろう。

コミュニティ・アートから生まれたたいていの作品やプロジェクトは、かつては気づかれなかった価値を明らかにすることによって社会に現実的な変化をもたらそうとする、ある意味でとても素朴で凡庸な試みである。もちろんアーティストはソーシャルワーカーでも地域開発コンサルタントでもない。「社会との相互作用に基づく芸術」に従事するアーティストやアートプロデューサーを、ソーシャルワーカーあるいは地域開発コンサルタントとして雇うことは、おそらくあまり意味はないだろう。ときどきアートの文脈でも「社会のためのアート」とか「社会改良としてのアート」といった意味を含んだ活動を見かけることもある。結果として、社会改良や教育的な意味はあるのかもしれないが、社会に役立つことを目的としてしまっては、ソーシャルワーク（社会福祉援助技術）

やコミュニティ活動（community activities）あるいは地域開発（community development）との区別がなくなってしまい、もはや語感からもアートの専門性は著しく後退してしまう。

「社会との相互作用に基づく芸術」はアトリエやスタジオで創作するのではなく、人々が日常的に生活している空間に、アーティストが自分の居場所を確保して自分の考えを伝え、ある考え方や抱いている理想に沿って協力者を得ながら「作品」を仕上げていく創作活動である。どうあっても、「社会との相互作用に基づく芸術」は社会規範というコンテクストから逃れられない立場であり、それは「作品」をつくって歴史化していく活動である。

このあたりの状況を考慮し、アートプロジェクトやコミュニティ・アートをはじめとする、参加型アート、対話型アート、パブリック・アート、ソーシャリー・エンゲージド・アート、ソーシャル・プラクティス・アートなども含めた、「社会との相互作用に基づく芸術」は、「アートの社会での実践」という意味を込めて、いったん「アート・プラクティス」という用語で総称しておきたい。

都市の矛盾に応答するアート

では、どんな活動が社会的実践の様式として論じられるべきなのか。それを具体的に検証するための事例として、ここでは一九七〇年代から八〇年代のニューヨークに目を向けてみることにする。

一九七〇年代のニューヨーク・サウスブロンクスでは、「プロジェクト」と言えば、それは未来の希望を託すような都市開発のプロジェクトでもアートプロジェクトでもなく、五〇年代にブロンクス横断高速道路（Cross-Bronx Expressway）プロジェクトがコミュニティを大きく変えてしまったことからくる否定的なニュアンスを含むスラングである。死の臭いが充満し地獄のような貧困にあえぐ人たちが住む低所得者層向けのアパートを意味することもあった。

高速道路の開通によって都市交通のネットワーク化は進んだが、騒音でうるさく空気も悪くなり、しかも家賃が高いという状況がこの地区に生じてしまった。その結果、それまで住んでいたユダヤ系白人がブロンクスを出ていってしまい一帯の家賃が急落して、アフリカ系黒人、ジャマイカ系黒人、ヒスパニック系の貧困層が移り住むようになった。さらに、「プロジェクト」に流入して定住しようとする黒人を嫌う白人たちが街から出ていってしまう「ホワイト・フライト（White Flight：白人の逃亡）」という現象が急速に拡大し、街の荒廃に拍車をかけた。

こうなると、負のスパイラルは加速するばかりである。家賃収入も見込めなくなり、売却相手もいないビルのオーナーたちは、あろうことか火災保険の保険金目当てに自分が所有するビルに放火するようになってしまった。その数はサウスブロンクスやハーレムだけで年間一万二千件にものぼり、一九七〇年代の数年間のうちにおよそ三十万人がこの地を離れたと言われている。

通りは空爆を受けた跡のような焼け落ちたビルとその瓦礫ばかりが目立ち、行政サービスがストップしてしまったため、路上にたまりつづけるゴミで街中に異臭が漂っていた。その荒廃ぶりは、近代都市の矛盾を一手に引き受けてしまったかのようだった。サウスブロンクスは世界中に知れ渡るほどのスラムとして荒廃し、「プロジェクト」に住む人たちは次第にギャングとなって街を闊歩し、麻薬取り引きやらギャング同士の縄張り争いやらで、略奪や殺傷事件も日常茶飯事になった。

本来便利になって幸せをもたらすはずの高速道路の「プロジェクト」は、皮肉なことに、貧しさと治安の悪さを典型的に象徴する集合住宅を意味するようになり、そこに住む人たちの身の上にも都市の発展がもたらす矛盾が容赦なく襲いかかっていた。この「プロジェクト」の住人たちにとってその社会とは、貧困、麻薬、ギャングたちの抗争、毎日数件ある近隣での火事といった死と隣り合わせの現実だった。そうした状況下、一九七〇年代から八〇年代にかけて、アフリカ系黒人であるアフリカ・バンバータらがパーティーを開いて、それはギャング独自の自治活動にも似た社会改良活動に拡大していく。そうした背景から「ヒップホップ」が誕生したのである。[12]

「キッズ・オブ・サバイバル」

そんなサウスブロンクスに住む社会的・経済的に困難な問題を抱える子どもたちとともにティム・ロリンズが始めたのが、「芸術と知識のワークショップ」である。その活動から、参加した子どもたちはK・O・S「キッズ・オブ・サバイバル」という名のアーティスト集団へと成長していった。

「キッズ・オブ・サバイバル」の活動は、ニコラス・ペーリーが『キッズ・サバイバル』[13]という書籍で紹介している。さらにはドキュメンタリー映画も制作された。映画『ワイルド・スタイル』（監督：チャーリー・エーハーン、一九八二年）にもその活動の一部が登場する。その知的なアクティヴィズムと、発表されたコンセプチュアル・アートとしての質の高さを見ると、「社会（子ども）に対してアートに何ができるのか」という命題に対してひとつの回答を与えているようにも感じられる。「キッズ・オブ・サバイバル」を始めたのは、一九五五年にメイン州ピッツフィールドで生まれて、八〇年代以降は美術教師またはアーティストとして、あるいはアクティヴィストとして活躍しているティム・ロリンズ（Tim Rollins and K.O.S）である。ロリンズは、コンセプチュアル・アーティストとして名高いジョゼフ・コスースのアシスタントとして自身のキャリアをスタートさせ、ニューヨークのサウスブロンクスの高校で美術教師として教鞭を執るようになった。

そこで生まれた作品はベネチア・ビエンナーレやドキュメンタなど、アートの世界では「権威」とされるフェスティバルにも出展されている。作品の特徴は、ミニマリズムやコンセプチュアリズムの延長のようなものも多く、むしろ美術史の先人たちへのオマージュのような作品が数多く制作された。地下鉄や荒廃したビルの壁面に描かれた落書きとは明らかに一線を画していて、さすがに知識を重視していたロリンズらしく、発表のあり方も「知的」かつ「教育的」で異彩を放っている。

K・O・Sのようなプロジェクトを立ち上げ、それが社会的実践の作品として歴史的なプロセスの一部に位置づけられようとするならば、ここでロリンズを参照したように、先人たちの挑戦や方法論を十分に研究し尊重すべきである。「社会に関与する芸術」としての社会的実践はアートの一形態であることは間違いない。

視覚芸術のアーティストがそれを担うこともあれば、映像作家や演劇の演出家がそう位置づけられることもあるだろう。あるいはまた音楽家の社会での活動がそう論じられることがあっても不思議はない。

どんなジャンルを出自とする実践であっても、アートであるかぎり、その実践は人間のあらゆる運動を先取りすると考えていい。アフリカ・バンバータやティム・ロリンズがそうであるように、芸術家は言うまでもなく、先駆者である。アートとは、人間の集団を構成したり組織化したりする力であり、歴史を振り返ってみれば社会を構想する革命的な推進力として位置づけられなければならない。

アートは「絆」や「つながり」のためにあるのではない

サウスブロンクスは結果的に新しい表現の社会的な実践の現場となったが、このような「社会との相互作用に基づく芸術」としての社会的実践は一九六〇年代後半以降、イギリスだけでなく、アメリカ、カナダ、アイルランド、オーストラリアなどの英語圏の国で広がっていった。多くの場合、コミュニティアートセンターなどの場を拠点として、草の根的なアプローチで、経済的貧困地域に拠点を置いて視覚芸術（美術、映像、メディアアートなど）、音楽、演劇などが展開されてきた。過去にコミュニティアートと呼ばれるプログラムに共通して見られた特徴としては、「参加」と「プロセス」の重視が最優先の目的とされることがある。そこではコミュニティ内の問題を明らかにしたり、共有したり、解決を図ったりするものを含めて、継続的にさまざまな試みがおこなわれてきた。コミュニティアートはアートの一形態であると同時に、「コミュニティアート運動」と言えるような、ある種の社会運動として位置づけられてもいる。結果的に、あるいは間接的に、市民社会の再考やコミュニティ再生のきっかけにもなり、ティム・ロリンズの実践がそうだったように、課題解決型の社会実践としての役割を結果として果たすこともある。

この「コミュニティアート運動」と呼べるのは、「市民社会」の確立や変遷を芸術を通じて学習していくという、ある種の集団的な啓蒙活動がある場合に限られると思われる。K・O・Sはまさに、都市の移民や移住あるいは多民族の共生、貧困問題など第二次世界大戦後の市民社会の矛盾に正面から向き合ったプロジェクトである。

このようなテーマに直面したとき、プロジェクトの社会的実践のゴールは、社会の価値を肯定したり融和させたりするはたらきをもつ場合もあるし、社会の課題を明らかにして体制や権力、権威を批判するきっかけになる場合もある。ところが社会的実践の作品やプロジェクトは、コミュニティに基礎を置いて活動しているものの、芸術作品としての評価をすべきなのか、ボランティア活動などの社会活動として期待されるべきものなのかという点が、いまひとつはっきりしないことも少なくない。社会学や文化人類学、あるいは建築などの専門分野との境界もあいまいである。

さらには、芸術の社会的実践は素朴にコミュニティの構築をめざしているのか、あるいは、その実践はコミュニティの「絆」や「つながり」を築くことが目的なのか、はたまた、芸術家の野心に搾取されているのではないかといった疑問も聞こえてきそうだ。しかしながらその疑問は根本的にナンセンスである。コミュニティの創造を主たる目的とする芸術活動や、「絆」や「つながり」を築くために芸術作品の創造があるなど、誰が聞いても妙な話である。そんなことをすればアーティストにも、行政や企業などから表現の自由を抑制されるリスクが常に背中合わせにあることになる。

社会的実践が活動の場としているコミュニティは「つながり」とか「絆」を目的とするものではなく、利害を調整して集団をつくりながら生を継続していくための英知である。

新しい生きがいや社会のあり方を提示することを標榜し「つながり」や「絆」を言い訳のようにコンセプトにした「擬似芸術」は社会的な意義も美学的な意味もない。自己満足の茶番であるばかりか、芸術や社会に対しても無知蒙昧で傲慢な態度であると言っていい。それらはアートの役割を誤解しているばかりか、そもそも社会やコミュニティという近代的な運動の単位を誤解している。

表現衝動の行き場

では、社会的実践の基本的な役割とは何か。それは人間の知覚にはたらいて、それに立ち会ったり向き合ったりする人に特別な経験をもたらすような知恵と知性、つまり他者と共有できるような英知を与えることである。その英知を共有するシステムが公共的空間だと考えることもできる。辞書による定義にならえば、コミュニティとは「共同の、共有の」を意味するラテン語のcommunisに由来する語で、同じ地域に居住して利害をともにしながら英知を共有し、政治・経済・文化などで深く結び付いている人間の集団のことである。

人間は集団化を進めるうちに、そのプロセスで政治・経済・文化など、さまざまな困難な問題に直面する。その目の前の問題にどのように向き合うべきかについて悶々とするうちに、当然ながら人間は利己的に利害を調整して、自分の理想に近づこうとしていることに気づく。いわゆる合理的な行動とはそういうものだ。

　しかしながら、自分の理想に近づくために、状況に応じて、利害を超えた利他的な行動をとることによって、自己理想を獲得しようとすることもある。たとえば子育てや老人介護の現場では家族という共同体のなかで利他的な行動が求められることが多いし、利害だけで行動してしまえば家族というコミュニティでは自己理想を交換することができなくなってしまう。

　この利他的な行動をとる人間の本能的な利害調整は、自己理想を獲得しようとする人間の習性から社会的実践が誕生してきたことを示唆している。そう考えると、他者と共有できるような英知を、行為としての自らの表現に委ねることは当然ありうることだ。その自己理想を、ほかの行為に置き換えて隠喩的に獲得しようとするとき、「表現衝動」とも呼べるような表現の欲望があらわになる。それは芸術的な表現の契機と言えるかもしれない。

　この表現衝動について、コミュニティでの自己理想の交換という観点からもう少し深追いしておこう。コミュニティとひと言で言っても、さまざまな理解と解釈がありうるだろう。ここでは、コミュニティをいったん大まかに「居場所」と理解しておくことにしよう。「居場所」は狭義には自分が生活を継続していくうえで基盤になる場所で、最も身近なのが「家」という概念である。家は近代以降、住宅というハードウエアが基本になっていて、個の生存と子孫の継承のために占有する場所となっている。いわば家は縄張りである。

　縄張りを守るために、動物はマーキングや定期的な見回りをおこない、侵入者に対しては攻撃を加える。これらは自己理想が脅かされるためにおこなう表現衝動である。動物の自己理想は言うまでもなく生の継続、つまり生き残りである。生き残るためには縄張りを守る能力としての表現衝動はなくてはならないものである。同時に、縄張り争いには適当な逃げ場や合理的な戦略も用意されている。徹底抗戦を避けて、ある程度のところで退散する方法や、エネルギーを無駄に使わずに自分の強さを誇示し、相手を撤退に追い込む方法など、動物は間接的な表現力も本能としてもっている。徹底的な抗戦は味方を失うことにもつながることにもなるため、子孫を残すうえで必ずしも合理的ではないからだ。

たとえば、よく知られているように、チンパンジーのボス格のオスはほかのチンパンジーを服従させるために、大きな声を出したり、石を投げたり、枝を振り回すことで自分の強さを誇示するディスプレーという行為をとる。この表現衝動を見たほかのオスは挑戦すべきか否かを判断し、無駄に命を危険にさらしたりエネルギーを消費したりはしない。いわば生命の継続にとって最も合理的な行動をとる。群れで生活するチンパンジーにとっての最大の敵はほかの群れである。身内の争いは適当なところで収め、いざというときに戦えるだけの戦力と団結力を残しておく必要があるのだ。このような群れを防衛する戦略は、本能的な能力と観察学習の機会が重要になる。オスの子どもは一歳を過ぎると大人のディスプレーをまねるようになるが、それは単なる表現衝動であるだけでなく、群れを守るという防衛本能を継続しているのだ。こういった縄張り争いはほかの動物同様、適当なところで当事者同士が折り合いをつけ、お互いのダメージを最低限にとどめる仕組み、あるいはルールがある。

自己理想を読み取らせる

　このようなルールは関係者のコンセンサス（合意）が得られた場合に機能する。ルールをつくれば、当然抜け道を探したり出し抜いたりする者が出てきて、その内容が目に余るような状況が生まれた場合は合議によって社会的制裁が加えられる。こうした一連の試行錯誤のなかで、制度はより洗練されていく。

　人間の場合には、領土をめぐる戦争が最もわかりやすい縄張り争いである。縄張り争いは国家レベルに限ったことではない。利害あるところには必ず縄張りができる。社会は縄張りの集合ではないかと思うほどだ。利害を守るうえで縄張りはひとつの運命共同体になっている。市場や学問、思想、さらには知的財産をめぐっても縄張り争いは際限なく起こっている。

　チンパンジー同様、人間の場合も子どものころから自分の所有物や縄張り（人との距離も含めて）を守ろうとする。また、子どもは大人の縄張りにも敏感で、周囲の行動を観察しながら社会的な行動パターンを習得していく。持ち物には名前を書く、畑の野菜を勝手に取らない、教会の祭壇には勝手にあがらないなど、縄張りをめぐる社会的規則も教えられる。これらの社会的規則は受容する文化によっても大きく異なる。そのために教育が必要となることは言うまでもない。チンパンジーの場合と違って、人間は貨幣で価値を置き換えて経済活動をおこなったり、自然現象を単位という記号で理解し共有したりしている。貨幣をモノと交換したり、貨幣同士を交換したりする。一見不合理のようでいて、抽象度の高い観念や現象を、具体的な記号やモノに置き換えて、伝えたり共有したりする。科学的な知見や芸術的な表現は営々とそのように伝えられてきた。

なかでも、比喩は言語をもつ人間という種の特殊な表現力である。特異な換喩(考え方が近かったり類似させて語意や文脈を広げて誇張したり強調したりする比喩)などの修辞法をもちいて、一見不合理に見えるような方法で伝達をしようとする。隠喩というレトリックにいたっては、自己理想をめぐる謎かけである。他者に向けて「〜ようだ」という置き換えをして、見聞きする者に自分のメッセージを読み解かせる時間をつくり、その時間によって縄張りの理想、つまり何が自分にとっての自己理想なのかということを伝えようとする。そう、ある人の表現衝動は、他者の時間を奪うことで自己理想を実現しようとするのだ。もしその時間ができれば、表現衝動は芸術としての役割を果たしはじめる。

キリスト教や仏教で数多の偶像がつくられ、ギリシャやローマでも自らの豊かさを誇示してきたのは、その意味を読み解く時間に自己理想の伝達や歴史化を託してきたからだ。結果的に自己理想を他者に伝えるメッセージになるからこそ、大きなコストを支払ってまで隠喩を生成する技術を磨き、その技術で自分たちの縄張りの豊かさを表現してきたのである。その表現力こそ縄張りにある。自己理想の獲得を表現に置き換える技術が芸術であり、間接的に発見しようとする表現衝動の端緒とも言える。この表現衝動はなんとも知的で利己的で、そして何よりも近代的な意味で、人間的でもある。

公共圏の倫理

ここまで、社会的実践の基本単位であるコミュニティとそこで生じる課題を「縄張り」までさかのぼって、自己理想や芸術運動という観点から考えてはみたが、現実に私たちが生活している社会では自己理想はどのように交換されたり共有されたりしているのか。美術館の展示やアートのフェスティバルは、そもそも社会にどんな幸せや豊かさをもたらしているのだろうか。

公民館や市民会館のパンフレットやウェブサイトには施設の目的を説明する文章を記載してある。たとえば、「市民が集う公共の施設として芸術文化や福祉の向上に資することを目的として設立・運営されています」といった感じだ。

では、そもそも公共の福祉とはいったい何を意味するのだろうか。いわゆる社会的実践は公共の福祉に貢献しうるものだろうか。それは政府や自治体に関係するサービスを意味しているのか。それとも、すべての人々に共通の豊かさや幸せを与えるということなのか。あるいは「誰にでも開かれた」という意味なのか。いずれにしても、この「公共の福祉」という概念について、芸術を念頭に置いて考えてみる必要がありそうだ。

公共や公共性という話題になったときに決まって登場するのが、ドイツの政治哲学者ユルゲン・ハーバーマスの主張に代表される公共圏[14]である。公共圏とは、十八世紀から十九世紀にかけて形成された「読む人たち（読者）」のネットワークである。

公共圏という考え方は、読む人たちが読んだ経験をもとに議論を楽しむことを起源としている。ブルジョアジーがカフェやサロン、またクラブに集まって、それぞれが読んだ新聞や文学作品についての議論を楽しむことによって連帯意識が生まれ、そこにネットワークができあがっていった。その読者のネットワークに政治的な議題が自然と上がるようになるにつれて、公共圏は市民社会の政治的な覚醒も生み出す。その結果、政治を左右するような議論（公論）が活発化するきっかけになって、読者のネットワークであることを超えて、国家に対する批判的機能をもつ政治的公共圏が形成された。

ハーバマスの論に代表されるように、公共圏は市民の間で共有される政治的言説空間と位置づけられ、自由で平等な、またオープンな公共圏は市民社会の理念とされたのだ。その意味で公共圏はきわめて規範的であるばかりか、政治的な言説のコンテクストとしてはもはや倫理的でさえある。

不平等な公共圏

公共という言葉を聞くと、政府や自治体が提供するサービスや施設を思い浮かべる人は少なくないだろう。それどころか、多くの人はそれしか思い浮かべることさえできないにちがいない。しかしながら、「公共の福祉」とは統治する主体、つまり政府や自治体が、統治されている人たち、つまり国民や住民に豊かさや幸せをもたらすことにある。そもそも、そのために政府と自治体は存在している。

近代国家で統治の主体になっている政府の役割は、本来は国民の自由と平等の権利を維持することにある。自由と平等が脅かされようとするとき、政府がある程度介入することは仕方のないことかもしれない。そうした政府の役割が理想とされていた。

自由権は国民一人ひとりが権力に介入されず、政府が国民の生活にいちいち干渉しないという権利である。平等権は、簡単に言えば、どんな差別もなしにしようということ。つまり、もともとの平等権は平等を原則として、能力の差など関係なく全員が同じスタートラインに立って、どんなハンディもなく自由に活動できる権利を意味していた。

ところが、実際はそう簡単ではない。近代国家で産業革命が起き、工業化が進んで資本主義が発達してくると、自由や平等の理想はしばしば資本主義の原則と相性が悪くなっていく。資本主義は、平等ではないことがエンジンになって豊かさがもたらされる仕組みの経済体制であるからだ。

そこで市民は、本来自分たちのものである教育や文化あるいは社会保障など、生活に関わる最低限の生活保障を権力に委ねるようになる。それが国家の福祉国家的側面である。福祉国家化に伴う国家と社会の相互浸透、メディアへの私的利害の流入によって、公共圏は私的な利害が競合しあう舞台になって、本来の意見形成の機能を失ってしまうのだ。

そのような民主主義の平等という原則は政治の原則としては機能するものの、資本主義の市場原理はその平等の原理をせせら笑うかのように、格差をどんどん広げていく。お金がある人はますますお金持ちになっていくし、お金がない人は結局お金が増えず、生きていくだけで精いっぱいの状況に陥る。そのような状況にもかかわらず、資本主義でもまた、平等に経済活動をおこなう自由が権利で守られている。なんとも理不尽なジレンマである。

このような資本主義体制では、いくら政府が理念的に平等を叫んだとしても、大義名分でしかない。自由と平等といった権利だけでは、実のところ誰もが平等に自己理想を交換できたりはしない。貧しい人や社会的に弱い立場にある人に「あなたには生まれながらにして人権がありますよ」と言っても、人権ではおなかはいっぱいにならない。極端な言い方をすれば、自由といっても空腹で飢え死にする自由くらいしか残らなくなってしまう。そうすると、政府が個人という縄張りに勝手に立ち入らない原則のもとに自由や平等を保証しているだけでは、日々の生活は立ち行かなくなってくる。そのなかから、公共サービス、義務教育、図書館や美術館、あるいはハローワークに至るまで、生きるために必要な施設や組織を整備し、会社と対等に交渉できる労働組合をつくることができるように制度を整え、最低限の生活を保障するために個人の生活への介入を要求することが資本主義の発達の流れで生まれてくる。自由権が個人は国などの権力に介入されないという権利だったのに対し、生存権や労働基本権とは国などの権力に介入を求める権利である。このような国に介入されることで最低限の生活保障を求める権利を社会権と呼ぶ。国に介入を求める権利が認められた国家を、一般的には福祉国家（社会国家）と呼ぶ。空腹になって飢え死にするのも自由、というような自由国家から、福祉国家に世の中が変わっていくと、もともとの人権の概念に社会権が加わることになる。政府に介入しろと言えるようになると、政府には個人一人ひとりに対して必要な介入をおこなう義務が生じるわけだ。たとえば生存権の場合だと国民が健康で文化的な最低限度の生活を送れるようにする責務が発生する。生活保護はその一例である。政府が労働者と経営者を対等に保証できる環境を整備する責務も、団結権や団体行動権を認める労働基本権の話につながっていく。同性婚が自由だという立場からすれば、それは国家が介入できるような話ではない。しかしながら、事実上日常的に同性婚の生活をしていて養子をとって家族を構成しているとすると、話が違ってくる。同性婚の家族がほかの異性同士の婚姻関係と同等の社会的な権利、たとえば相続など財産に関わる権利や、養子が学校に通うことができる権利は、同性婚を政府や自治体が認めないかぎり存在しないことになるので、同性婚の家族は社会のメンバーではないということになる。

このように、社会権を主張してその権利を政府や自治体が認めていけばいくほど、社会という考え方は多様化し拡大せざるをえない。大小の権利を主張し、統治の主体が生活に介入し、よりよい幸福を最大化していくのが社会だとすれば、社会は権力の介入をめぐって最大多数の幸福を創造していくプロセスでもある。

そのような最大多数の幸福をつくるプロセスを芸術的実践が社会的な役割期待として担うとするならば、福祉（社会）国家にあって、芸術的実践は社会が拡大して権利が更新されていく変化に影響力と想像力を提供するような様式として理解されるだろう。役割期待としての芸術的実践は、政府や自治体に関係するサービスとしての芸術であれ、「誰にでも開かれた」芸術であれ、すべての人々に関係する共通の豊かさや幸せを追求するための芸術であれ、現代芸術としての社会的実践は常に同時代性とともに更新されていくものであることにほかならない。

ヘゲモニーとしての国宝

　ここまで、国民国家と福祉国家の違いを考えながら芸術がもつ役割について概観してきた。だが、ここで注意しなければならないのは、国家などの共同体はそのまま社会であるとは言えないという点である。

　確かに国家、学校や家族など、近代社会が定着させてきた共同体の仕組みは社会を理解するうえで、とてもわかりやすい。とはいえ、社会の同時代性を考慮しながら、そこに芸術という創造性を発揮しようとするとき、国家や学校や家族のように、閉じられた「内部」が表象している共同体は、表現の場として、あるいは対象として適切かどうかという問題がある。たとえば、国民国家の国民は一元的・排他的な帰属意識を基礎としている。帰属意識は言語（公用語）、宗教、文化、道徳価値が内面化されていることが必要条件である。その結果として、国民国家という共同体が統合化されている。国民が愛国心という情念に支えられているように、家族や地域あるいは学校といった共同体も情念（血筋や愛国心、あるいは郷愁など）に支えられている場合が多い。「公共的空間」をハンナ・アーレントは「自由」と「排除への抵抗」としたが、ここからしばしば耳にする「公共性」の問題を細かく読み解いていくと、「合意」については、もう少し詳しい議論が必要となるだろう。

　近代資本主義社会にあっては、支配のほとんどが合意によって達成されていて、強制による支配は一部にすぎない。暴力的な抑圧を直接受けなくても、人々はいつの間にか権力の支配に合意していると論じたのはアントニオ・グラムシ[15]である。

近代の市民社会では、強要されるヘゲモニー（支配権・覇権）は直接的には、暴力による支配・被支配のかたちでは現れないというのがグラムシの主張である。では、支配者は被支配者に対する支配をどのように進めようとするのか。そこに現れるグラムシの主張はいささか空恐ろしくなるほど、人間の集団化の深層に触れるものだ。

権力によって抑圧しようとする者は、被抑圧者から「合意」を獲得するためにさまざまな「文化的戦略」を使うという。その文化的戦略に抑圧の姿を批判的に見たり警戒したりすることはなく、それほど意識することもなく抑圧体制に「合意」し、いつしか服従させられている、というわけだ。たとえば国宝や重要文化財などに指定されている、いわゆる文化財と呼ばれる作品は、一つひとつは確かに芸術表現である。しかしながら、国家によって国宝や文化財という大義で同時代性（当時の時代精神）を剝奪され集合化されることによって、いわば国民国家の資産として国民に内面化される。そして「国民」は、「国宝」に合意することによって国家の存在を強く認識する。その結果、間接的ではあってもヘゲモニーに国民の側が大義を与えることになる。

闘争の回路としての検閲

同時代の芸術は芸術家の署名とその同時代性が担保されて、歴史化された芸術表現が作品として形式化する。それが国宝や文化財と同時代芸術との異なる点である。ここからも、国家などの共同体の閉域は社会的実践にとって有効な概念装置としては機能しないのでないかという仮説にたどりつく。

この仮説に、グラムシがいうヘゲモニーをめぐる抗争の場をみることができる。国宝や文化財の指定とは違って、同時代芸術の表現衝動の多様性に人々は心を揺さぶられる。表現衝動に根ざした文化をめぐる支配権は必ずしも一様なものでもなければ、安定したものでもない。このような多様な意見や考え方の段階では「合意」に至ることはない。だからこそ、そこに政治的な闘争の場がある。

文化をめぐって、ヘゲモニーをめぐる政治的な闘争が明らかな場合、あるいはアーティストが権力に対して挑発にも似た表現を仕掛けたような場合には、権力は事前に弾圧しようとするかもしれない。歴史によってつくられた権威を批判的に表現し特異点を獲得することで、その表現をおこなった芸術家が権威になる。芸術家にはそういったジレンマがある。そのジレンマで、同時代の芸術は成立する。

もちろん、「芸術であるもの」と「芸術ではないもの」を識別する国境のような分断線などはない。それを識別するのは、いつも「多数であること」あるいは「識別すること」を前提に想定されている政治的な判断の基準である。暴力や猥褻、宗教や民族などに関するタブーはその典型である。検閲されることは文化的規範に属する禁止事項が政治的な抑圧や法によって違法なものとして排除され、表現の自由が抑制されることにほかならない。それは権力による挑発行為である場合も多いが、社会秩序の維持を口実として、検閲が表立っておこなわれ表現が抑制されることで、人々は権力が潜在的にもっているヘゲモニーを内面化せざるをえない。

権力は、人々の表現力とその伝達の可能性をいつもこわがっている。人々の表現力次第で、自らの力が脅かされることを直感的に知っているからだ。だからこそ、権力は事前にその表現力を弱めておこうとして検閲する。検閲は強迫観念であり、負の表現でもある。

権力と芸術はともに歴史が参照点となる。同じ参照点でありながら、権力は常に「多数」と「同じ」を求める。その「多数」と「同じ」を根拠として、社会的である以前に政治的でありつづける。

一方、芸術は言うまでもなく、「独創」と「違い」を追求する。もともと同時代芸術は、漠然と合意された領域の根拠を識別する分断線を揺さぶる表現である。それができたとしたら、芸術としては歴史的なことだ。将来的に歴史化されるかもしれないという可能性に賭けて、芸術はあくまで「独創」と「違い」をめざす。検閲は「独創」と「違い」をめぐる闘争の場であることは間違いない。

社会的実践は「合意」によってつくられるのか

芸術は、「独創」と「違い」をめざしているにもかかわらず、そのような実践や活動が「アートって何?」「なんでアーティストのエゴや売名のためにいろんな人が巻き込まれるのか」といった素朴な問いにさらされることがある。「芸術作品」となる（芸術作品として歴史化される）合意のプロセスを承認したい人たちが多いのかもしれない。

とりわけ社会的実践は、人々の「参加」を前提として成立する以上、社会的な合意形成について議論されなければならない。「アート」や「作品」もひとつの社会的な合意だと考えられても不思議ではないからだ。「参加」や「地域性」などを考慮した社会的実践の各種プロジェクトとなればなおさらである。

一般的に、社会学や社会工学などの分野で論じられる「合意形成」は、社会を構成する人間同士の対立や衝突を克服することをめざした問題解決のプロセスである。そこでの「合意」はひとつのゴールである。しかしながら、この社会的実践での合意形成は「芸術」である以上、新幹線や高速道路の公共事業についての合意を形成していくことや住民自治を維持していくこととは、根本的に異なることは言うまでもない。

芸術の社会的実践は、社会にある問題を解決するためのノウハウではない。むしろこれまでの問題解決で対象にされてきた「問題」にさえ、その批判の矛先を向けることもある。もっと大きくとらえて、本来人間が向き合うべき問題を示唆することもある。したがって、社会が当然のこととして合理性を重視する局面では、社会的実践の作品が、逆に社会的には厄介な存在となってしまうこともある。

その芸術がもともともっている特異な合意(コンセンサス)について、フランスの哲学者ジャック・ランシエールは「政治的芸術のパラドックス」[16]で、「感覚と意味の合致」と定義している。「感覚と意味の合致」とは、考え方や抱いている思いがどんなに違っていても、われわれは同じものを知覚したら、ついついそれに同じ意味を与えてしまおうとするということだ。「豊かさ」は名詞であると同時に言明ではあるが、もともとは感覚的で、とても相対的なものである。この感覚は「何かがたくさんある状態」や「お金持ち」あるいは「精神的な余裕」などといった、さまざまな意味を必然的に呼び込む。そのとき、意味は価値として受け止められてしまう。つまり「豊かさ」という感覚に合うように、人間は意味を呼び込みその意味を共有しあうのだ。その結果、豊かさの共同体をつくってしまうことになる。これが「感覚と意味の合致」であり、それこそが合意の正体である。

「ディセンサス」という想像力の刷新

感覚と意味の合致を意味する「合意」に、「そうでなければならないかもしれない」という同調圧力が含まれていてもおかしくはない。芸術の観点から見ても、「自分にはよくわからないけど、みんなが「すばらしい」という声をあげているから、たぶんすばらしい作品なんだと思う」という同調圧力が、目の前の出来事を芸術作品に仕立てあげてしまっている可能性もあるわけだ。一見民主的に見えて、きわめて権威主義的な芸術のあり方とも言える。

そこでコンセンサスという合意形成について、ランシエールは以下の問いを提起する。芸術が向き合う同時代の社会にあって、コンセンサスはコンテクストとなっている。そのコンテクストのなかで、「豊かさの共同体」に対して「批判的芸術」はどのような表現で応えるのか、あるいはこの「豊かさの共同体」ができあがってしまう状況で、芸術は批判的な立場を維持しながらどのように表現できるだろうか、と。

この問いに答えるために、ランシエールは「合意（コンセンサス）」に対して「ディセンサス」という考え方を用意する。ディセンサスとは、「コンセンサス＝感覚と意味の合致」を揺さぶり、知覚のあり方を再構成することによって、想像力を一新する概念である。「豊かさの共同体」は、「豊かさ」に関する感覚が揺さぶられると、そこで使われる「豊かさ」の意味は単に思い込みや勘違いかもしれないということに気づくかもしれない。

感覚が揺さぶられると、意味という論理的で強固なはずの概念も揺らいでしまう。そうした想定からランシエールは、政治も芸術もディセンサスをもっている点で共通していると主張する。政治は個人や集団に特有の考え方や語り方、時間と空間の過ごし方を割り当てて、公的な生活（福祉国家の受容者）や私的な生活（消費市場の消費者など）に向かわせる。政治次第で、福祉や消費のあり方は大きく変わってしまう可能性がある。そして芸術もまた、それに関わる人間（鑑賞者）のものの見方や考え方を組み替える可能性をもつ。その点で共通しているというわけだ。

ランシエールは「芸術と政治は、ディセンサスの形式として、つまり感性的なものの共通の経験を再編成する操作として、隣り合わせになっている[17]」と述べるが、その論にはなかなかの説得力がある。心に響かせる何かをもっているという点で、政治と芸術は根本的に共通しているというわけだ。さらに私たちが当たり前だと思っている経験の共有に異議を申し立て、人々の心を揺さぶるという点で共通しているのだ。

ランシエールはフランス語の「不合意（dissensus）」を「不和（misentente）」という語から、経験のあり方に関する政治性について類推している。[18] 日常的な言語理解での「了解」についても、純粋に言語理解という点からの多少の分裂は避けられない。その分裂が、人間関係そのものの決裂とならないようになんらかの感覚的な分有（パルタージュ）、つまりひとつの状況を自分たちの置かれた立場や状況を分けてもっていることによってだけ、「了解＝聴取（ntente）」を成立させているとする。[19] 裏を返せば、ランシエールは社会規範から逸脱しないように感覚を意味の合致に動員させている。つまり分有こそがそうした逸脱回避の想像力となっているとしている。したがって、芸術のなかに内包されている政治性についても、ディセンサスが重要な役割を果たすと考えられている。

操作の方法が政治と芸術では大きく異なるものの、「豊かさ」と知覚のあり方を解体するために人々の心を響かせるという意味で、ディセンサスはまさに「豊かさの共同体」を解体する「批判的な芸術」としての役割を果たすことになることで共通している。

「現れ（appearance）の空間」としての芸術

前述したように、「豊かさの共同体」をめぐって、ユルゲン・ハーバーマスは、ブルジョアジーの平等な参加によって言説が公論あるいは世論としてつくられるという言説形成のモデルを空間にとらえ、「公事の領域」と呼んで特別視した。[20]

ハーバーマスの読解は現在でも数多く発表されている。[21] ハーバーマスが論じた「公共圏」の特徴は、国家と市民社会とは違うということを強調した点だ。ブルジョアジーによる支配的な公共圏が強い市民社会をもたらし、市民としての共約性（価値や意味の共有性）が強ければ強いほど、国民国家の権力を監視し管理することができると論じたのである。

ハーバーマスが提唱した公共圏のモデルでは、この合意がつくられてきたプロセスが重視される。このプロセスにあって、合意できるものだけに関心が集まって、人々は合意に向けて協調的に言説を集約する。そのとき、合意形成にとって合理的ではない少数意見は、つい後回しになったり関心をもたれにくくなったりしてしまう。意見形成と決定形成を含む強い公共性と、意見形成だけをおこなう弱い公共性を、適切に編成する方法をより柔軟に探る可能性が見いだされなければならない。そうした「多数派」が言論を形成する一方で、女性や黒人、同性愛者、移民などは独自に「対抗的な公共圏」を形成し言説をつくりあげてきたとナンシー・フレイザーは述べる。[22] 多数のブルジョアジーによって言論がつくられてきた歴史を批判的に検証し、「対抗的な公共圏」を提唱したのである。

フレイザーは公共圏の基本理念について否定しているわけではない。このアプローチはハーバーマスとは歴史認識という点でとる立場が根本的に異なり、弱者には弱者の公共圏があるという多元的な公共圏モデルを提案しているのだ。フレイザーは市民としての価値や意味の共有ができていない状態、つまり非共約性がある公共圏を構想するが、もともと非共約性で公共性を特徴づけようとしたのはハンナ・アーレントである。アーレントの言葉に寄り添うと、公共性は「わたし」の立場から見れば、異なった価値が交差する、あるいは非共約性が互いに別種のものに変質を遂げる空間である。この変質を遂げた空間に与えられるべき名称として、アーレントは「現れ（appearance）の空間」と命名した。芸術にはもともと、人間と大地との関係を変貌させる力があるとアーレントは考えていた。事実、芸術は造形や鑑賞あるいは感想や意見の交換などの行為を通して、「現れ」の空間をもたらしている。「わたし」の言葉や行為によって、なんらかのかたちで「わたし」に対する自己理想の鏡、つまり「わたし」が何者であるのかという本性が現れる。どこに現れるのか。それは「わたし」のどこかに現れるわけではなく、「他者」に「現れ」が生じるのだ。

その「現れの空間」に関しては、いくつかの考え方がある。「現れの空間」を強調すると、インターネットなどの通信による過密で過剰な接続によって、社会にはむしろ「現れ」の過剰さが際立っているのではないかという見方もできる。その一方で、「わたし」「他者」に「現れ」が生じることが、過密で過剰な接続による消費社会と監視社会によって決められてしまい、むしろ「現れ」の空間をめぐる公共性は相対的に、後退しているのではないかという考え方も成り立つ。たとえば言論形成に大きな力を発揮しているメディアによる報道ひとつとっても、結果的には報道という言論形成のプロセスがメディアによって情報としてパッケージ化され、報道機関も資本主義の生産と労働の原則にメディア産業として還元されるため、速度と規模が追求され、権力の監視という役割はどうしても後退してしまう。もし「現れ」がこうした言論形成だけのことを意味するとすれば、平板な記号消費だけが意味をもつような世界が地球規模で生まれてしまっているのかもしれない。つまり社会的な立場が消費や管理によって、私たちと世界が表象されているのかもしれない。

ただ、アーレントの言葉でいえば、一般的に「現れの空間」の支持体は「わたし」を指示している署名という記号的な局面ではなく、むしろ社会的な役割期待である。「独創」と「違い」によよって、めまぐるしい変化を続けているようで、社会は意外に似たような手続きの繰り返しでつくられている。社会は「わたし」にステレオタイプの役割を強いる。

この当たり前だと思っている社会のあり方にズレを生じさせること。わざと遅くすること。平板な記号消費の世界観に亀裂を生じさせること。目撃したり経験したりする人たちに読み取ることが豊かに思える時間を与えること。このような特異な経験を保障することが芸術の役割でもある。芸術をめぐる活動には、私たちと世界とのつながりを複雑で豊かなものとして感じ取らせてくれるという役割期待があるのだ。アートに目を向ける人たちは、その役割期待の「現れ」をいつのまにか、しかしいつも待望している。

「倫理的な公共圏」としての同時代芸術

芸術史という観点から芸術家の役割期待を見ると、芸術の権威をめぐって避けることができないジレンマがある。そのジレンマとは、芸術家が過去の権威を尊重しながらもそれを乗り越えることで、特別な地位と名声を獲得し、結果的に自らも権威になることを自己理想としていることだ。その自己理想は鑑賞者との間で交換されなければならない。個としての芸術家とはそもそもアイロニーでありジレンマなのだ。芸術家に限らず、自己と他者との間にはわかりあえない決定的な溝があって、その溝にはさまざまな価値が埋まっている。裏を返せば、価値の違いを信念としてもつことが、自己と他者を分けているとも言える。その価値という非共約的な位相に公共性を与えようとするのが芸術である。

少なくとも芸術家としての「わたし」は「他者」に自己理想が投影されて「現れ」として認識される。その「現れ」を信念として、芸術家としての「わたし」は自己表現を続ける。応答を返す「他者」、応答しない他者も含めて、芸術家はこの「現れ」に賭けるのだ。この賭けはあらかじめ定式化された規範や価値に従属するか否かではなく、自らがつくりあげた価値によって他者を尊重する態度である。このように他者を尊重する態度の表明は倫理というほかない。倫理は「〜でなければならない」あるいは「〜であるべきだ」という使命や義務をめぐる社会的な規範であると思いがちだ。しかしながら、「〜をおいてほかにない」とか「〜以上のものはない」といった価値をめぐる規範も倫理なのだ。芸術は芸術家のひとりよがりの表現では成立しない。どこかで他者を尊重する態度があってこそ成立する。ときには、観客が作品との相互作用でパフォーマーとなることを意図する作品もある。その意味で、芸術は価値をめぐる規範の体系であり、表現衝動の受け皿を「〜以上のものはない」として表象するのに「ふさわしい場所」をつくる行為でもあり、その「ふさわしい場所」とは倫理的な公共圏とも言えるのだ。

芸術作品が芸術として「ふさわしい場所」を得るための条件について、ハンナ・アーレントは以下のように述べる。

芸術作品は、世界の中でそれにふさわしい場所を与えるために、普通の仕様対象物の文脈全体から注意深く切り離しておかなければならない。同じように芸術作品は、日常生活の緊急な必要や欲求からも切り離しておかなければならない。実際、芸術作品は、このような日常生活の必要や欲求から最も縁遠いのである。芸術作品のこの無用性は、もともとそれに固有のものであるのか、あるいは、普通の欲求に応えているように、芸術もかつては人間のいわゆる宗教的な欲求に応えたものであったのか、こうしたことは、ここでは問題にしない。たとえ、芸術の歴史的な起源がもっぱら宗教的あるいは神学的な性格のものであったとしても、事実は、芸術が宗教や呪術や神話から分離して、立派に存続してきたということである。[23]

芸術作品は規範を逸脱したものではなく、無用性という点から言って、例外的に倫理的でありつづける存在なのだ。ほかの人にとっては、必ずしもこの無用性に同意できないこともある。これは倫理的な共約性にほかならない。その倫理的な共約性も芸術の必要条件である。またその無用性を維持するために、社会の各局面で独自の努力を惜しまれていない状況も、芸術作品の作品としての条件である。そして、その作品の条件自体が、コンセプチュアル・アート以降の現代美術が示してきたように、作品そのものになってしまうこともある。

この社会的な立場や意見という点で非共約性が高くても、芸術作品が「ふさわしい場所」となれば、そこは倫理的な公共圏をつくりだす。そしてある種の芸術はコンセンサスとディセンサスの相互性を訓練する場になって、芸術作品にとって「ふさわしい場所」となる。「ふさわしい場所」についいて、アントニオ・ネグリはネットワークという連帯組織のその可能性に託している。近代以降に登場した超大国によるグローバルな世界秩序である帝国主義の覇権に対抗するためには、超国家的なネットワーク上の権力の必要性を強調しなければならない。
もちろん、インターネットもそうした超国家的なネットワークのひとつと言えるだろう。ネグリは超国家的で企業統治を超えた人々をマルチチュードと定義し、これからの世界を変革しうる存在として期待する。さらには、マルチチュードが芸術を構想することによって、変革あるいは革新を進めることができる能力をもつ。その能力をもつ先駆者たちからなるマルチチュードが無用性を獲得しつづけることこそ、変革あるいは革新を進めることができる同時代芸術の役割期待である。[24]
いや、同時代芸術とは、倫理的な共約性をもち、世界の見方を変えてしまうような可能性を秘めた役割期待そのものなのだ。その役割期待が、「〜をおいてほかにない」「〜以上のものはない」といった価値をめぐる規範としての倫理的な公共圏を鮮やかに描き出すのだ。

搾取される「市民」や「地域」

コミュニティ・アート（Community Art）を起源として、パブリック・アート（Public Art）、参加型アート（Participatory Art）、対話型アート（Dialogic Art）、アートプロジェクト（Art Project）、ソーシャリー・エンゲージド・アート（Socially Engaged Art）あるいはソーシャル・プラクティス・アート（Social Practice Art）など、さまざまな形態をとりながら、アートではいつの時代にも社会との相互作用（インタラクション）を想定した実践がおこなわれてきた。

ジャンルとしてではなく、思考の舞台として社会的実践を考えた場合、伝統的なアート様式と文化人類学、社会学、政治学など関連する学術的な分野との連携、それらの方法論や発表形態に依存していることも多く、多くの場合は芸術としての位置づけがあいまいになる。しかしながら、そのあいまいさこそが社会的実践の特徴的な役割でもある。

さてここでは、同時代芸術としての社会的実践がその「現場」としている「社会」をまず問わなければならない。なぜならば、社会的実践にはロールモデルでなければならないといったことが期待されて、それが政治性を帯びたり社会改良計画に親和性のあることが必要だと考えられているからだ。芸術が相互作用を重ねる社会とはいったいどういうものか。そして、その社会はいつの日も変わらざる普遍性をもっているのか。

そもそも同時代芸術が社会に現実的な変化をもたらし、社会課題に応える役割期待をもつとき、それが芸術でなければならないのはなぜか。その問いに明確な回答を与え、表現の質と社会での影響との関係を自ら提起できなければ、社会的な成果ばかりが重視され、結局は芸術が無用性からも遠ざかってしまうことにもなりかねない。直接には何の役にも立たないことが、「芸術をおいてほかにない」役割なのだ。

先にあげたランシエールにしろ、ネグリにしろ、思想家たちは社会を論じる閉鎖的な回路に閉塞感を覚えると、つい芸術に希望を託してしまう。それはあながち悪いことではないが、単に芸術に、言語化しえない困難な問題をすべて引き受けることができるような万能性をもつという、過剰な役割を負わせてしまうことにもなりかねないのではないか、という危惧がないわけではない。

社会的実践には Social Practice Art（社会実践の芸術）という呼称もあるように、もはやアートでなくなることの可能性を否定することなく活動を続けるにしても、いわゆる政治運動や社会運動との差異を明らかにしなければならない。そうでなければ、少なくとも倫理的な公共圏として役割期待を担う芸術はそもそもナンセンスなものになってしまう。

また、さらに危惧されるのは、「芸術の社会的な役割とはなにか」といった議論では「社会」という用語が自明なものとして論じられることだ。[25] 芸術はそれほど自明なものでも、確かな実体をもつものでもない。「社会」が無条件に前提され、「市民参加」や「地域振興」などだけが表面的に標榜され、社会のあり方そのものが問われないものになってしまうなら、それは芸術が背負う役割期待という観点からも遠いものになり、芸術的実践にとってはむしろ後退と言わざるをえない。そのような後退は、芸術が「市民」や「地域」を搾取するという妙な事態を生んでしまうものでしかない。

社会的実践が存続する条件

「社会」という言葉によってあいまいに思い込まれているあまり、言語化されず、可視化されていないもの、排除されているものがある。「社会」の概念になにを含めるのか、「社会」という場の設定でどのようにして新たな、異質な、複数的な関係が可能になるのか。抽象的で普遍的な「社会のあるべき姿」よりも、むしろ具体的な関係のあり方を一つひとつ構想して構築しながら、「社会」そのものを問いなおしながら社会に関わり、同時に「芸術」そのものを問いなおしながら、いわゆる「作品」がつくられつづけることに、社会的実践の可能性があるのかもしれない。
社会的実践が意識されることなく芸術活動が実践されている現場からは、芸術が本来的にもっている複雑な形態があらわになってくる。「これは芸術である」という前提はそこにはなく、「これは芸術か」という問いをめぐってさまざまな論争が繰り広げられるだろう。その論争なきところに社会的実践の意味はない。その論争が、「美とは何か」「芸術とは何か」という根源的な問題に人々を向かわせるのだ。

このとき芸術表現は、自分を芸術として成立させている条件の、深部に触れることになる。社会を成り立たせている見えないバリアを通して、社会の細部にうごめいていたりざわついていたりする、不気味だが、しかしどこか人間の深部に触れているような感覚の感触が実感されることだろう。ここで社会的実践は終わる。あとは社会的な装置としてはたらいたり、芸術作品として洗練化が再び始まったりするのだ。

社会的実践は社会の細部との接触をもちながら、成立し認知される。芸術のあり方が社会の細部にまで浸透し、社会が芸術のなかに侵入することになる。侵入することによって、新しいバリアがあらわになる。新しい問題が可視化されたり、人々の間で共有したりすることができる。芸術が問題を必ずしも解決するわけではない。つまり社会的実践はそう呼ばれるとき、制度や規範によって構造的に隠蔽され、わからなくなってしまった社会的な問題をさまざまな観点から示唆したり、明らかにしたりすることに、その核心があるのだ。

社会的実践は、芸術家が公共や地域に介入することを意味するわけではない。芸術家が自らの役割期待を社会の細部に投げ込んで、その結果として現れる相互作用が社会的な集団の行動として翻訳され、芸術と社会の間にある微妙な境界や問題点を浮かび上がらせることに核心がある。

社会的実践は、学問や芸術の歴史とまったく無関係なところから誕生したわけではない。当然ながら歴史学、文化人類学、民俗学、社会科学諸学などと隣接し、文化的な状況の一部にあることは間違いなく、むしろそうした先人たちに学び、影響を認めることによって、社会との関係が始まることは疑いの余地はない。なんらかのかたちで自分の役割期待を確かめてみたいという芸術家の意志は、表現の衝動があるかぎり、あって当然であり、その衝動が理想に向かっても不思議ではない。その点で、その衝動の「ふさわしい場所」を模索してきた先人たちの成果を収集して評価し、さらには超越するようなオリジナリティについては十分に批評され、議論されなければならない。むしろそうした批評や議論があるかぎり、芸術表現の社会的実践はさまざまなかたちで深く広く続けられるだろう。

注

▼1 皆川達夫『合唱音楽の歴史』全音楽譜出版社、一九六五年

▼2 ピエール・ブルデュー『ディスタンクシオン――社会的判断力批判』石井洋二郎訳（Bourdieu library）、藤原書店、一九九〇年、五〇一ページ

▼3 この「個人の道具化」という考え方の多くをアドルノによっている。自然支配と他者支配を目的とした自己の利益を最大化しようとする「道具的な理性」を批判したのがアドルノである。ホルクハイマー／アドルノ『啓蒙の弁証法――哲学的断想』徳永恂訳（岩波文庫）、岩波書店、二〇〇七年

▼4 ここでの「関与（Engagement）」はアートをあまり考慮せず一般的な社会学的な見解に基づいてもちいている。たとえばノルベルト・エリアス『参加と距離化――知識社会学論考』（波田節夫／道籏泰三訳〔叢書・ウニベルシタス〕、法政大学出版局、一九九一年）など。

▼5 Claire Bishop,"The Social Turn: Collaboration and Its Discontents,"In *Right About Now: Art and Theory Since the 1990s*, Margriet Schavemaker and Mischa Rakier eds., Valiz, 2007, pp. 58-68.

▼6 Peter Dahlgren, *Media and Political Engagement : Citizens, Communication and Democracy*, Cambride University Press, 2009, David Trend, *Cultural Democracy: Politics, Media, New Technology*, State University of New York Press, 1997 を参照。Boris Groys,"A Genealogy of Participatory Art",in San Francisco Museum of Modern Art, Thames Communication in ModernArt, *The Art of Participation: 1950 to Now*, University of California Press, 2004.

▼7 その翻訳はさまざまな形態で現れるようになった。とりわけ、第二次世界大戦後、社会との相互作用（インタラクション）を前提とする芸術は、古くはコミュニティ・アート（Community Art）に始まり、パブリック・アート（Public Art）、参加型アート（Participatory Art）、対話型アート（Dialogic Art）、アートプロジェクト（Art Project）、ソーシャリー・エンゲージド・アート（Socially Engaged Art）あるいはソーシャル・プラクティス・アート（Social Practice Art）など、アトリエやスタジオではなく、社会での生活の場を制作の現場として作品がつくられたアートである。Grant Kester, *Conversation Pieces: Community and Communication in Modern Art*, University of California Press, 2004 などを参照。

▼8 例としてアントニー・ゴームリーのパブリック・アート「北の天使」があげられることが多い。「北の天使」を設置したゲーツヘッド・カウンシルがそうであるように、そうした活動のなかからコミュニティ・アート団体として独立、発展していく場合もある。

▼9 アイザィア・バーリン『自由論 新装版』小川晃一／小池銈／福田歓一／生松敬三訳、みすず書房、二〇〇〇年

▼10 アメリカには現在、公共美術政策として「アート・イン・アーキテクチャ（Art in Architecture）」というプログラムがある。これは巨額の助成金によってアメリカのあらゆる芸術活動の水準を高めるべく活動している全米芸術基金（ＮＥＡ）と連携しながら、公共施設庁（ＧＳＡ）が実施しているものである。その歴史や現在の活動に関しては、ＧＳＡが詳細を公開している。"We apologize for the inconvenience...,"ＧＳＡ（https://www.gsa.gov/portal/cotent/104456C）［二〇一九年十二月二十日アクセス］

▼11 日本でおこなわれているアートプロジェクトはたいていの場合、アーティスト・イン・コミュニティ（Artist in Community）と呼んだほうが正確だと思われる。

▼12 ネルソン・ジョージ『ヒップホップ・アメリカ』高見展訳、ロッキング・オン、二〇〇二年

▼13 ニコラス・ペーリー編著『キッズ・サバイバル――生き残る子供たちの「アートプロジェクト」』菊池淳子／三宅俊久訳（ArtEdge）、フィルムアート社、二〇〇一年

▼14 ユルゲン・ハーバーマス『公共性の構造転換――市民社会の一カテゴリーについての探究 第二版』細谷貞雄／山田正行訳、未来社、一九九四年

▼15 グラムシのヘゲモニー理論の「文化的な支配」という考え方は『獄中ノート』だけでなく、数多くの文脈で見られる。ここではアントニオ・グラムシ『知識人とヘゲモニー「知識人論」ノート注解――リア知識人史・文化史についての覚書』（［グラムシ『獄中ノート』著作集］第三巻）、松田博編訳、明石書店、二〇一三年）を参照。

▼16 ジャック・ランシエール「政治的芸術のパラドックス」『解放された観客』梶田裕訳（叢書・ウニベルシタス）、法政大学出版局、二〇一三年

▼17 同書六三―一〇六ページ

▼18 ランシエールが考察している「ディセンサス」の政治的な含意に関しては、ジャック・ランシエール『民主主義への憎悪』（松葉祥一訳、インスクリプト、二〇〇八年）一四三―一四四ページを参照した。

▼19 ジャック・ランシエール『感性的なもののパルタージュ――美学と政治』梶田裕訳（叢書・ウニベルシタス）、法政大学出版局、二〇〇九年

▼20 ハーバーマスは公共性をめぐって、ギリシャに起源をもつ公的生活（bios politikos）がローマ法に編入されたことを重視する。市民による対話や共同の行為が公的と私的を分け、結果として「公事（res publica）の領域」が確立したと論じている。前掲『公共性の構造転換』一四―一七ページ

▼21 クレイグ・キャルホーン編『ハーバマスと公共圏』（［ポイエーシス叢書］）、山本啓／新田滋訳、未来社、一九九九年）あるいは齋藤純一『公共性』（［思考のフロンティア］）、岩波書店、二〇〇〇年）など。

▼22 ナンシー・フレイザー「公共圏の再考 既存の民主主義の批判のために」、前掲『ハーバマスと公共圏』所収

▼23 ハンナ・アレント『人間の条件』志水速雄訳（ちくま学芸文庫）、筑摩書房、一九九四年、二六三―二六四ページ

▼24 アントニオ・ネグリ『芸術とマルチチュード』廣瀬純／榊原達哉／立木康介訳、月曜社、二〇〇七年

▼25 アートの領域で語られる「社会」はほとんどの場合、「社会」を留保したまま論じられることが多い一方で、社会学者が論じる「社会と芸術」は芸術家がもっている表現の欲動や同時代性を論じることなく、「芸術の特殊な多様性」や「美学的な問題の意義」といったアプローチで芸術の特殊性を、わざわざ難解に、冗長に語られることもある。たとえば、ニクラス・ルーマン『社会の芸術』(馬場靖雄訳〔叢書・ウニベルシタス〕、法政大学出版局、二〇〇四年)。

第2章

資本主義リアリズム

レクチャー・パフォーマンス

いつのころからか、展示や上演（上映）などの関連企画として、トークやレクチャー、ワークショップの開催が一般化してきている。これは、アーティスト本人の顔を見ながら、アーティストが何を考えて作品をつくってきたかということを直接聞けるという、ある種の啓蒙活動としておこなわれていることが多い。確かに作品を制作した本人からそのアイデアやプロセスについて直接話が聞け、運よく質問できると本人がそれに答えてくれるわけだから、その作品について知るにはいい機会になる。

「アーティスト・トーク」や「レクチャー」に、たいていのアーティストたちはとてもまじめに取り組む。しっかりと準備して、歴史的な背景を意識しながら自作について解説するアーティストもたくさんいる。とても啓蒙的である。なかには、展示や上映されている作品や上演の内容そのものよりも興味深いトークやレクチャーもある。それらの機会に触れるにつけ、アーティストがある種の啓蒙家、あるいは教育者であるということをあらためて思い知ることもある。

このような芸術の教育的な側面を美術館や劇場、あるいはホールといった芸術関連の施設や機関は当然ながらもっている。鑑賞者教育を目的としたエデュケーション（教育普及）というプログラムを用意しているのだ。エデュケーションの目的は、簡単に言うと鑑賞者教育、つまり観客づくりである。この教育的・啓蒙的な側面をさらに強調して、「問い」を立てる「ラーニング（学び）」の機会をキュレーション（企画）などに積極的に取り入れようとする試みは、一九九〇年代末から二〇〇〇年代にかけて盛んにおこなわれるようになった。ワークショップの手法[1]もかなり頻繁に導入され、観客との関係をより親密にしながら、新たな観客を獲得しようというわけである。

こうした芸術表現の啓蒙的な側面を単なるレクチャーやトークで終わらせず、表現の形式として位置づけて発表しようとする試みがレクチャーパフォーマンスである。あまりお金をかけなくても公演として成立するためか、世界各地でレクチャーパフォーマンスは花盛りである。演劇の公演は大変なコストがかかるが、演出家のレクチャーならそれほどお金はかからない。でも少しだけ見せ物として成立させて、できればお金を取って興行としても成立させたい。そんな一石二鳥の企画がレクチャーパフォーマンスだとも言える。しかもその内容が教育的で啓蒙的だったりするため、誰からも文句を言われることはない。まさに一石二鳥である。

近年では、クレア・ビショップが論じているように、教育的転回が特別なものとして位置づけられるようになったこともあり、『関係性の美学』になぞらえて「教育性の美学」などといった、いささか珍妙な切り口まで飛び出したりしている。[2]ここで言っている教育とは、エデュケーション・プログラムのような鑑賞者教育ではなく、アートプロジェクトやソーシャリー・エンゲージド・アートなどのように、芸術家が進めているプロジェクトや作品制作のプロセスのなかに啓蒙的な要素を意味していることが多い。

二十世紀の芸術史を振り返ってみると、このような芸術表現の教育的な役割をもちいることは意外に古くからおこなわれてきた。レクチャーパフォーマンスの起源は、一九六〇年代の、詩人が自作の詩を独自の舞台演出で朗読するポエトリー・リーディング（poetry reading）に求めることもできるかもしれない。同じく六〇年代のアメリカで、ローレンス・ハルプリンが今日で言うところのワークショップを開催し、住民の意見を取り入れながら市民協働型のデザインやまちづくりを実践していたのも、ワークショップを取り入れた「参加型」芸術の起源とも言える。[3] そうした公共的な場や機会で、表現行為が果たす教育的役割は折に触れて芸術家たちに自覚されてきた。

古くはヨーゼフ・ボイスの自由国際大学、[4] 近年ではザ・ブルース・ハイ・クオリティ・ファウンデーション（BHQF）らの実践[5]がそうであるように、芸術家自らが教育的な役割を自覚的に強調して、芸術という観点から教育の概念を更新しようとする新しいプロジェクトを自分たちの活動の中心として展開することもしばしばある。

彼らに共通していること。それは学校にいる教師のように、決して何かを一方的に教えようとしないことだ。「教育（学）」を意味する pedagogy は、「子どもを導く者」という意味のギリシャ語に由来している。無知な子どもに教えてあげなければならないという考え方だ。この教育の語源をまったく無視するかのように、芸術家は教える態度よりも、芸術家自ら「問い」を発することを最優先する。その「問い」を受け取った人たち、つまり観客と答えをともに考えようとする。この姿勢が同時代の芸術を必然的に教育的（この場合は「啓蒙的」と言ってもいいかもしれない）なものにしている、と言っていいだろう。

そのとき芸術家は芸術家としての資質を発揮して、「見せる」以上に「知らせる」ことに技芸を発揮する。その「知らせる」という示威行動のなかに、迂回しながらも独創的で積極的な世界を読む読み方が含まれている。その読み方を通じて、学ぶことは社会を変えることであると実感するだろう。第1章で取り上げたティム・ロリンズは、まさに芸術表現の教育的な役割をうまく広げて、それまでとはまったく違ったユニークな実践を通じて、社会の読み方を「知らせる」ことに成功している。

向き合わなければならない課題を「知らせる」ことで、大きな文化的・政治的な意味をもつに至り、抑圧／被抑圧の問題を問いつづけながら教育を論じたパウロ・フレイレの教育思想[6]が再評価されるようになったのも無理からぬことである。

フレイレは、「知っている者」としての教師が独裁的に教室に君臨し、独り言のように「知らない者」としての生徒に一方的な知識を提供し、「わかる」ことを強制する、そのような教育の現場を貯金型教育と呼んだ。こうした貯金型教育はもはや人間扱いしているとは言えないのではないかと批判した。ここでフレイレが強調しているのは、問題提示型教育、つまり「問い」を立てることである。世界の読み方を学ぶために、「問い」を促す教育。それをフレイレは『被抑圧者の教育学』の中心に据えたのである。

二十一世紀になって、芸術的な実践にはますます「知らせる」役割が期待されるようになった。芸術的な実践が思想として切実な問題に向き合うのは、やはり深刻化する世界各地の紛争や難民問題、新自由主義以降の複雑化する資本主義の爛熟や格差社会の進行などが顕著となってきた同時代的なさまざまな課題と寄り添うときである。資本主義や国際政治の矛盾を、政治や経済だけで読み解くことには限界がある。そう思っている人たちが世界中にたくさんいる。だからこそ、社会的な課題に深くコミットする芸術的な実践が向き合わなければならない課題を「知らせる」ことに意味があるのだ。そのとき、「問い」を立てることを促すように、芸術表現に教育的な役割が求められるようになっても不思議ではない。どうやら芸術には「問い」を通じた教育的な役割があって、それが社会にとって重要な役割を果たすことが少なくないということなのかもしれない。ここでは芸術の教育的な側面についてもう少し考えておこう。

市場化と情報化

芸術のジャンルを問わず、同時代的な表現に備わった「伝える」という行為のなかには、教育的な役割が必然的に含まれている。だとしても、ここで使われる「教育」はもちろん、数学の方程式や物理の法則を教えたり修得したりすることとはまったく違っている。

これを教育を受ける側の立場で考えると、教育は何かを「わかる」ことを目的としている。つまり、方程式が「わかる」ということは連立方程式の問題を解いて正解を得るということになる。だが、芸術に備わっている役割としての教育は、当然ながら方程式を解くことを目的としているわけではない。では、芸術の教育的な側面にとって、何を「わかる」ことが大切なのだろうか。

現代芸術に関しては、「わかる」どころか、美術にしろ、音楽にしろ、演劇にしろ、「前衛的でよくわからない」という、ある種の否定的な感想を数多く耳にする。また、そうした感想を漏らす人に出くわした人も少なくないだろう。

「前衛的な作品」という言い方に込められた微妙なニュアンスには、「わけがわからない」「むずかしい」という否定的な意味が含まれている場合が多い。「わけがわからない」「むずかしい」という印象を与えることが批評的であると言われることもある。そうした美しい誤解も批評家の言説が加われば、さらに神秘性とカリスマ性が際立つことにもなる。こうなると、もう立派な前衛芸術家の仲間入りである。人を寄せ付けない神秘性とカリスマ性が強ければ強いほど、現代芸術のスノビズムに見合う人物になる。

実はこの排他的なニュアンスには前衛芸術にとって本質的な問題が含まれている。無理からぬことだ。というのも前衛芸術にはもともと芸術の資本従属的な性格と、社会規範から相対的に独立しているという自律性、つまり相互に矛盾する「芸術の二重性格」が備わっているからだ。これはペーター・ビュルガーが「歴史的アバンギャルド運動」[▼7]と位置づけた、一九一〇年代から三〇年代にかけてヨーロッパを中心に大きなうねりとなったダダイズムやシュルレアリスム、ロシア構成主義の急進的なモダニズムが背景となっている。

二十世紀が生んだ「歴史的アバンギャルド運動」は「前衛」という軍事的な比喩を採用したくらい、前のめりで攻撃的だった。その攻撃の多くが当時の市民社会に対して挑発的なカルチャーショックを与えることに向けられた。ところが結果として、受け止める市民社会の側としては、排他的で硬直化した独善性を強く感じてしまったという面も否定できない。表向きは市民を解放しようという献身的で利他的な立場を強調しておきながら、世界を意のままに動かそうとする、肥大化したエゴに基づく傲慢なエリート主義であることがどこかに垣間見えたからだ。

前衛的な芸術に携わってきた人々のなかには、「わかる人にはわかる」「誰にでもわかる表現など意味はない」とうそぶき、鑑賞者あるいは観客がわからなくてもいいと思っていたりするひねくれた態度の持ち主たちがいる。ひどい場合には、「わからない奴はバカだ」などと言いだしたりして、手に負えない。

自分が選ばれた人間だと思い込んでいるエリート意識だけを根拠に、前衛を気取る人たちもいる。これは珍しいことではなく、こういう人は世界中どこにでもいるものだ。こういう「前衛」の人たちには、門外漢の人たちや一般の聴衆を愚かで無知な人たちであると決めつけ、誰よりも自分たちが先端的で知的で、万能であるとする独善性と傲慢さが見え隠れすると言ってもいい。

こうした暑苦しいエリート主義を、現代の美術や音楽あるいは演劇などの現代芸術でも、どこか引きずっているのではないか。結果として、「前衛」は流行にも市場にも左右されない先端的な表現を象徴するという意味の魔法の言葉になりつづけているのかもしれない。

ところが前衛が魔法の言葉になった理由は、もうひとつある。前衛を大義として都市にはたらきかける運動が、結果として祝祭性をもたらしたという点である。芸術は都市にとって日常に寄り添う祝祭である。古代から都市と芸術は不可分なかたちで相互に成熟してきた。近代都市における祝祭の興味深い点は、人間を部品のように使ってしまう巨大な機械としての資本主義と人間の生々しい欲望が、都市という資本化の回路を通じて、確かな関係を表象しているように思えるところに多くの人が感心したり共感したりすることにある。

前衛は祝祭という儀礼とともにおこなわれてきた。さらにはバザール（Bazaar）やフェア（Fair）といった、都市にもともとあった市場の役割に、スペクタクル（見せ物）の要素が加わって消費されるようになった。もちろん、そのように近代的な都市が祝祭性を帯びる背景には、移動の欲望とそれを引き受ける交通のネットワークがある。

交通という社会の下部構造は、人々に移動の欲望があることを暗黙知としてつくられている。もちろんここには、交換をめざした移動の欲望に、どのような価値が生じるのかというアイデアも含まれている。交通とは、そうした欲望の物量をトラフィック（流量）として表象するシステムである。

移動したいという欲望の物質化とそれに伴う大きなトラフィック（物や人が行き交う量）は当然ながら、都市を変えてしまう。鉄道が都市を変え、近代都市は交通の基地となる。その結果、生産と労働、そして都市に住むという行為は交通のシステムに依存し、その依存によって経済効率が上がり、権力支配が進む。交通によって時間と空間は情報化し、その情報化は新しい組織を生む。便利さとは、経済効率や権力支配を受け入れることでもある。都市は交通によってゾーンとして分割され、生活圏も分類される。時間は標準時によって、そして空間は地図によって社会的な（しばしば経済的な）指標になる情報としての機能を果たすようになる。

個々の認識を標準的な指標に合わせる情報化によって、労働も教育もこの指標をもとに管理され、効率よく満遍なく普及することになる。標準的な指標を都市の住民が共有すること、つまりネットワークによる統治を進めることが都市開発となった。もちろん、生産と労働は交通ネットワークを前提とする開発に組み込まれ、それによって生じた新しい階級に応じて、住むこともまた情報になって市場化した。芸術も例外ではなく、消費の対象として市場化されることになる。十九世紀後半から二十世紀にかけて、世界中の大都市でおこなわれた万国博覧会では、消費という欲望を視覚化するシステムが第二次世界大戦前よりもはるかに洗練化・大規模化されるかたちで組み込まれた。芸術もその例外ではなかった。

「わかる」を問うこと

さまざまな種類の商品を整然と並べ、視覚的な工夫を凝らして売買する方式は、バザールやフェアといった、娯楽性を兼ね備えた、見せて売る都市の消費のシステムである。人々はいや応なくバザールやフェアでさまざまな知覚を動員することになる。このように、知覚の状態を特別なものにする消費という経済行為がスペクタクル（見せ物）となる瞬間から、並んでいる状態の秩序は欲望を呼び込むものになる。都市では、消費はひとつのカーニバル（祝祭）にほかならない。消費という祝祭が交通のネットワークによって、新しい地域をつくっていった。

それと同様に、表現という行為も情報という形式を伴うことによって、「誰がつくったものか」というように主体を問うようになった。モノにまつわる情報が価値交換の基準となったように、いきおい芸術の情報化も進むことになった。価値の交換システムを解体したという点で、デュシャンのレディーメイドはレディーメイドであることを「見せる」ことではなく「知らせる」ことに価値を見いだそうとしたわけだから、デュシャンのそれは芸術の情報化をめぐる社会実験だったとも言える。

この情報化は厄介だ。情報化が顕著になれば、皮肉なことに社会は官僚化が進む。情報化がプロテスタンティズムの文書主義をモデルにしていることもあり、あらゆる身ぶりと言葉が一定の書式に合わせるように形式化していく。さまざまな芸術もそのご多分に漏れない。デュシャンのレディーメイドが登場するころになると、美術館は公共性の役割をますます強めて、アートワールドを統治する官僚組織になっていた。美術館は蒐集する（作品を買う）ことによって、芸術家と芸術作品を情報化すると同時に、人々に豊かさを演繹的に推論させる官僚組織になったのである。「知らせる」ことが価値になった芸術は、演繹的な推論によって、「わかる」ことを問うことが作品の存在意義となった。「わかる」を問い、芸術の情報化を極端に進めたデュシャンは、「芸術作品ではない何か」を芸術に持ち込むことによって、美術館やアートワールドを挑発しつづけた。美術館が官僚組織であり、アートワールドが単なる市場指向の「業界」であることを暴露することで、芸術の「わかる」を問いつづけた。レディーメイドとは芸術の資本論だった。

芸術の資本論については、いち早くヴァルター・ベンヤミンが十九世紀後半のパリという都市に見いだしていた。資本主義は身体とイメージを空間に地域化、あるいは欲望を特定の空間に規範化することにほかならない。消費という祝祭は人々の欲望を市場原理で一元化する一方で、地域化つまり分散化・多様化する側面もある。ベンヤミンはさらに一九三〇年代になって、その消費という祝祭を同時代性ととらえ、より多くの消費者が生産者へと姿を変えうるモデルの提示を呼びかけた。「作品を手に入れる」といった芸術作品をめぐる生産と私有（私的な所有）に関する価値に問いを投げかけたのだ。
ベンヤミンの理想は観客の動員よりも、もっと能動的な「群衆」がつくられることにあった。ベンヤミンにとって芸術は、時代や人間の運動そのものだった。必然的にメディウムと技巧や様式にどっかりと腰をおろしたサロンなどの価値を決める官僚的なシステムに安住する巨匠を排斥し、映画のように多くの人たちがひとつの経験に集約される動きがベンヤミンにとって重要だった。映画の動きに、ベンヤミンは芸術の本質を見いだそうとした。映画のような動きが進むほど、「名もなき存在」は稀少価値を帯びるようになる。ベンヤミンは、積極的に匿名の観客を巻き込みながら生産される芸術作品のモデルを提示することを夢見たのだ。当時のベンヤミンは、資本家に支配された芸術の体制を解放するモデルとして映画を位置づけていたのだろうと思う。[8]
芸術作品はロマン主義以降情報化あるいは市場化された。ブルジョアジーの所有を許してきた芸術の生産様式を、ベンヤミンは同時代のテクノロジーを駆使することで、批判的に乗り越えようとするのである。そういった芸術の生産というプラクティス（実践）の積み重ねに、労働と同時代芸術との関係性、もっと大きく言うと国家、社会、都市あるいは人間といった考え方の根底に意識化されていない欲望や情動が暴露されはじめることを期待し、芸術を反資本主義的闘争に取り込むことによって、新しい都市文化ができあがることを構想していたのである。
ベンヤミンはある作品の政治性について判断するとき、作者が表明している共感や趣味といったことではなく、とりわけ時代ごとの労働と生産という関係のなかで、その作品がどのような位置を占めていているかに目を向けるべきだと考えていた。それこそがベンヤミンにとっての都市の祝祭性であり、同時代性だった。祝祭性こそが、前衛的な表現にとってひとつの生命線だった。「物議を醸す」といった話題性は、祝祭を通じて自分たちが立てた問いを伝える技芸だったのである。「問い」を伝えるための技芸が前衛芸術の本領だと考えていたと言っていいかもしれない。

問いを伝える技芸のモデルとしてベンヤミンが理想化したのは、同時代を生きて教育劇（Lehrstück）への取り組みを始めていたドイツ人劇作家ベルトルト・ブレヒトの作品だった。[9]

間主観性と教育劇

「問い」を立てて、その「問い」を伝えることを表現の中核に位置づけることは、主体をめぐって主客未分化な状態を思考することにほかならない。このことは間主観性と呼ばれ、哲学をはじめとして古くからさまざまな分野で論じられてきた。そうした主客未分化の連帯意識を考えるとき、ベルトルト・ブレヒトの「教育劇」はひとつのモチーフを提供してくれる。[10]

ブレヒトは、まず観客という存在の否定から思考を始める。さらには、演劇が演劇史のなかで聖域としてきた舞台をも否定してしまう。ここまで過激に演劇の条件を破壊することによって、ブレヒトはあえて観客だか演者だかわからなくなる状態をつくりだすことを人々に考えさせる。そして、そこに立ち会った人たちに考える時間を与えることによって、あらためて社会での演劇について問いなおすことを提唱している。とにかくも、まずは演劇の条件を学ぶ機会を提案したのだ。むしろ英訳（Leaning Play）と同様に、「学習劇」と呼ぶべき実験だったと言える。[11]

ブレヒトの演劇は「叙事詩的演劇」といわれる。ブレヒト自身がそう呼んだのだが、これは演劇のジャンルとして提示されたのではなく、それまでの戯曲的演劇といったん決別して、考えるための思考実験としての演劇である。戯曲的演劇とは、ブレヒトによれば、観客を演者（役）に感情移入させて一種のカタルシスをもたらす演劇と定義する。その発案者であるアリストテレスにちなみ、ブレヒトはアリストテレス演劇と称している。それに対して、自分の「叙事詩的演劇」は非アリストテレス的演劇だとも述べている。[12]

ブレヒトが言うアリストテレス演劇では、観客と演者ははっきりと分けられていて、観客は終始観客の立場にとどまり、演者もその立場を離れることはない。演者は舞台に、観客は観客席に拘束され、両者の関係は常に固定的である。

それに対して、ブレヒトは、その両者の境目をあいまいにして、日常の断片も演劇の一部となるような、つまり見えない劇場が社会の各局面で存在しているような些細な介入を演劇として理想化しようとした。確かに、都市では、ちょっとした観察の仕方で行き交う人々の表情や振る舞いが演劇的に思えることがある。というよりも、「ビジネスとプライベート」あるいは「オンとオフ」といった、いわゆる「日常のリズム」と呼ばれる自己の分裂状態をいや応なくつくりだすことがもはや演劇的でもある。人は好むと好まざるにかかわらず、毎日オフィスでの振る舞いに最適化して、着る物を選び、一日の行動を自己演出する。

そういう日常のなかに見えない劇場があり、人々の振る舞いは演劇的であるという考え方はあながち妄想とは言えない。というより、観客が演者になり、ときには演者が観客の役割をするようになることが近代的な生活や消費者の核心でもある。そして両者の関係は常に流動的で不安定になる。舞台でも同じだと考えるのが教育劇であるとも言え、それは舞台と観客席を分ける境界をいったんなくしてしまう思考実験である。

もちろんその思考実験を進めると、演劇には混乱が訪れるだろう。しかしながら、その混乱が主体を次々に否定しながら乗り越えていくような運動を生む可能性をもたらすかもしれない。演劇という表現はその可能性に賭けるべきだ。そうブレヒトは言っていたように思われる。

個人が送っている日常生活にまで「演劇」を拡張し、その振る舞いを思考する主体にまで昇華させることを理想化したのが教育劇だったと言えるかもしれない。ブレヒトは、観客という受容にとっての強い主体を否定した。しかしながら、受容を否定しながらも、同時に強い演者の役割については留保する。いや、観客が演者になることをむしろ奨励した。観客を想定しないで演劇を始めると、特定の場所（劇場）を想定できなくなる。つまり、舞台という分類を排除し、演者と観客を隔てる分断線が解体されるのだ。舞台というのは記憶のよりどころである。そのよりどころが解体されることによって、はじめて演劇という芸術の意味もあらためて問われることになる。舞台あるいは劇場といった分断線の解体は、同時に舞台芸術の表現そのものを問いなおすことにほかならない。

演劇は古代からある種の情報化技術として特別な地位を担ってきた。ブレヒトが教育劇として世に問うたのは、個人の経験や記憶を、演劇の歴史やそれに基づく演劇的な生活習慣から切り離す記憶術だった。そして、その記憶術は表現者が自らの記憶や経験を身体化する可能性を常に担保したトポス（場所の感覚）だったとも言える。さらにそれは、ときには「つながり」といった言葉で置き換えられることもある。「つながり」とは人と場所を関連づける記憶の総体である、とも言えるのである。

ベンヤミンのイデオロギーやブレヒトの教育劇には、近代社会や資本主義に対する強烈な批判的メッセージが含まれている。

近代の資本主義社会とは、空間や時間を分類し、その分断線を視覚化・言語化することで文化を定義してきた。その定義は国民国家の統治や市場経済の根拠としても使われた。経済効率を高め権力支配をより強めるために、空間はグリッド状に分割され、地図化されることで情報として認知される。一方、時間は統一的な単位を与えられることで、労働などの日常的な活動が標準的な時間に抽象化された。

創造性とは新しい時間をつくる運動である。創造的な営為に触れると、人は見る時間や語る時間、そして振る舞う時間をつくる。その意味で、創造性とはある種の運動であり、何かを変革させる可能性である。変革を不都合に考える権力は、そのような創造性に対して好ましくないと思うことがある。権力の警戒に対し、ベンヤミンやブレヒトは、空間と時間が絶え間なく変革される社会を追求することで対抗した。近代化の過程で顕在化した空間の分節、たとえば大規模交通整備による都市の破壊やそれに伴う社会階級による居住地域分離を批判しつづけた。

教育劇でブレヒトが意図したのは、作品が国民国家やブルジョアジーによって独占的に所有され、芸術家と観客が完全に分断され、その分断線として劇場や美術館、音楽ホールに機能してしまうことに批判の矛先を向けることである。つまりブルジョアジーとプロレタリアートなど、生産と労働によって、社会で規定している分類が解消され、芸術に所有の概念がなくなり、そこでは余暇や労働といった時間の区別が解消され、それらの関わる人々が一体になって「群衆」となり、その動員力によって「祝祭」がつくりあげられていくことを夢見たのだ。

ここには、近代社会や資本主義に対する強烈な批判的メッセージを基礎とする「参加」や「動員」の起源を見ることができる。

「参加」とは（それが一瞬であっても）分類が解消されることから始まった。また「動員」とは「群衆」になって「祝祭」がつくりあげられていくことにほかならない。分断線を無効にすることは都市の舞台への転用、パフォーマンス（身ぶりや振る舞い）による状況の構築、メディアを駆使した戦術など、のちのいわゆるアクティヴィストたちの活動にも少なからぬ影響を与えたのである。芸術にとって「わかる」ことは大して問題ではない。「問い」を「知らせる」ことによって、向き合わなければならない問題を祝祭化していくこと。それがベンヤミンもブレヒトも構想していた対抗的な芸術実践だった。

時間を奪還せよ

ブレヒトの「参加」をめぐる試みは、ラジオをもちいた実験的な演出に向かった。ラジオドラマの演出が最初の「教育劇」と位置づけられたのだ。その「教育劇」が一九二九年にバーデン＝バーデンの「ドイツ室内音楽祭」で初演された音楽劇『リンドバーグたちの飛行』(Der Lindberghflug)である。[13] このラジオドラマは、音楽祭の模様を伝える各地のラジオ局を通じてドイツ全土に放送された。

『リンドバーグたちの飛行』はそのタイトルにあるとおり、大西洋を初めて飛行機で横断したチャールズ・リンドバーグが主人公のラジオドラマである。「リンドバーグ」ではなく、「リンドバーグたち」になっているタイトルにはちゃんとした理由がある。ラジオドラマを鑑賞する聴衆は、各家庭のラジオの前で台本を手にしてリンドバーグの役を演じることが想定され、聴衆は主人公リンドバーグになりきって放送の進行に沿って朗読したり歌ったりするように演出されていた。『リンドバーグたちの飛行』は「少年少女のためのラジオ教育劇」(Radiolehrstick fur Knaben und Midchen)というサブタイトルをつけてあるが、少年少女たちが当時の英雄であるリンドバーグになりきってラジオドラマに「参加」することで、演劇として成立することを意図したものである。このラジオドラマでは、主人公リンドバーグがラジオ受信機の前にたくさんいるわけだ。まさに参加型の作品である。

ラジオの受信機に向かって、子どもたちがラジオから流れる構成に従って台詞を言ったり歌ったりする様子は、想像するになんとも奇妙な光景である。しかしながら、この送り手と受け手といった分断線をいっさい無効なものにしようとする実験的な試みは、ラジオ放送開始からたかだか十年もたたないうちにおこなわれた「生産者」による「生産者」のための演劇だったと言える。ブレヒトにとって、ラジオという舞台で繰り広げられる教育劇こそ「未来の演劇」だった。さすがの慧眼である。

「未来の演劇」をブレヒトが託したほど、さまざまな人たちがラジオに可能性のメディアとして期待を寄せてきた。ひょっとしたら、現在でも可能性を感じている芸術家も少なくないかもしれない。ラジオは、マーシャル・マクルーハンが述べたように、「部族の太鼓」として響き、共同体のリズムを受け取り聴覚的な空間をもたらす。[14]それと同時に声と音は同調と検波というプロセスを経て、波として伝わるうちに独特な緊張と興奮をもたらす。その結果、誰でも溺れることができる「孤独の井戸」という独特な時間をつくりだし、人間が人間であることを実感できる時間を提供する。[15]換言すれば、ラジオはプロパガンダとして「部族の太鼓」として大きな影響力を与えることができるだけでなく、セーレン・キルケゴールの「孤独」[16]、つまり人間に精神があることを内面化する機会を与えてくれるメディアでもある。広く深く「人間の精神性」を実感させることができる、まさに媒介をもたらすテクノロジーなのである。その一見矛盾した「太鼓」と「孤独」をもたらす能力が表現のシャーレ（培養地）となる。

「部族の太鼓」と「孤独の井戸」が同時に世界として構築される。ラジオという無線電信技術は、なんとも両義的である。テクノロジーは資本主義の申し子でありながら、ときとしてユートピア思想のような場所の感覚を人々に与えることもあれば、古くさい階級社会をあっという間に乗り越えるような革新性を人々に感じさせることもある。それはいまでも深夜放送や車載ラジオで放送を聞いているときに多くの人が実感できる、ラジオをめぐる皮膚感覚にも近い身近さである。だからこそ、ブレヒトはラジオをもちいて、劇場という場所や観客という階級の解体を出発点にして、新しい演劇の地平を開こうと考えたのだ。

遠くまで声と音を放射するラジオは時間をつくる装置である。資本主義は人間の心に「労働」という時間を学習させた。労働という時間の使い方が「豊かさ」をもたらす価値があるものだと学習させたのだ。資本主義の要素として労働があるのではなく、労働こそが資本主義だと考えられることがあるのは、そのためである。こう考えると、資本主義にとって時間は学習されなければならない、信仰にも似た源泉である。時間を身体化しなければ労働を通じて資本主義に参加することができないのだ。都市という労働の現場についても、交通や消費など、都市の資源が時間によってつくられていることに誰もが気づくだろう。近代的な都市生活は労働という時間を学習することから始まるのだ。

労働という社会的な時間に対する態度表明は、反資本主義を掲げるシチュアシオニスト・インターナショナル（SI）というアクティヴィスト組織[17]にとっても、SIの活動を一九七〇年前後から引き継ぐように活動が展開されたアウトノミア運動[18]にとっても生命線だった。とりわけギー・ドゥボールは知覚優位のメディアテクノロジーが大きな資本によって独占的に支配され、さまざまな現象がスペクタクル（見せ物）となり、それに従属している視聴者（消費者）が知覚と身体を支配され、いつも外側から観察するだけになっている事態を「スペクタクル社会」として批判を展開した。大手広告代理店が消費生活はもとより、娯楽から政治まで支配している事態は、まさにドゥボールが批判した「スペクタクル社会」そのものである。

とりわけマスメディアの普及によって、ドゥボールは搾取が労働の場から日常生活に拡大していることを批判し、労働と生産をめぐる階級闘争よりも、都市生活に慣れてしまって受動的に文化的な状況を受け入れてしまっていることを見つめなおし、余暇と消費をめぐる生活闘争が重要となることを主張した。少しでも自分で能動的に状況をつくりなおしてみようという提案だったとも言える。ここでも参加の態度をもち、さまざまな分断線を解体することを提唱したのである。

あえて「前衛」を再インストールする

ブルジョアジーの私的所有はあるゆる局面に及んだが、労働という時間は資本家の私的所有としては最たるものだった。だからこそ、アウトノミアにしろ、「状況の構築」にしろ、ブルジョアジーが労働者の時間を搾取することを批判し、時間の解放から新しい価値をつくりだそうとしたのである。そのとき、ラジオはまさにうってつけのメディアだった。

第二次世界大戦をはさんで、ブレヒトのラジオ論[19]は地域と時代を超えて飛び火した。ブレヒトのラジオをもちいた実践を継承・発展させ、文化や芸術の受動的な服従を批判し、人々は自ら行動することを主張して実践に結び付けたのが自由ラジオである。教育劇の実践は、ブレヒトがマルクス主義に傾倒していった時期と重なっている。

自由ラジオは、社会の構造や人間関係をあれこれ解釈するのではなく、そこに重要な変更ないし変形を加える実践を、メディアという伝達の形式に委ねる社会運動である。社会運動としての自由ラジオは一九五〇年代から活動していたシチュアシオニストたちの思想と相互作用を起こすことで、ラジオというメディアを使って労働という時間から生の瞬間を具体的に取り戻すことをめざした。理屈を並べて終始するだけで従来の価値や権力を批判するのではなく、現実的な実践で情動的な質を取り戻そうとする点でも大きな影響を与える運動だった。

映画『あくせく働くな――ラジオアリーチェ』[20]はイタリアで立ち上がった自由ラジオのラジオ・アリーチェを追ったドキュメンタリー映画である。タイトルも秀逸だ。ラジオ・アリーチェにとってラジオは労働の換喩（メトニミー）だった。労働者が国家や資本家に搾取されていることを批判する労働者の解放運動と同様に、ラジオやテレビといった放送できる技術的な根拠、つまり周波数帯の国家や資本による独占から解放しようという運動でもある。自由ラジオの運動はイタリアだけでなく、ドイツやフランスなどヨーロッパ全土に広がっていった。

自由ラジオは多くの人々にラジオへの「参加」の意識を向けさせ、これにより自宅にいながらの動員が可能となった。ここでの参加や動員はそれまでのものとは大きく違っていた。受信機を自作することができたり、それほど高度な知識がなくても放送局を始めることができたりするようになったからだ。まさにギー・ドゥボールが言う「状況の構築」[21]である。広い範囲にメッセージを届けられるメディアをつくることそのものが前衛的な表現だった。ここでは受け手といった分類やそれをもたらす分断線などまるで意味がないのだから。

映画『あくせく働くな』が向き合ったテーマが示すように、自由ラジオの「状況の構築」の目的は資本主義に固有の、受動的な生としての労働という時間を破壊して、能動的な生として奪還することにもあった。別の生き方と、それを可能にさせる時間をつくりだすことだ。

そうは言っても、労働という時間を破壊してどうするのかという現実的な反論は当然出てくるだろう。何か新しいことをやろうとすると、必ず「どうせ何をやったって、無駄だ」というシニシズム（冷笑主義）が台頭してくるものだ。とりあえず「どうせ」と言っておけば無難だと思っている輩は、それはそれで手ごわく、その厄介さは本質的でもある。自由ラジオの文脈で言うと、「ラジオなんてやったって、聞くやつがそんなにいるとは思えない。マスメディアのラジオは芸能もスポーツも満載でおもしろいし、自由ラジオ？　なにそれ？」という冷笑である。

運動というのは、たいていは肩に力が入りすぎた状態で人々に伝わってしまう。小耳にはさんだだけで、暑苦しさを感じてしまうものだ。この暑苦しさの正体は、重苦しい倫理観の押し付けを感じさせるせいなのかもしれない。あたかも運動そのものが「〜でなければならない」と倫理観を押し付けているような印象を与えてしまうからだ。

「労働という時間を破壊する」などと叫んでも、いまや「資本主義に倫理を持ち出されても」という冷笑が待っているかもしれない。快楽と運動を分裂させる印象を与えてしまうからかもしれない。ただ壊さなければわからないこともある。さらに言えば、気持ちよく解体する方法もあるものだ。その典型が芸術的な実践である。ここでは、「第二の社会」の実験として芸術的な実践を位置づけてはどうだろう。最前線で資本従属性（資本主義に拘束された状態）の高い社会規範を壊したり揺さぶったりしてみると、別の生き方が可能になるような時間や空間をつくることが多くの人たちに感じられるかもしれない。そう、これこそ芸術が潜在的にもっている「喜び」（スピノザ）[22]なのかもしれない。芸術が社会の役に立つことなどない。なくてもいいのだ。ないからこそ、「第二の社会」

を実験することができるはずである。

アウトノミア運動の中心人物とされるアントニオ・ネグリにとっての「帝国」[23]は、資本主義の搾取がもたらす残酷さの表象だった。その搾取に対抗して、生の尊重を配置して文化の再定義を積み重ねていくことは、それがどんなに倫理観の押し付けとして受け止められたとしても、芸術的な実践が社会に対してはたらきかけることができる特権でもある[24]。生の尊重を表現することは、同時代芸術にとっては、作品の条件のひとつであり、生の「喜び」を追求する倫理学にほかならない。楽観的だと批判されることも覚悟のうえで、快楽と運動を分裂させないような倫理的で芸術的な実践こそ、いまや前衛芸術であると、ここではうそぶいておくことにしたい。

挑発(provocation)のゆくえ

この「喜び」を追求する哲学にも似た「構築された状況」のような態度を、二十一世紀になっても思想的な根拠にしているアーティストは少なくない。とりわけライブイベントや人々の日常を特殊な素材としてもちいる同時代のアーティストや批評家にとっては、重要なレファレンスのひとつになっていると言っていいだろう。

ドゥボールのスペクタクル批判やシチュアシオニストたちの「反体制」や「自主性」といった「過激さ」[25]は、プライベートとパブリック、都市と地方などの分断線を無意味なものにしたり、資源を文化的に共有しようしたりして、ひとつのスタイルとして世界中に文化的な状況をもたらした。

西洋の文化的な活動の多くは、ローカルな政治の固有性を超えていき、そして芸術作品と呼ばれるものは作家が好むと好まざるとにかかわらず、普遍的な言語のように位置づけられるからだ。

ところが、この文化的な状況が普遍的な言語としてもたらされることは、ドゥボールらシチュアシオニストたちの政治的な運動のコンセプトにとってあまり好ましいものではなかった。ドゥボールはあくまで資本主義が奪った「自主性」を、反体制の政治的な闘争で回復しようとしていた。そのため資本主義社会を乗り越えて生活の刷新をめざすうえで、芸術や文化というジャンルは社会変革にとって逃げ道になってしまうと考えていた。芸術は本末転倒で、現実逃避以外の何物でもないとドゥボールは位置づけていた。

ドゥボールがスペクタクルを批判したように、そもそも都市生活に慣れてしまって受動的に文化的な状況を受け入れてしまっている人々が、自由や主体性の「理論」は抽象的でむずかしくてよくわからないものだと受け止めても不思議はない。とはいえ、わけのわからない理論が魅力的に思えることもえてしてあるものだ。それに魅了されて、シチュアシオニストの理論と実践の雰囲気だけを模倣し、表面的にラディカルさだけをスタイルとして装うニセ者、詐欺師、ペテン師が数多く出没するようになる。それが「プロ・シチュ」である。プロ・シチュはまさに文字どおり挑発（provocation）を旗印にした運動、というよりも大衆を誘導する扇動家たちだった。

プロ・シチュがおこなった挑発的な扇動が政治運動であるかどうかは微妙なところである。ただプロ・シチュの社会運動が世界中の都市に、それまでにはなかったパフォーマンスやハプニングをもたらしたことは間違いない。その社会芸術と呼べるような方法論は、いまを生きる私たちにパフォーマンスやハプニングを同時代芸術として位置づけることのさきがけとなったばかりではなく、都市生活者たちに参加という意識を与えたことは確かである。

だが、そうした挑発的な扇動を、当時のドゥボールはシチュアシオニストの運動からの逸脱と見なし、あろうことかスターリニズムや教条主義的なマルクス主義がおこなったように、除名という方法をもちいて排除しようとした。

ところが、さすがはプロ・シチュである。ただのニセ者、詐欺師、ペテン師ではない。組織からの除名など怖くもなんともないのだ。このいわゆるプロ・シチュによってまさに文字どおり挑発（provocation）を旗印にしている運動が若者や知識人を巻き込んで都市のなかで広がっていき、その広がりがヨーロッパの各都市に一九六八年のパリの五月革命につながるような運動へと発展していった。

プロ・シチュという、ドゥボールの理想から見れば表面的で軽薄な運動の可能性もまだ同時代の人々によって使いつくされてはおらず、あるべき世界の姿について考えることも語ることも十分に可能だったのだ。現代人が抱えているさまざまな問題と向き合うために、プロ・シチュは何か重要なことを教えてくれていた。その重要なこととは、さまざまな文化や芸術の形態で参加の意志を表明し具体的に実践することだった。反戦、反核、エコロジーといった政治的なテーマを表現しながら、生活闘争を社会のさまざまな局面で実践することが重要であることを教えていた。この実践に、政治運動が掲げる綱領や宣言を超えた予感があっても不思議ではない。その予感が、同時代に生きる人たちの感情と知覚の向こう側に新しい世界の姿を浮かび上がらせることができるようにも思えて、人々の心を揺さぶったのだ。

古い政治を批判するうち、自分がその古い罠に陥ってしまったシチュアシオニストの活動だが、その延長線上に、誰かがつくったものを文化として無批判に受け入れる消費者的な態度だけでなく、音楽の分野での自主レーベル、自由ラジオや同人誌などの独立系メディアの運営など、DIY（Do It Yourself）精神が継承され、新しい文化の流れをつくっていった。そしてビートニクスもパンクムーブメントもサイケデリック革命も、そしてのちのサイバーパンクもそうした精神をなんらかのかたちで受け継いでいった。

アートが社会を搾取するとき

プロ・シチュが生活闘争を扇動した背景には、疎外された近代人の姿が見え隠れする。近代人は、生まれ育った地域の土着性から切り離されて、市民や国民、労働者や消費者といったさまざまな自己を個人として理解することが求められる。そのさまざまな個人を使い分けながら、個人が集団として生きている状況を、外部から観察するようになる。外部から観察する個人は、シチュアシオニストたちが問題視したように身体性を奪われ、孤独で、自らの根拠を喪失した状態になっている。

実は近代建築やパブリックアートがつくられるときの「新しいパブリック」やテレビ・ラジオやインターネットがつくる公共性という言説の空間が確立すればするほど、外側から観察する個人は疎外され、孤独になってしまう。

たとえば第1章で取り上げた、新しい公共性を意識したティム・ロリンズの活動や作品について違った見方をすると、疎外され孤独になってしまう外側から観察する個人がはっきりすればするほど、アートとしての先進性が明らかになっているとも言える。そのとき、ある種の批判にさらされることは避けられない。つまりティム・ロリンズのようなアーティストはアートをもちいて、疎外され孤独になってしまった個人を搾取しているのではないか、と。

それに対して、芸術がプロジェクトという方法をとった場合、その発生するプロセスそのものが社会的であると反論することもできる。そのプロセスは都市問題や教育問題など、およそ生存権や教育権など社会的な権利についての表現にもなっている、と主張することもできるからだ。ジャーナリズムのように、明らかになった問題をできるだけ独特な表現で伝える役割を担うということである。「キッズ・オブ・サバイバル」に参加する人たちは、入学したり卒業したりする学校のメンバーを基本としているので、コミュニティとしては流動的である。そのコミュニティのメンバーが教育の受け手、あるいは芸術の鑑賞者という役割を超えて活動し、キッズ・オブ・サバイバルが表現のプラットフォームやネットワークを形成し、プロジェクトの効果は長期的に継続されてきた。

しかしながら、こういう啓蒙的な性格をもつ活動のなかにも、それでもなお搾取ではないかという疑念は残る。ティム・ロリンズとしては、それは社会改良計画に貢献することを念頭に始めたものだが、サウスブロンクスに住む子どもたちの活動やその成果としての作品を発表することで、ティム・ロリンズの名前は結果として世界中に知れ渡ることになった。つまり、ロリンズはアーティストとして富と名声を得たわけである。

ここで問題にしなければならないことは、ロリンズが地域の子どもたちを搾取したかどうかという点ではない。「キッズ・オブ・サバイバル」の新しさは、アートと社会との分断線をいったん無効にしてしまい、アートの社会での役割期待、つまり権力や制度、あるいは習慣といった社会規範がアートに期待する役割を結果として再定義したことにある。

教育制度を逆手にとって、結局はコンテンポラリー・アーティストの地位と名声を得て搾取しているのではないかという批判そのものが、芸術と社会との間に横たわる先入観や偏見を刷新し更新する方法となっているとも言える。「キッズ・オブ・サバイバル」という固有名がアートの情報として流通することが、まさに挑発となるのだ。

「これはパフォーマンスではない」

もうひとつ例をあげよう。

「キッズ・オブ・サバイバル」と同じ一九八〇年代のニューヨークでおこなわれたのが、「ホームレス・ビークル・プロジェクト」である。八八年から八九年にかけてクシシュトフ・ウディティコがデビッド・ルーリーとともにニューヨークでおこなったプロジェクトである。

「ホームレス・ビークル・プロジェクト」のテーマは平たく言えば、建築である。建築は第一の芸術と呼ばれる。そう呼ばれるだけあって、歴史的で権威的である。建築家はかっこいい。建築はかっこ悪くても、建築家はかっこよかったりする。すがすがしいくらい、歴史的で権威的だからだ。

あまりにも建築家がかっこいいので、歴史的だったり権威的だったりする理由を探りたくもなる。建築はいつも権力とともにある。たとえばどこの国でも国会議事堂や国立図書館や国立劇場は威厳に満ちて、近寄りがたい雰囲気を醸し出している。建築は権力の誇示に手を貸す一方で、権力の横暴さを隠蔽し強さを神話化する。その大きな規模をもった装飾は周到に計算され、都市環境に身を置く人々の生活に大きな影響力を与える。建築は人々の生活や思想をいや応なくどこかへ誘導してしまうのだ。

建築は芸術であると同時に、近代社会にあっては資本主義の原理そのものである。その都市からも建築からも疎外されてしまった人たちがホームレスで、その疎外を移動する建築という対抗的な建築のタイプを提示し、都市の矛盾を暴露することによって、疎外された人々のレジスタンスを表現している。

この建築の都市における影響力を、ホームレスのすみかをビークル（移動体）として表現することによって、批判的に表現したのが「ホームレス・ビークル・プロジェクト」[26]である。支配と管理を企てる権力者にとっての権力を逆説的に視覚化する方法となっている。確かにビークル（移動体）として表現されたホームレスのすまいは、固定化した規模の経済を表象する巨大な都市と建築に対する批判としてはきわめて知的な介入になっている。

「ホームレス・ビークル・プロジェクト」は都市に「移動するホームレスのすまい」という異物を混入させることで、政治権力や企業統治による独善的な土地活用と建築との関係を批判的に表現することに、ある程度は成功している。

しかしながら、ウディティコの試みは建築家が設計した国立の美術館や図書館や劇場ほどには洗練されていない。そればかりか、情報として普遍的あるいは一時的で、メッセージ性にも乏しい。行政や都市デベロッパーの空間統治という経済原理や美意識を批判する特異なパフォーマンスにはなっても、ホームレスを生み出している都市の労働や生産のひずみを人々に気づかせる切実な手段となっているとは言いがたい。アートワールドのなかを流通する単なる表象のひとつにすぎない。

ホームレスの存在に気づかせて、都市の矛盾を批判することの正当性は、アーティストにとってどこにあるのだろうか。ビークルが空間に侵入しても、ホームレスが置かれている立場について議論を誘発する機会とはなりえないのではないか。それはなぜか。その問いに対する回答は意外にシンプルである。それがアートだからだ。禅問答のようだが、換言すると、アートという大義に守られているからこそ、ビークルはニューヨークという都市の日常でアート作品として意味をもちえたとも言える。

「ホームレス・ビークル・プロジェクト」はホームレスの日常や身ぶりそのものが作品の一部となっていて、かなり知的である。知的ではあるが、しかしそのインテリめいた振る舞いはときに人をとてもいら立たせる。いじわるな見方をする人が現れてもおかしくないし、作品の「モチーフ」にされてしまったホームレスがそこに搾取を感じても不思議ではない。「俺たちホームレスをだしにして自らの作品として発表し、アーティストとしてセレブでいるじゃないか」と。

もっともな反応である。幸か不幸か、その点については、小倉利丸がエイドリアン・パイパーの追想を引きながら、詳しく論じている。[27] パイパーは、ニューヨークのセント・ジョーンズ教会の前でデモをおこなうホームレスのひとりが「これはパフォーマンスではない」と書いたプラカードを掲げていたのを目撃して衝撃を受けたという。もちろんこれは、「ホームレス・ビークル・プロジェクト」など特定の作品やプロジェクトに向けられたアイロニーではない。しかしながら、「これはパフォーマンスではない」と書いたプラカードを掲げたホームレスは、ホームレスという社会的な状況をアートワールドに搾取されていることに抵抗を示し、問題を投げかけているのだ。[28]

相互行為を無理に表象として伝えようとすると、衝突や紛争をしばしば引き起こしてしまう。表象論によって、都市に政治的なコンテクストをつくりだそうとするのがアクティヴィストとしてのアーティストであるとすれば、逆に芸術の社会的な関与という方法論をもつアートに搾取を感じることもあるのが、ホームレスなのだ。

もし、社会芸術的な方法論をもちいたアートが公共的な空間でなんら「意味」ある存在となりえないのであれば、結局アートは、ごく限られた閉鎖的なサークル、つまり「アートワールド」や「ミュージアム」あるいは「アートマーケット」と呼ばれるコミュニティのなかでしか生きられなくなってしまう。言い換えれば、この少数のアートに理解あるサークルを超えて、アートとして社会のなかで役割を果たそうとすることにどのような意味があるというのか。あるいは、アートなどなくなってしまってもいいのではないか。この問いは笑ってはすまされないような問題をはらんでいる。

「批判的であること」に失敗すること

だからといって、芸術家の表現行動がいっさいなくなってしまえばいいわけではないだろう。むしろ逆だ。芸術家が自らのテーマを、社会の現実に求めようとする場合、社会の一部に確かにあるはずだが、人々の関心が向いていない事実や問題を取り上げることで、社会生活をめぐって、それまでになかった方法で人々の関心を向けさせ、批判や刺激を与えることができるはずだ。また多くの人が関心をもっているテーマを、ジャーナリズムとはまったく違う観点から取り上げることで、いま起きている問題の核心に気づいたりすることもできる可能性もある。

先のホームレスの例はとりもなおさず、現代美術の作品が提示するコンセプト（基本思想）が知的ゲームのコンテクストにこだわるあまり、社会的な問題を扱っていながら、独善的あるいは権威的になってしまい、「批判的であることに失敗すること」の典型になってしまった例かもしれない。「批判的であることに失敗すること」は、社会に対して批判的であろうとする芸術家の役割期待が破綻し、作品やプロジェクトが破綻してしまったことを意味している。「ただ批判するだけなら簡単だ」という一見理知的に聞こえる言い分は、しばしば耳にする決まり文句である。だが、話はそれほど簡単ではない。批判する相手や対象が、そもそも批判するに値するかどうかを判断するだけでも、ともすれば勇気がいることだし、そもそも多くのリサーチと検証を必要とする。実は、「ただ批判するだけ」でも大変な困難を伴うことなのだ。

しかしながら、ホームレスが現代美術という都市生活の祝祭に巻き込まれたことに異議を唱えることも、それはそれで明晰で政治的な態度であり、現代美術とは正反対の立場にある。ただ現代美術とは相いれないながら、現代美術という大義での投げかけが問題を可視化しているケースも少なくない。それはそれで社会での芸術の役割という点からすれば、それほど不自然な状況ではない。つまり現代美術が都市の問題とともにあること、象徴資本として存在していることが重要で、現代美術の存在意義としてはそれ以上でもそれ以下でもないという考え方も成り立つ。

「批判的であることに失敗すること」も同時代芸術である以上、その失敗そのものがきわめて社会的な現実を物語っている。現代美術は公正・中立に事実を伝えることを原則としているジャーナリズムとは基本的に態度が異なっている。「批判的であることに失敗すること」も、現代美術が多くの人たちに伝えられるメッセージなのだ。

それとともに、現代美術やアーティストのほうが搾取されている事態も、考慮に入れておく必要がある。マンハッタン・ソーホー地区の再開発が成功して以来、現代美術はむしろジェントリフィケーション（土地の価格をあげて地域を高級化しようとする再開発事業）に利用されることが多く、その点で、現代美術は、建築など問題にならないくらい数多くの芸術家や芸術作品が搾取されていることになる。

さらに言えば、作品そのものも金融商品として資本主義市場で価値を最大化されている。ニューヨークはもとより、ロンドンやフランクフルト、香港など、巨大な金融取り引きがおこなわれている都市には、結果的に現代芸術の作品や作家だけでなくアートディーラーやプロモーターなど関係者も数多く集まっていて、美術館やホールなど「アートワールド」を下支えする施設や組織も多い。つまり、都市デベロッパーの市場原理と大差がない「アートワールド」の状況があり、それとは無関係でいられないアーティストは搾取されることで、現代美術という分野の専門家として生きているという現実もある。

現代美術の同時代性は、「時間の共有」がそのまま「公共性」や「歴史化」をもたらす。その時間に依存した作品の性格が公共性をもたらしていると言ってもいいだろう。このような観点から考えてみると、パブリックな空間と協調しようとすることの間にある、ある種のジレンマに気づく。

現代美術が公共的な空間で、なんらかの「意味」がある存在となるためには、結果だけではなく、すべてのプロセス（企画立案、交渉業務からマネジメントまでを一貫させたオーガナイズ）そのものが表現であり、その表現に説明責任を伴うことが、昨今の同時代芸術として最大の課題になっていると言わざるをえない。自らの表現に説明責任をもつアーティストが、資本主義の原理に盲従し、搾取の構造に鈍感になってしまったら、都市の深刻な問題を看過したり容認したりすることと同じことになってしまうことにもなりかねない。そのアーティストが、もし第三者として見れば決して容認できない状況をアーティスト自らが誇張してしまうという滑稽な事態を招きかねないのだ。いや応なくそうした状況を現代美術が既成事実化したり、権威を与えてしまったりする罠にはまる危険性をもっているのだ。ひとつのコンセプトに対し、どのような反応（共感もしくは反発あるいは衝突）があり、それがどのような手法で乗り越えられ、あるいは決裂したのか。そのことが検証されなければ、「これはパフォーマンスではない」現象そのものが無意味なものになってしまうばかりか、アートは行政などの統治機構に搾取されたままになってしまう。

「これはパフォーマンスではない」現象はそれほど特殊な例ではない。ここにはアーティストとアーティストではない生活者との間にある切断を、解決されなければならない問題とするかどうかという課題が突き付けられている。これは「社会にとって芸術とは何か」というトートロジカルな問いでもある。

ここで投げかけられている問題は、アートや文化的な表象を成り立たせるために引かれたカテゴリーの線分をあらたに引きなおすこと、あるいは大胆にそうしたカテゴリーを拒絶する方法を編み出すことにあるだけではない。真の問題は、この問題を語りつづけること以上に、「批判することに失敗すること」を実践する芸術は、自らが抱えるジレンマを暴露してしまうことがあり、それが皮肉にも「芸術とは何か」という問いをより鮮明にすることにある。

「関係」を伝えるということ

もう少しホームレスの話題をフォローしておこう。ホームレスは、単に都市のなかで家を失った人たちを意味するだけではない。ホームレスという状況そのものが資本主義の矛盾であることは言うまでもない。近代以降の都市には矛盾や問題がべったりと張り付いている。二十世紀以降の芸術には何かと課題解決型の表現が求められている。それは現代美術の分野に限ったことではなく、建築やデザイン、ポピュラー音楽、また演劇などさまざまな分野にわたって、課題解決への応答が求められている。ホームレスはそういった課題解決型の表現にとって、わかりやすい「モチーフ」になっているのだろう。

そうした課題解決型の表現がさまざまな形態で登場するなかで、リクリット・ティラバーニャの展覧会「Tomorrow Is Another Day」でも、ホームレスは重要な役割を果たしている。ティラバーニャは「パラレル・スペース」という短期間に開かれるカフェやダイニングルームを美術館やギャラリーにつくることで一時的なイベントをつくり、それを作品と位置づけていた。[29] 『関係性の美学』[30]で、「リレーショナル・アート」の典型的な例として、ニコラ・ブリオはティラバーニャの試みをイの一番に取り上げている。ティラバーニャの方法は、ビークルという物理的な実体をもちいて公共空間で都市の問題を発見させようとしたウディティコのそれとはいささか異なっていた。

ティラバーニャの「パラレル・スペース」は、美術館やギャラリーの洗練された空間にパッタイやタイカレーなどの食べ物の匂いを充満させてしまう。もちろん、美術館を訪れた観客たちはその匂いに戸惑う。結果的に、ティラバーニャによって振る舞われるパッタイやタイカレーを食べることで、観客たちも「パラレル・スペース」という作品の一部となる。

ただ、特異なイベント性や作家自身のホスピタリティは「パラレル・スペース」という作品にとってそれほど核心的なことではない。「アート」と「日常生活」を隔てる距離感を各人が再認識するきっかけをつくる、といった凡庸なことでもないだろう。

「パラレル・スペース」という「作品」は、大部分の観客が抱く「戸惑い」や「混乱」がその場に新しい関係を一瞬でもつくり、作品の条件を誰もが考えなおすことにある。ここでの関係は、まさにシチュアシオニストたち（あるいはそこからスピンオフしたプロ・シチュたち）がめざした「状況の構築」に近い。「戸惑い」や「混乱」がアートのニュースあるいは美術館の情報に関わる人たちの心に直接響くからこそ、「パラレル・スペース」はアートとして成立するのだ。

「戸惑い」や「混乱」の正体

それにしても「戸惑い」や「混乱」がなぜ同時代芸術の革新的なテーマになるのか。もちろん「パラレル・スペース」は美術館やギャラリーでの食事という行為を通じて、人々の規範を大いに刺激する。「ここは美術館なのにカレーの匂いがするのはなぜか」あるいは「食事を提供することがなぜアートなのか」と。展示の具体的な状態あるいは事実よりも、観客が抱く「なぜ」、つまり作品の条件そのものがこの作品の核心になる。

この「なぜ」こそが、アートワールドだけでなく「観客であること」「美術館での振る舞いや言葉」などの規範的で固定的な考え方にチャレンジしているとも言える。ソーシャル・プラクティスにとって、「アート」と「食事が日常となっている毎日の生活」は切り離されているからだ。「食事が日常となっている毎日の生活」が「アート」から切り離されると、美術館で振る舞われる食事はアートという情報となる。食事は、伝わる必要条件がすべてそろってこそアートになるのだ。

アートが置かれている状況がそうしたものであるからこそ、このめったにない食事の体験が情報として伝わることが、アートにとって重要な「役割」をもっと構想されているわけだ。

プライベートとパブリックの区別を打ち破るなどと言われ、何かそこに場所を設定することによって、一時的であっても社会関係が変わってしまうことをひとつの変化としてティラバーニャは「パラレル・スペース」の再制作を繰り返してきた。もちろん都市によって、さまざまな事情があるため、その場所特有の変化が生まれる。その変化も、作品として提示されるのだ。

このティラバーニャの試みによって、一時的であっても社会関係が変わってしまうこと。これが「構築された状況」にあたることを、ブリオは繰り返しシチュアシオニストに言及しながら論じている。シチュアシオニストが理想化した「状況」に自分たちの経験と知見を上積みしていくのが同時代の参加型アートであることを示唆している。さらに言えば、社会協働型のアートにまつわる歴史的・理論的な系譜を提供するために、シチュアシオニストの主張や示唆、あるいは身ぶりや言語を参照したのだとも言える。共産主義という壮大な社会実験が破綻した今日、前衛とはまさにこういうことだともブリオは言いたげだ。ティラバーニャの活動は、ブリオの思い描く関係という概念の重要性に、格好の事例を与えたのだ。ティラバーニャの活動はとても重要で、ブリオが論じたくなる理由もわかる気がする。だが、いささか飛躍がすぎるようにも思う。

そもそもシチュアシオニストたちの「状況の構築」は、ブルジョアジーの私的所有を否定することをめざした資本主義批判の活動（アクティヴィズム）である。シチュアシオニズムはまずは私的所有を否定することによって、新しい価値について人々が考えてくれるような社会の状況をつくりだそうとすることに活動の核心があった。

だが、ティラバーニャはブルジョアジーの私的所有を否定し新しい状況をつくりあげたわけではない。結果としてはむしろ逆で、タイの食文化をアートという西洋の文化的な形式に放り込んで状況をつくりあげ、その結果、アートワールドの人々を取り込むことで、成功したアーティストになった。

ブレヒトは分断線を解消することによって権威的で膠着した芸術の状況を破壊して新しい道を見いだそうと試みたが、ティラバーニャはむしろパーティーという分断線をあえて設けることで、アートの関係というアートにとっての本質的な問いを強調することに成功している。両者は一見正反対のアプローチのようで、その実、分断線を誇張している意味では共通している。というより、知ってか知らずか、ティラバーニャはかなり忠実にブレヒトを踏襲しているようにも思えてくる。

プロトコルとしてのパーティー（communal celebration）

ティラバーニャの試みは賛否両論だったものの、最終的にはアートワールドの成功者になっていった。こうした状況を振り返ってみるにつけ、ここではどうしてもヒップホップを生んだブロンクスのブロックパーティーのことを思い出してしまう。

ブロックパーティーはブロンクスにかぎらず、アメリカの至るところでおこなわれていて、独立記念日やレーバーデイのような祝日に開催されることが多い。ビーチパーティーやストリートパーティーと呼ばれることもある。

開催される理由はさまざまで、もちろんバーベキューは定番のパーティーメニューである。これに加えてフリーマーケットやダンスパーティーなどが同時開催されることもある。何か理由をつけて、ブロックパーティーは開かれる。近所に住む誰かの結婚や出産を祝ったりすることもあるし、引っ越しする人たちの送別会や歓迎会としておこなわれたりもする。地元のプロスポーツチームが優勝したといった理由で開かれることもある。いずれしても、地域の人たちが交流する場を自主的に開催するパーティーがブロックパーティーである。

「パーティー（party）」とは、人の集まりを意味する言葉であることは間違いない。語源の話をするととたんに衒学的になってしまうけど、なかなか興味深い単語なので、ここではちょっとこのパーティーについて深掘りしてみようと思う。

パーティーの語源はラテン語の「パルティータ（partīta）」という「分ける」という意味の言葉に由来する。「participation」に文字どおりの意味を汲み取ると、ある集団の一員（一部分）になること、あるいは「部分をなす」あるいは「役割を果たす」ということになる。なるほど、参加はただメンバーとなるだけでなく、それ相応の役割を果たすことになるからこそ成立することなのかもしれない。したがって、自分がそこで担うべき「部分（part）」は、文脈や状況に応じて大きくもなったり小さくもなったりする。社会的な文脈でみれば、「部分（part）」は「党派」「徒党を組んで行動する」となり、現在の宴を意味するパーティーになったり、政党という政治信条をともにする同志の集まりになったりする。要するに、分け隔てなく、ということではなく、むしろ不特定多数の集団から自分たちの集団を切り離して性格や役割を明確にしたり、集団としての目的や理念を明らかにしたりすることである。

確かにヒップホップを生んだブロックパーティーはよくよく考えてみると、それほど公明正大なイベントではない。むしろコミュニティのアイデンティティをメンバー間で確認しあうための儀礼で、最終的には排他的と言ってもいいほどコミュニティの結束が重視されることになる。

むしろ閉鎖性が担保されているからこそ、ブロックパーティーからヒップホップのような独自のカルチャーが生まれたとも言える。アフロ・アメリカンやカリビアン・アメリカン、ヒスパニック系の住民意識がパーティーによって特異なものになったからこそ、一九七四年のブロンクスではヒップホップという独特なカルチャーが誕生したのだ。

ブロックパーティーから生まれた文化的なプライドは、一方的な権威の押し付けや差別などの社会的に理不尽な現実に対する不服従の態度、ときには権威や差別に対する敵意を表明することになる。それとともに、資本主義あるいは消費社会の矛盾を糾弾し、直接行動をとるようにさまざまなことを自分たちだけでおこなうＤＩＹのような実践が積み重なっていくと、必然的に独自性を生むことになる。たとえば治安という点でも、ブロックパーティーは自衛や自警の意味を帯びることになる。自分たちの得意なこと、好きなことを持ち寄り前例や規範を否定してパーティーを開催すれば、当然ながらそのコミュニティは独自性を発揮することになる。パーティーは自分たちの独自性を伝えるためのプロトコル（約束事）になるのだ。

なぜ「お高くとまっている」のか

そうした独自性をめぐってティラバーニャがおこなったことは、あえてパーティーという補助線を引き、アートという大義を借りて特別な場所を設けることによって、結果的に権力や社会規範がどのように揺れ動き、結果としてコミュニティができあがっていくかということを確かめる状況をつくりあげてしまうことだ。

食事を振る舞うといった日常的な状況をあえてアートワールドに持ち込み、自分を異端に置くことを「プロジェクト」としているのだ。このプロジェクトにとって重要なことは、西洋的な伝統をもつアートという大義についての実験であることだ。つまりアートを大義としてもちいることによって、パーティーというプロトコルに則った行為や振る舞いは、どの時点で観客に受容される芸術作品になるかという受容者（観客）に関する実践（プラクティス）となる。アーティストではない誰かが突然ハイドパークやセントラルパークで焼きそばやお好み焼きを振る舞ったとしても、アートワールドには何の影響も与えないが、観客をつくる能力をもつアーティストの振る舞いがアートワールドでの没入や高揚の条件を満たせば、それは芸術作品としてのコンテクストが議論されはじめることになる。

実のところ、誰もがパーティーを好きなわけではない。だがパーティーに「参加」することが大好きな人も多くいるものである。社交（society）の最小単位として、パーティーは何かにつけて開かれる。パーティーはメンバーシップを最大化する儀式だから、究極的には集団を閉じたものにして、自分が住んでいる場所や所属しているコミュニティをめぐる帰属意識を確認することができる点でとても大切なのだ。知り合いあるいは知り合い同士の人間関係を確認することの高揚感がパーティーを特別なものにして、メンバーシップを高めるのである。

アートワールドでもパーティーは特別な意味をもっている。どんな小さなギャラリーの展覧会であっても、レセプションと称したパーティー（オープニングパーティーと呼ばれることもある）が開かれる。没入や高揚の条件が確認されるという点でも、パーティーは重要なのだ。パーティーの好き嫌いを言っているようでは、アートワールドのメンバーにはなれないだろう。

こうした議論と並行して、ブリオが紹介した作品にみられる、つまりアートワールドの地域性にとって少し異端であるプロセス、つまりパーティーの人を集める力やコミュニティのメンバーをつくる力が、いまだ実現されていない政治的な可能性、たとえば貧困やジェンダーといった社会のなかにあるテーマを示唆しているように見えてくる。

先にも述べたように、個人がパーティーに参加することは、社会にとってはあるコミュニティのメンバーであることを確認する場である。パーティーでとりたててDJをしなくても、パーティーがおこなわれている場にいるだけで、時間と空間を共有するメンバーになっている。したがって、その場にいるだけでパーティーの参加者としては必要十分な役割を担っているとも言える。ばかばかしいくらい当たり前の話だが、このパーティーという集団化には共同体の利害、さらに言えばその共同体のメンバーが共有している利害や欲望という点では多様な魔力が備わっている。

もちろん、こうした人間の集団化という役割期待が「参加」と呼ばれ、ここ十年ほど、アートワールドでも集団化が作品の一部と位置づけられるようになってきている。アートワールドでの「参加」は、作品や作家を匿名化しながらも結果的にアートワールドに回収する特殊な回路をつくってきた。その回路のことを「参加」と言っているにすぎない。特殊な回路という意味では、パーティーと大差はない。参加とはパーティーの結果であるとも言える。「分けること」はセレブリティの必要条件なのだ。

開放的であるように見せながら、「お高くとまっている」のもアートワールドの、言わばうさんくささでもある。セレブを気取ってわざわざ孤立して特権的に振る舞うことはアートワールドの典型的でオーソドックスな商習慣になっている。それは何度も繰り返されてきた空虚な陳腐さであるだろう。政治的な正当性とは真逆にあるイメージ操作で、目先の利いたアーティストや時代性を感知することに鋭敏な活動家はそういったイメージ操作には関与しない。関与することはないが、ティラバーニャのような巧妙な戦略家は、このアートワールドの構造を利用する。社会的にもこの構造のなかで自らの存在感を最大化するように行動するのだ。平気でファンや協力者を搾取するし、搾取されたと感じさせない達成感を与えることができる。もはや現代美術家のオーラとは見ず知らずの人たちを巻き込む力ではないかと思うのは、このような場に出合うときである。

確かに関係や参加は美術史の歴史的なプロセスと資本主義社会の同時代的な背景をもっている。しかしながら、そこからは後期資本主義ではそのアートの倫理的な公共圏としての基盤が崩壊するという状況を、逆説的に読み解くこともできる。

「敵対性」と「参加」

ティラバーニャのプロジェクトについては、やはりある種の分断や差異が決定的な役割を演じている。状況からの分断や立場の差異があればあるほど、たわいのない行為もアートになり、行為そのものが情報となることによって「お高くとまっている」アートワールドのなかで重要性を帯びてくる。人々はあるコミュニティのなかで情報を受け取ろうとすると、関連する情報を獲得しようと協調的に行動するものだ。この協調的な情報行動を、ブリオは「関係性の美学」と呼んだのである。

こうした協調的な情報行動が「関係性の美学」であることについて、クレア・ビショップは「敵対と関係性の美学」[31]でラクラウとムフという社会学者が提唱した「敵対性」という概念をもちいて、ブリオ批判を展開した。ティラバーニャという現代美術家がもたらす対話は決して民主的なものでも開かれたものでもない。さまざまな敵対的な意見や利害関係が存在する社会的な背景があってはじめて、そこに討論や議論ができる。その敵対性を反映したものこそ社会的なアートといえるのだ、と批判した。

しかしながらその批判も、異端の審問がおこなわれる場をつくっているにすぎないとも言える。異端審問の場であるかぎり、現実の政治的、社会的、文化的な状況を無視し、アートワールドのメンバーシップたりうるかという価値が最大の関心事であることを示唆している。議論が封じられ、対立関係がなくなってしまった社会は、権力の抑圧が非常に強く、とてもじゃないけど民主的な社会とはいえない。少なくとも同時代の芸術が社会的な意義をもつのは、状況からの分断や立場の差異について表現したり表現されたものを読み解くことが許されているときだ。

ティラバーニャのプロジェクトでもわかるように、意識するにせよしないにせよ、美術館で食事をするという経験をした人たちはいつの間にか、ティラバーニャの作品に参加していることになる。美術館に作品を鑑賞するために行ったのに、いつの間にか作品の一部となっていたわけだ。このように、実際、自らの仕事の一環としてある集団制作に携わることも、あるいは特定の政治運動に継続的に関わることも、ひいてはあるトークイベントを聞くために一度だけ特定の場へ足を運ぶことも、「参加」という言葉によって言い表すことができる。「参加」は、結果的にコミュニティをつくる動員の基礎となる[32]。

参加という動員による群衆の量的な理解や匿名化は、第一次世界大戦を経験した芸術家の倫理的な想像力だった。群衆の塊（マッス）を表現のメディウムと見なしたツアラの「パリ・ダダ」は、トロツキー主義者のアナキズムに近いものがあるのかもしれない[33]。

現代アートは同時代性を背景として、誰が観客なのか、あるいは誰がどのように観客をつくれるのかという受容者実験の側面が強い。つまり、作品の条件を問う受容者実験そのものが作品になっているようなケースも少なくない。印象派は写真術の写実性に衝撃を受けて、絵画の内実を探ろうとする受容者実験として提案され、結果的に美術史に大きな足跡を残した。写真や映画（映像）という像の定着と伝達を可能とするテクノロジーは明らかに絵画という表現形式に影響を与え、絵画が芸術として成立する条件と当代の画家たちは向き合ったのだ。その背景にある資本主義は作品を私的独占することの意味を考えさせたばかりでなく、その資産価値を最大化したり、芸術家の固有名を記号消費したりするための市場が作品の質を左右することになったのである。

だからこそ、前衛は作品の条件を問うことに向かった。ポール・セザンヌにしろ、マネにしろ、パブロ・ピカソにしろ、デュシャンにしろ、誰が芸術の鑑賞者になりうるのかと、ある種の社会的な事件としての作品を目撃する状況をつくりつづけ、見ている人たちを挑発しつづけたのだ。

受容者実験というアートフォーム

多かれ少なかれ同時代性を誠実に生きる芸術家は、参加型アートのような形態を、受容者実験を通じて少なからず経験としても知見としても備えている。作品を受容者実験として投げかけ、芸術の条件を問うアーティストは、参加型アートのような試みをおこなってきている。挑戦的な受容者実験は二十世紀前半の表現主義、未来派、ダダイズム、抽象表現主義などが「前衛」と呼ばれ、リアリズム（現実主義）と呼ばれる流れをつくってきている。

その意味で、参加型アートでの参加とは、英雄としてのアーティストや特権としてのアートワールドの匿名化であると同時に、作品が物神性からどのようにして逸脱できるかという試みだと位置づけることもできる。

ここでもうひとつ考えなければならない問題は、芸術家が芸術家たりうる条件である。これは作品の条件とともに、重要な課題となる。

「参加型アート」などでときどき使われる、一見民主的で開放的に思える「誰でもアーティスト」といった乱暴なうたい文句をここでいさめておくためにも、芸術家の条件について少していねいに論じておく必要があるだろう。

芸術家が名声と富を手にすることを「売れる」と表現する場合がある。「最近売れてるね」という評価は、名前が知られ、作品の価値が上がっていることを意味していると、ここではいったん考えておこう。問題にしなければならないことは、どのようなプロセスで価値の最大化に向かっているかということである。

芸術家という名の実践者は「芸術家」「アーティスト」という自らの像を三人称としてつくりあげていくプロセスをもっている専門家である。「芸術家」という三人称とは、単に職業のカテゴリーを意味しているのではない。「芸術家」をひとつの人格だと考えると、その人格は、ひとつの生命体としての人間のなかにある、人間性／非人間性、自己のなかの他者、人間性と動物性、身体性と精神性といった「分けること」を表現できる手練手管があってはじめて成立する。「絵がうまい」「超人的にダンスがうまい」といった技量だけでは芸術家にはなかなかなれない。その技量をもちいて、「分けること」を表現できてはじめて芸術家となる。自らの存在を行為遂行的な「装置」に仕立ててしまうセルフ・プロデュースの能力が発揮されてこそ、人はその人を芸術家と呼ぶのだ。自らがメディアのような「装置」になることが、芸術家という三人称がはたらく条件なのである。このように「分けること」で成立する三人称の人格を、イタリアの哲学者ロベルト・エスポジトは「ペルソナ」という概念で説明している。▼34

さらには、「ペルソナ」のように精神と身体、人間性と動物性といった「分けること」がはたらくと、状況を巧みに受け入れたり排除したりしながら、資質がある人は、芸術家という装置を発動させることができる。

芸術家は、自らの作品やプロジェクトに関してほかのどんな人よりも多くの情報をもっている人のことである。この情報を受容者（鑑賞者）に伝えることが、いわば芸術的な実践である。情報提供をおこなうことを前提にした関係は、典型的な近代社会の「関係」である。生産者と消費者はもとより、教師と生徒、医者と患者など、近代社会の「関係」はこれを前提に成立している。経済学者にとっては当然のことだが、これを情報の非対称性と呼んでその観点から市場の動きを分析することがある。情報の非対称性は情報が多い側が少ない側に対して自分の行為の価値が最大化するように、自らを三人称化し情報を操作するのである。

バイオグラフィ、コレクション、カタログ・レゾネ、批評誌などが伝える装置としてのはたらきによって、作品の条件と芸術家の三人称化は、情報化し「売れる」条件となっていく。裏を返せば、受容者実験と情報化がなければ、作品もプロジェクトもなかったのと同じになってしまう。どこでどのように情報化するかを目的とし、観客をつくり、そうした観客をつくることを通じて価値を操作することができるのだ。もはや受容者実験はアートフォームであるとも言える。

リアリズムの背景

ボリス・グロイスのように、総合芸術を完成させた芸術家として位置づけたワーグナーを例に引きながら、「参加」の系譜が体系的に理論化できるのではないかという可能性について論じる人もいる。[35]グロイスが言及している参加は世界と向き合うための方法であり論理である。つまり法則である。参加を法則だと考えれば、グロイスが論じているように、参加を法則として見きわめてみようという理論的な野心も理解できなくはない。グロイスの論では参加から導き出されるのは、芸術の参加あるいは動員は、リアリズム以外の何者でもないということだ。現在のグローバリゼーションを考えればなおさらで、同時代芸術が資本主義の受容者実験の側面を必ず背負っているという観点から考えると、いわば資本主義リアリズムと言っていいような状況にある。

こうした参加あるいは動員を演繹的に積み重ねて理論として組み立てようとする考えがある一方で、ジャック・ランシエールは「実践」という観点から表現者の行為を考えなおしてみようとする。ランシエールはわざわざ「実践」という言葉を使って、理論と実践と制作という分類に目を向けさせている。理論と実践と制作という大別は、アリストテレスの学問論によるものとして知られているけれど、二千五百年前の哲学者が言ったことをいまでも大まじめに踏襲しようとするヨーロッパの人たちは実直で、偉大で、かつ賢い。そのような西洋的な学問論の系譜からすると、「芸術的実践」はとても荒唐無稽な考え方であるとも言える。だが、その荒唐無稽に見える挑発がランシエールの作戦かもしれない。「芸術的実践」をランシエールは以下のように定義している。

芸術的実践とは、行為製作の諸様式の全般的な配置のうちに、そしてそれらの様式と存在の諸様式や可視性の諸形式との関係のうちに介入する「行為＝製作の様式」である。「感性的なものの分割 partage du sensible」の再編成がもたらされるのである。[36]

それにしても、むずかしい言い回しである。ごく短い記述でありながら、わざとわかりにくくしているのではないかと疑ってしまうほどの難解さだ。しかし、試されているような気もひとまずはしなくはない。ランシエールの挑発にひるまず解読してみよう。

ここで手がかりになるのは、まずは「実践」という言葉である。一般的には、「行動すること」「練習すること」などを意味する。だがここで思い切ってアリストテレスが二千五百年前に述べていたことを考慮してみると、実践という言葉に込めた意味は、単なる行動や練習ではなく、人間が本来的におこなう倫理的な行為という意味合いが強いことに気づく。『実践理性批判』でカントも実践を、ほぼ同様の意味でもちいているのではないか。[37]

さらにここに第1章で述べた「ディセンサス dissensus」あるいは「異質性 hétérogénéité」というランシエール独自の考え方を加えてみよう。第1章でも論じたように、「ディセンサス」あるいは「異質性」とは、作品に触れたり芸術的な行為に接したりした瞬間に覚える違和感と言ってもいいような特殊な感覚である。この違和感にランシエールは特別な地位を与えている。

その違和感を覚える瞬間、それは芸術作品に向き合うことによって、私たちの感覚、つまり日常的で連続的な認識が遮断され、社会性や日常性から切り離されてしまい、「こんな世界との関わり方があってもいいのか」と叫んでしまいたくなるような倫理的な感覚を伴った特別な経験をもたらす瞬間である。いまや芸術の鑑賞とは、この特別な経験と出くわす瞬間にほかならない。この倫理的な感覚を伴った特別な経験をもたらすことが芸術的実践であると言ってもいいだろう。

ある種の社会的な事件としての作品を目撃する状況をつくりつづけ、見ている人たちを挑発しつづける行為は、反社会的な行為のように見える作品であっても、「こんな世界との関わり方があってもいいのか」と実感させてしまうことで、結果的に同時代の倫理的な境界を描くことにもなる。

「分けること」の実践

「こんな世界との関わり方があってもいいのか」という実感は、いつも自分たちが感じている世界から実践が切り離された瞬間に、得られるものである。ここでも先にパーティーについて述べたように、「分けること」が重要な役割を果たす。

芸術家は自らの行為を一般的な人間の行為と「分けること」で、人々に「こんな世界との関わり方があってもいいのか」ということを感じさせることになる。特異な行為によって、逆にそのような世界の多様さや豊かさを感じさせることができると信じる才能。それが、ここで想定している芸術的な実践である。

世界との関わり方と言っても、考え方が実践と理論では異なる。アリストテレスによれば、理論は真理を探究する知であるのに対して、実践という人間の能力はロゴスという知の源泉に基づいて道徳的な行為を導く知であるとされる。こうして実践という概念がもっている意味の一端をひもといてみると、一般的な人間の行為とは「分けること」という行為が優先されがちである。ある物事が進んでいくと、当然ながら法や道徳などいわゆる規範に向き合わなければならない場合も生じてくる。創造的と呼ばれる行為のさまざまな様式は、常に規範の縁を歩いている。社会に広がっていくプロセスで、規範の縁を歩く芸術的な実践は好むと好まざるとにかかわらず倫理的な行為とならざるをえない。人々が世界や人間の存在を直接的に知覚できるとすれば、その知覚できる倫理的な行為は芸術的な実践と呼ばれるものと言っていい。その行為がもたらす感覚によって、「感性的なものの分割 partage du sensible」の再編成がもたらされるからだ。

美術であれ、音楽であれ、文学であれ、芸術は様式とともに語られることが多い。ここで言う様式とはランシエールが言う「行為＝製作の様式」で、作品を特徴づける表現形式である。芸術を語りだそうとする欲望は、芸術作品としての特異点を統一的な表現形式のなかに見いだすことを起源とする。ランシエールにとって「芸術の美学的体制」での芸術は、作品に向き合った際に引き起こされる違和感や判断停止の感覚が起こった場合に、その機会が芸術と同定される。

つまり、「芸術の美学的体制」に対して類推を許さず認識の遮断や切断をおこなうことが、芸術的な実践の必要条件となる。認識の遮断や切断が実践であるとも言える。

資本主義社会は時間で「わたし」という個人を抑圧し、時間を交換可能な財とすることによって「わたし」を社会的な存在にする。社会的な存在であることは時間に抑圧されているということでもある。「わたし」は法や規範のなかで個人を「所有」している。「わたし」は自己を所有することで人権や自由を獲得している。さらには、情報化社会での認識の遮断や切断は、記号化や離散化という形式を計算で解決することを、さまざまな社会の規約とする。インターネットのように、「わたし」が個人情報として抽象化されて存在を認知されるようになると、生活だけでなく、人権や自由を所有している「わたし」もテクノロジーの伝達形式に基づいて情報化され、個人情報も財となっていく。

だとすれば、認識の遮断や切断による芸術的な実践は当然ながら、倫理的な配慮を伴ったものになる。過激な性描写や露骨な権力批判などを伴った表現が示されるとき、それは現実に応じた倫理的な判断を伴った情報になりうる。その情報化が倫理的な判断力を発揮するリアリズムをつくりだすのである。したがって、単に制作ということだけでは完結せず、制作して提示する側も、受容する観客の側も、必ず（反道徳的な表現であっても）倫理的な判断力が発揮されることになる。いや、双方の倫理的な判断なくして作品は成立しない。

実践とは倫理的な想像力を引き出す行為である。そして倫理は、必ずしも規範的であるとはかぎらない。倫理的な想像力とは道徳という規範を更新するようなイメージをつくりだす力である。そしてその力が行使されることによって、芸術は個人や市場に対して優越した存在となり、さらに優越したときだけ具体的な実在になる。

倫理という帰納的推論

理性や悟性ではなく、人間にはじかに感じる能力が備わっているという。一般的にその能力が感性と呼ばれるもの、ということになっている。芸術はこの感性という概念をもちいて語られることが少なくない。だが、この感性という考え方は知識社会のなかにある芸術においても有効なのだろうか。言葉の使い方として、論理や理性を尽くせないものはすべて感性に押し込めてしまうような、強引さを感じてしまう。消去法的な考え方に誤用されてしまいがちなのが、どうもいかがわしさを感じてしまう。百歩譲って感性を「感じる能力」として定義したとしても、能力であるかぎり、個人差というものがある。その感じる能力について語ることは、どうしても冗長で退屈な弁解にならざるをえない。

能力の問題として足が速い人と遅い人がいるように、能力であるかぎり直接「感じるという能力」にも個人差があるはずである。この能力を一般化して論じることを美学はめざしているが、ここがどうにも釈然としないのである。

たとえば、都市のなかに設置されている芸術作品に気づく人もいれば、気づかない人もいる。仮にその存在に気づいたとしても、それが自分にとって心に響かないものであれば、それは作品として成立しない。「あれって作品なんじゃない？」という問いから、作品であることが類推されることもある。だからといって、どんな人でも異物のような作品に作品として気づくわけではない。気づかないかぎり作品も、作品という現実もないということになる。作品に触れる経験とは、どんな芸術であっても人々の帰納的な推論に依存している。冒頭にあげた「教育」も、方程式の問題を解くことは演繹的に推論することはできるかもしれないが、作品が向き合っている「問い」を演繹的に解くことはできない。「問い」が伝えようとしていることを受け止めるためには、演繹的ではなく、いや応なく帰納的な推論が求められることになる。

芸術的な実践が社会のなかで求められていることは、巨匠主義の傾向を強めてしまったアートの生産と消費のサイクルに対する批判的な視線を「投げかけている」感じがする。だがそれはそれで、ひとつの気分としては仕方のないことなのだろう。しかし芸術が民主主義という大義に利用されて民主的な「参加」を説くことは、単にお役所的なテクノクラシーに利用されているとも言える。

そこで、芸術的な実践がもっている「倫理」の出番である。もともと美学には倫理という理知的なプロセスが用意されていることは先に述べた。感性という理想状態を考えていくために、倫理に基づく表現は最終的には「世界との関わり方は〜であるべき」「〜のような世界との関わり方があってもいいはず」といった態度表明を社会に求めるプロジェクトに近くなっていく。なんらかの行為や状況に「参加」する、あるいは「関係」に作品が成立する条件をゆだねるにしても、態度表明を社会に求める以上、やはりそこには大小さまざまな政治性と関わりをもっていることは間違いない。たとえその「参加」や「関係」への動機づけが主体的なものだったとしても、その始まりには誰かの「呼びかけ」とそれに対する「応答」がある。素朴な行為をハイコンテクストなものに仕立てあげることに、芸術家の戦略があるのだとしても、人々がどのように情報や技能を自らの行動（＝ＤＩＹ）で獲得するのかという視点から研究し、その結果を展覧会やプロジェクトとして批判的に公開していく活動は、もはやあらゆることが消費に回収されてしまいがちな社会状況にあって、倫理的な実践であるとも言える。

資本主義リアリズムとしての芸術実践

資本主義社会での労働や教育によってつくられた社会規範は、時間で人間を抑圧する。芸術は、素朴な経済行為ではない。社会的な課題に向き合う芸術的な実践はコミュニティがその一部になる文化を定義するのに役立つような変化と扶助をもたらす。社会の一側面が文化だという考え方ではなく、文化の一部がコミュニティ（共同体）をつくるとすれば、人は常に受容者あるいは鑑賞者になれるはずもない。一方的に受容するという文化のあり方はむしろ不自然である。

だからこそ、芸術的な実践は「参加」を促す運動として始まる。この運動は独自の時間と空間をもたらす。直接的な関与は、ある種の民主的なモデルである。ところが、だからといってこのモデルは自分たちが住んでいる場所に必要とされる変化と影響力をもたらす可能性ではあるものの、あくまで可能性であって、真の民主的なモデルになる保証はない。むしろ、民主的な理想のモデルなど存在しないことを暴露してしまうことにもなりかねない。

とはいえ、複数の人々の「参加」によってできる状況の設定は重要である。それと同時に、そのようなかたちで立ち上げられた関係のあり方にこそ、たえず注意深いまなざしを注いでおきたい。なぜなら、それがどのような状況であれ、人々の「参加」によって成立する場で、個々の関与の程度に応じた力関係が必然的にもたらされることになるからだ。

プロセスやパブリックといった社会的なテーマとは、制作の手法、鑑賞の形態であると同時に、芸術と社会の関係を思考しなおし、批評するための概念的な単位である。したがって、芸術家の行動そのものがプロセスやパブリックという点から批評されなければならないのである。

資本主義と芸術の関係も同様である。労働のあり方は、言うまでもなく資本のゆくえ次第だという意味では、人間は資本主義体制でひとつの時間的制約のなかで生きているとも言える。この時間的制約に、歴史的背景や同時代性という時制の問題が含まれていることは言うまでもない。人間は現在（いま）に生きることで人間の存在を実感する。縄文時代や江戸時代を選択することはできない。場所についても同様である。居住地は世界各国どこでも事実上選択することができる一方で、同じ場所で同時に行動することはできない。場所も時代も選ぶことができずに、ただ「いま」「ここ」に生み落とされるのが人間の宿命である。だからこそ、歴史的に認証しながら、後期資本主義ではそのアートの倫理的な公共圏としての基盤が崩壊するという成果あるいは末路を、逆説的に読み解くこともできる。

シチュアシオニストやプロ・シチュたちがそうだったように、芸術と芸術家は人々の世界という想像力に対して、したたかな介入を繰り返してきた。その介入も芸術的実践のひとつだと考えると、芸術的実践をめぐる問題はアートワールドに向けられた表現ではなく、世界そのものを変える可能性を示唆することにある。十九世紀に形而上学者に対して発せられた警句をこのように改訂して掲げたとしても、決して的外れではない。文化のアクティヴィズムとはまさにこうした課題を担い手として期待されること、つまり役割を担うことを棚上げにして、役割期待を担いつづけることなのである。

社会は天才の狂気を待望しているわけではない。世界はどこまでも深く、そしてどこまでも広い資本主義のスケールとスピードが日常に容赦なく押し寄せてくることに期待と不安を交錯させている。その交錯に日々向き合うなか、人間は意識的に世界と向き合うことができる集団的な知性を渇望している。その集団的な知性こそが、芸術的な実践にほかならない。世界に余白をつくり、そこから世界についての帰納的な推論が始まる。そんな芸術的実践が、資本主義のスケールとスピードに向き合うための集団的な知性をもたらすのである。

芸術的実践は巨匠や天才が導く予感の運動を受け入れながら、受容者（観客）をつくる実験をおこなう機会を提供しつづける。その受容者実験は、すぐに答えを出してしまおうとする性急な「世界」という秩序にしたたかな余白と経済合理性に反する時間をたっぷりとつくり、あらためて「芸術はどうあるべきか」「社会とはどうあるべきか」という倫理的な問題を投げかけつづける。

注

▼1 「体験型講座」としてのワークショップは、美術館や劇場などの施設では教育普及プログラムとして、ある種の制度として確立されてきた。しかしながら一部のワークショップでは、レクチャーパフォーマンスと同様に、視覚芸術の上演プログラムとしての性格を強くしている。

▼2 クレア・ビショップはキュレーターのイリット・ロゴフが論じた教育的な作品についての分析を引用しながら、「教育性の美学」として一節を設けて論じている。ブランド化をニコラ・ブリオーの『関係性の美学』（未訳）になぞらえて「教育性の美学」と呼んでいる。

▼3 ローレンス・ハルプリン／ジム・バーンズ、プレック研究所企画編集『集団による創造性の開発――テイキング・パート』

杉尾伸太郎／杉尾邦江訳、牧野出版、一九八九年

▼4 自由国際大学（Free International University Japan［FIU Japan］）に関しては、針生一郎、若江漢字、林田茂留らの日本での活動を含めての公式サイトに詳しい（「自由国際大学」〔http://www.fiu.jp/about/about.html#〕［二〇一九年十二月二十日アクセス］）。またハイナー・シュタッヘルハウス『評伝ヨーゼフ・ボイス』（山本和弘訳、美術出版社、一九九四年）にも記述がある。

▼5 アートマーケットでも高値で取り引きされているＢＨＱＦ（Bruce High Quality Foundation）は、匿名のアーティスト・コレクティブとして社会的な課題と向き合った作品を発表しながら、大学という名前をつけた独立系アートスクール（freest art school）としてＢＨＱＦＵをニューヨークで設立。世界各国での教育プログラムやレジデンスプログラム、スタジオ運営をおこなっている（「BHQFU」〔http://bhqfu.org〕［二〇一九年十二月二十日アクセス］）。

▼6 パウロ・フレイレ『被抑圧者の教育』小沢有作／楠原彰／柿沼秀雄／伊藤周訳（「A.A.LA教育・文化叢書」第四巻）、亜紀書房、一九七九年

▼7 ペーター・ビュルガー『アヴァンギャルドの理論』浅井健二郎訳、ありな書房、一九八七年

▼8 演技や音楽などの周辺的な技芸を映像として統合化しているという点で Performing Arts に近接しているが、いみじくもベンヤミンが新しい動員と集団化に注目したように大衆的な動員力が第一義とする show business であるという意味で「芸能」であると考えている。

▼9 ヴァルター・ベンヤミン『ブレヒト』（「ヴァルター・ベンヤミン著作集」第九巻）、石黒英男編集解説、晶文社、一九七一年

▼10 ブレヒトは一九三〇年前後に試みた自作の戯曲シリーズに「教育劇」と名づけたが、観客を教育するという意味ではなく、演じる者と見る者を反転させ、お互いがお互いの立場を学び、単なる消費される演劇を批判し、芸術を受容する新しい機会として演劇を理想化する実験を提示した。

▼11 ここでは以下を参照。Roswitha Mueller, "Learning for a New Society : Lehrstücke" in Peter Thomson and Glendyr Sacks ed., *The Cambridge Companion to Brecht*, 2nd Edition, Cambridge University Press, 2007, pp. 101-117.

▼12 ブレヒト「町の場面――叙事詩的演劇の基本モデル」『今日の世界は演劇によって再現できるか――ブレヒト演劇論集』千田是也編訳、白水社、一九六二年

▼13 一九五〇年、リンドバーグのファシズム加担を知ったブレヒトは『リンドバーグたちの飛行』（Der Flug der Lindberghs）を『大洋横断飛行』（Ozeanflug）と改題している。

▼14 マーシャル・マクルーハン「ラジオ――部族の太鼓」『メディア論――人間の拡張の諸相』栗原裕/河本仲聖訳、みすず書房、一九八七年、三〇八―三一九ページ

▼15 マーシャル・マクルーハン/エドマンド・カーペンター『マクルーハン理論――電子メディアの可能性』大前正臣/後藤和彦訳（平凡社ライブラリー）、平凡社、二〇〇三年

▼16 セーレン・キルケゴール『死にいたる病』桝田啓三郎訳（ちくま学芸文庫）、筑摩書房、一九九六年、一二一―一二二ページ

▼17 芸術家や知識人などによって構成された社会革命組織。活動の開始は一九五二年とされる。シチュアシオニスト・インターナショナル（SI）で活動する前衛的な活動家を総称して、シチュアシオニスト（situationiste）あるいは状況主義者と呼ばれる。七二年まで活動したとされる。機関誌「アンテルナシオナル・シチュアシオニスト」（第一号から第九号）の日本語訳は、インターネット上で入手可能（自由芸術大学研究室「シチュアシオニスト・オンライン文庫」［https://www.researchlab.jp/blog/reading-circle/シチュアシオニスト・オンライン文庫/］［二〇一九年十二月二十日アクセス］）。

▼18 一九七〇年のイタリアで新左翼集団ロッタ・コンティーヌアが「都市を奪取せよ」と題した政治的実践を開始して、それがアウトノミアの萌芽のひとつともされる。その後、「都市/大都市」をテーマに「アウトノミア」と呼ばれる多様な運動が展開された。具体的には、工場・労働・学校などの自治権確立をめざした社会改革運動である。アントニオ・ネグリは中心的な指導者として知られる。

▼19 ブレヒトがとりたてて「ラジオ」を理論的・体系的に論じたわけではないが、ラジオをめぐる考え方を総称して「ブレヒトのラジオ論（ラジオ理論）」と総称することがある。川島隆「ブレヒト「ラジオ理論」の射程――ドイツ連邦共和国における市民メディア発展史との関連から」、日本マス・コミュニケーション学会編「マス・コミュニケーション研究」第六十九号、日本マス・コミュニケーション学会、二〇〇六年、四一―五六ページ

▼20 「プロプライエタリ社会をハックする――映画『あくせく働くな ラジオアリーテェ』」（http://radioalice.researchlab.jp）［二〇一九年十二月二十日アクセス］

▼21 Ken Knabb, *Situationist International Anthology*, Bureau of Public Secrets; Revised, Expanded Edition, 2007.

▼22 スピノザはコナトゥス（すべての存在が自己を肯定して、自己を確立するために続けられる努力のプロセス）に合致する事物を表象するとき、人間は「喜び（laetitia）」を感じるとしている。

▼23 アントニオ・ネグリ/マイケル・ハート『〈帝国〉――グローバル化の世界秩序とマルチチュードの可能性』水嶋一憲/酒

井隆史／浜邦彦／吉田俊実訳、以文社、二〇〇三年

▼24 ここでのスピノザと「帝国」との関連や「喜び」を方法としてとらえる視座は、浅野俊哉『スピノザ——共同性のポリティクス』（洛北出版、二〇〇六年）から多くの示唆を得ている。

▼25 Sadie Plant, *The Most Radical Gesture: The Situationist International in a Postmodern Age*, Routledge, 1992.

▼26 Duncan McCorquodale ed., *Krzysztof Wodiczko*, Black Dog Publishing, 2011.

▼27 小倉利丸「都市空間に介入する文化のアクティビスト パブリック・アートの政治性」（garage sale Available at http://d.hatena.ne.jp/araiken/20101219/1292727741）［二〇一九年十二月二十日アクセス］

▼28 Adrian Piper, “Xenophobia and The Indexical Present,” in Ine Fevers ed., *Place, Position,Presentation, Public*, Jan Van Eyck Akademie, 1993, p. 48.

▼29 Francesca Grassi ed., *Rirkrit Tiravanija: A Retrospective Tomorrow Is Another Fine Day*, Jrp Ringier Kunstverlag Ag, 2008.

▼30 Nicolas Bourriaud, *Relational Aesthetics*, Les Presse Du Reel, 1998.

▼31 Claire Bishop, “Antagonism and Relational Aesthetics,” *OCTOBER 110*, Fall, 2004, pp. 51-79.

▼32 ブリオーの『関係性の美学』が政治的な実践の原理として機能するためには、アートワールドのなかで充足してはならず、アートワールドの外部とどのようにもっと関係をもつかという戦略を明らかにすべきだと批判する。『人工地獄』などの著書を参照すると、むしろビショップの関心は新自由主義経済やグローバリゼーションに支配された世界で、「参加」というテーマを起点としてアートが本来もつべき独立性と自立性を回復しようと提言しているようにも思える。

▼33 塚原史『反逆する美学——アヴァンギャルド芸術論』論創社、二〇〇八年

▼34 ロベルト・エスポジト『近代政治の脱構築——共同体・免疫・生政治』岡田温司訳（講談社選書メチエ）、講談社、二〇〇九年

▼35 ボリス・グロイス『アート・パワー』で論じられる「参加」は、社会主義リアリズムがロシア・アバンギャルドから生まれたと主張するグロイスの持論が垣間見える。Boris Grois, “The Birth of Socialist Realism from the Spirit of the Russian Avant-Garde” in Hans Gunter ed., *The Culture of the Stalin Period*, Palgrave Macmillan, 1990.

▼36 前掲『感性的なもののパルタージュ』八ページ

▼37 イマヌエル・カント『実践理性批判——倫理の形而上学の基礎づけ』熊野純彦訳、作品社、二〇一三年

第3章

路上の倫理学

都市の祝祭性

都市はにぎやかなところと相場は決まっている。当たり前と言えば当たり前の話で、なぜなら人が集まっているからだ。にぎやかなだけではない。便利でもあり、何かを買おうとしても、食べようとしても、どこに移動しようとしても、手段や方法には事欠かない。人が集まると、人々は影響しあって生きざるをえないので、当然ながら自分たちにとって都合がいいように同時代の技術を駆使して生活圏を変化させていく。

しかしながら、都市は単なる生活圏ではない。それだけに収まらないところがあるのが都市のおもしろさだ。同時代の政治や経済に敏感に反応しながら、都市は文化圏として脱皮や変態を続けている。インターネット上にも、リアルな経済学で説明できるような商圏が確立し、まるで都市のようにさまざまな経済的取り引きがおこなわれる事態も日常的になっているせいだろう。都市は空間である以前に集住の条件なのである。

ロンドンやパリやニューヨーク、あるいは東京が特権的な大都市の象徴で語られる時代はとうの昔に終焉を迎え、上海、ドバイ、リオデジャネイロ、ケープタウンなど、「文化の発信地」としての都市は確実に経済のグローバル化とともに拡散している。

これらの都市の社会経済的・文化的な成熟度を、都市という社会経済のモデルについて「都市の勝利」と呼び、サクセスストーリーとして紹介したり分析したりすることがある。

「都市の勝利」という言明は都市のすばらしさについて述べるというよりも、都市を資本主義ゲームの盤面ととらえ、そのゲームの優位性を資本主義とアメリカ型自由という観点から、正当化しているようにも思える。

都市への一極集中はメリットが大きいという意見については、「なるほど」と思わせるところもある。交通網が発達していて移動は便利だし、コストもそれほどかからない。物流も盛んで、消費者としても買えるものが多い。医療機関の種類も量も豊富で、病気の治療や生命の維持を「購入」することもできる。つまり、人と物が集まる条件はそろっているというわけだ。

人と物が集まるところに必然的にお金が行き交うようになれば、お金や証券を取り引きする金融街もできる。こうして人と物とお金が集まる。そうなると、仕事の種類は多くなって働く人も必要になる。そうした人と物の流れが起こると、人々も行き交うようになり、テクノロジーの恩恵を受けてさまざまな「創造」が起こり都市の文化的な成熟度は向上していくというわけだ。医療機関も発達していて、高度な医療が受けられる可能性が高いので、環境問題や精神的なストレスなどと相殺しても、都市に住んでいるほうが長く生きられる。そうした面を考慮すれば、「都市の勝利」は一応理にかなっている。

「都市の勝利」にリスクが含まれていることは少し考えれば誰でもわかる。人間が集まって多くの人が住むようになれば、当然ながら混雑は避けられないし、犯罪は多くなり、疫病や天変地異が起こると不可抗力のリスクが増大する。心配しはじめたらきりがないくらいだが、都市への人口集中によるアラームは、いつけたたましく鳴ってもおかしくない。単に人が多くなるだけで、文化的な成熟度が高くなるとはかぎらない。抱えているリスク以上に、都市のにぎわいに人々は吸い寄せられる。

都市の人口集中により、農業など一次産業の従事者は都市から追い出されてしまうことは避けられない。でもそのかわり、二次・三次産業の担い手には事欠かない。労働力が多様だということは、パートナーを求める独身者はもとより、共働きでふたりとも収入がある状態でいたいという夫婦やカップルにとっても都市は魅力的な場所になる。

技術や技能が高い人も高い賃金を求めてやってくる。高賃金をもらっている人たちが増えれば、高い家賃の住宅へのニーズが広がり、居住環境の道路や公園などの整備が進む。加えてわざと低所得の人たちにはアクセスできないようなゾーンをつくってしまう。そのゾーンには必然的に名門校などの教育機関などが進出するため、高い教育を受ける機会も多くなる。居住環境の質は賃金という労働条件に依存するのだ。

「都市の勝利」がそうであるように、たいていの都市論は「市民」「消費者」あるいは「観客」など、経済的な観点から語られることが多い。「消費者」「観客」の立場だけに終始する評価や批評は、結果として都市を労働と生産をめぐる歴史的な節点として理解することを遠ざけていく。「同時代」を人間の奥底に装備されたセンサーとして理解し、そこから労働と生産の可能性を再検討しようとする地道な試みなど、とてももどかしいものに思えるだろう。その理由は明白だ。労働と生産をめぐる愚直な都市論など、いまや顕示的な消費の対象になりえないからだ。消費の観点から見ると、都市は祝祭そのものになる。

顕示的な消費財としての芸術

都市の祝祭性が高まる一方で、市場としての都市に住む人たちには経済的に貧しい人たちも多い。しかし「都市の勝利」という理屈は、都市に貧しい人たちが多いという状況ではひるまない。都市の目線は徹底して高い。都市に住んでいるから貧しいわけではない。貧しい人が都市の豊かさに期待して集まってくるという理屈だ。貧しい人たちが目立っている都市もあるが、貧しい人たちも都市にはさまざまな可能性がたくさんあると信じている。つまりいろんな仕事があって、ひょっとすると自分にも大きな成功が待っているかもしれないと期待して集まってくるのだ。

「都市の勝利」という理屈のうえでは、地方で収益が上がらない農業に従事しているよりも、都市では人々が集住しているぶんサービス業が必然的に多様になるため、どんな人にとっても当然仕事のチャンスは増えるということになる。

もちろん地方にも気候風土に応じた仕事があって、そのなかには世界のなかで比較的特異な産業に位置づけられるようなものもある。しかしながら、職種の多様さという点では地方は都市にかなわない。多様な職種はいろいろな人たちが集まってくる理由になり、集まれば集まるほどさらに労働の種類は多くなっていく。どんな仕事を求めている人にとっても、都市とは自分を労働力として買ってもらえるかもしれない可能性であり、住むための必要条件なのである。

その例としては、プロのミュージシャンが人里離れた場所を労働の場とすることはむずかしい。

フェスのような特殊なイベントを除いて、ライブにくる聴衆がいないからだ。住んでいる場所が人里離れた場所であっても、ライブはいや応なく都市でやらざるをえない。さまざまな趣味嗜好の人が都市には集まっているだけに、ライブは成立する。だが、人があまり住んでいない地方では、プロのミュージシャンが客を獲得することはむずかしい。

このミュージシャンの例によらずとも、日常生活の延長線上に、アート、インテリア、ファッション、建築、グルメなど、あらゆる表現が商品と一体化し大衆化していて、都市の生活様式に寄り添っている。

二十世紀以降の都市文化では、美術や建築、演劇など古代からある表現形式も、時代の推移とともに洗練された都市文化として理解され、ある種の顕示的消費として市場に組み込まれることになる。それによって、アートは都市に住む人々の顕示的な消費を誘発し、市場を拡大する。「おしゃれ」な都市文化は顕示的な消費としての洗練度を高めれば高めるほど、当然ながら市場は拡大するのだ。

結果的にあらゆるものが消費の対象になり、資本主義は国家や地域を軽々と乗り越えて侵入する。美術館、ギャラリー、雑誌、アート系非営利団体など、アートのプラクティス（実践）が記号消費のシステムと化した都市では、心地いい飛躍と破綻が娯楽になる。確かに、飛躍と破綻は根本的に人間の知性や都市生活にとって、ちょっとした祝祭である。

神の所業にも近い地位を与えられるほど崇高で深淵だったはずの芸術も、資本主義の爛熟さに応じるかのように、消費の対象となり市場原理に依存した「業界」ができあがっている。アートに関連した仕事は、当然ながら都市に集中することになる。市場としての都市は、アーティストに労働者としての社会的な地位を与えるのだ。

だからこそ、市場としてのニューヨークやパリには自分（とその作品）を買ってもらえるかもしれないアーティストたちがたくさん集まってくるし、作品に公的な権威を与える美術館、コレクターに作品を売る画商、作家のマネジメントをしたりパーティーを開いてパトロンから資金を集めたりする業者など、少しでも顕示的な消費財としての芸術作品を高く見せるようなサービス業が発達していく。これもまた無理のない話である。

「一瞬の裂け目」としての同時代

顕示的な消費についてミッキーマウスを念頭に考えてみると、ぐっと具体的に理解できるかもしれない。ミッキーマウスは二十世紀が生んだ奇跡の記号である。ディズニーランドでの主役の座は揺るがないばかりか、いまだにさまざまなグッズのデザインに採用されて目に触れる機会は多い。ビートルズやマイケル・ジャクソン、クリスチアーノ・ロナウドを知らない人がいても、ミッキーマウスを知らない人はおそらくいないだろう。まさに底知れぬ人気である。顕示的消費を絵に描くとミッキーマウスになると言っていいだろう。

ミッキーマウスは考案された、いわばイメージである。ミッキーマウスが好きでグッズを買い求めている人たちは、まさにイメージを消費している。このように、表現が顕示的な消費財となることに抵抗し批判する先人たちはこれまでにもたくさんいた。その代表的な歴史家がヴァルター・ベンヤミンである。ベンヤミンは都市に生きる人々を観察しながら、搾取の場が工場だけにとどまらず、ミッキーマウスのように日常生活にまで広がっていることを「同時代」、つまり宇宙の歴史からすれば「一瞬の裂け目」でしかない共通の経験として描写し、人間の奥底にある欲望や歴史のあり方を再検証しようとした。

もちろん、ベンヤミンの「一瞬の裂け目」への関心は、当然ながら日常生活のさまざまな局面で資本主義という経済体制が暴力としてはたらいている状況にある。ベンヤミンはミッキーマウスを暴力装置として論じたのである。[1]

ベンヤミンはミッキーマウスを、映画という複製技術と近代的な産業の表象として位置づけた。この映画という複製技術の日常生活への影響力を念頭に置いて、テクノロジー（複製技術）によって装置（メディア）化された日常生活で活動する記号化されたキャラクターとしてベンヤミンはミッキーマウスを論じた。実はメディア化された日常生活を平穏に送ろうとする人間さえ、なんらかの拍子でミッキーマウスの暴力にさらされてしまうことを警戒する。ビートルズやマイケル・ジャクソン、クリスチアーノ・ロナウドはミッキーマウス化した人間であるとも言える。

ここでのメディア化とは、日常生活のあらゆるもの、たとえば人間でさえ伝達の装置と化してしまうような事態である。資本主義への隷属によって、都市生活の経験が貧しくなっていく状況をベンヤミンは「ミッキーマウスの生活は、こんにちのひとびとの夢である。ミッキーマウスの生活は、奇跡にみちている」[2]と皮肉たっぷりに述べる。

人間が表現したはずのミッキーマウスが、自らがあたかも生命を与えられたかのように商品として増殖し、社会のなかで際立つ存在となったことをベンヤミンは資本主義の亡霊として読み取っている。

ミッキーマウスはあまりにも消費の対象として独自性をもつからこそ、その偏愛ぶりや物神性を発揮することになった。結果的に、たかがアニメーション映画のキャラクターだったにもかかわらず、人々を激しい偏愛のパラノイア状態に陥れる。それらを生み出した人間自身を、逆に支配してしまう疎遠な力になってしまっている。この疎遠な力は、まさにヘーゲル以来論じられてきた疎外である。

疎外をめぐる近代以降の都市はそもそも生産と労働の市場として拡大してきた。とりわけ、自分では生産手段をもたず、生活のために自らの労働力を時間で切り売りして賃金を得るプロレタリアート（賃金労働者）にとって、都市生活を送っていくうえでのさまざまな局面が複製技術による表象としてしか存在しなくなりつつある状況が顕著となっている。

そのプロレタリアートがどのような内容や規模の労働市場に関わっているかに応じて、集住の条件は変わり、都市の様相も大きな影響を受ける。産業資本主義を基礎とする都市のあり方は、労働者階級や無産階級とも呼ばれるプロレタリアートの市場という貌を必然的にもつのだ。

疎外論とユートピア主義が生んだ芸術運動

ベンヤミンはミッキーマウスを持ち出して産業資本主義社会批判として疎外論を論じたが、ベンヤミンのアイロニーに満ちた予言どおり、ミッキーマウスは二十世紀を席巻し、ついにディズニーランドというユートピアの住人になって永遠のアイドルとして生きつづけることになった。ミッキーマウスは疎外論だけではなく、顕示的な消費の場としてのユートピアを資本主義のなれの果てだと教えてくれる二十世紀の遺跡である。

何百年にもわたって、社会を根本的に変革しようとするときに必ずと言っていいくらい、ユートピアは構想される。ユートピアをめぐる想像力が人々の理想を現実のものとして誘導する力をもっているからだ。ユートピアは未来についてのひとつの表現である。実現可能性を考えない理想であるにもかかわらず希求されるのは、それが人々の心をつかむ思想だからかもしれない。ウォルト・ディズニーは映画を現実化してミッキーマウスを永遠のアイドルにするために、ディズニーランドというユートピアを実現してしまった。それはディスニーにとって理想の表現だったにちがいない。

そもそもユートピアは、イギリスの思想家トマス・モアが一五一六年にラテン語で出版した著作『ユートピア』に由来するが、産業革命前、つまり資本主義が確立するよりもかなり以前に出された構想である。そのユートピアをめぐるパラノイア的な想像力は時代を重ねても魔法のような魅力をもち、ディズニーランドのような理想主義的な都市論は時代とともに更新されていった。

城（bourg）に住む人たちが、自分たちが住んでいる場所から貴族を追い出して「ブルジョアbourgeois」という階級を発明した。その新しいブルジョアジー（ここでは新興ブルジョアジーと呼んでおこう）の「運動」が、市民革命と呼ばれる社会変革だった。いわゆる市民社会は新興ブルジョアジーという発明された階級がまずは運動、つまりアクティヴィズム（直接行動主義）を、フランス革命などを通じて学習することからスタートした。行動を起こすことによって新しく階級が発明され、私的財産の所有を通じて個人という観念を学ぶことになった。

そうした政治体制の大きな変化は革命と呼ばれることがある。運動を起こすために新しく階級が発明され、王族や貴族と争い、直接行動なり革命なりを引き起こす都市の住民は市民と呼ばれた。単に都市に住む人であることを超えて、十九世紀後半から現在に至るまで、市民はいろいろな意味で社会的な主体の役割を果たしてきている。都市は集住の条件であると同時に、さまざまな闘争や競争の場になっていった。

そうした闘争や競争の場で、自然の法則を発見して証明する個人は科学者という専門家、表現を駆使して世界に語りかけつづける個人は芸術家という専門家、新しい技術を使って社会を改良しようとする個人は技術者という専門家になった。いずれにしても、専門家は社会のさまざまな局面で重要な役割を果たすようになっていった。

ユートピアは夢想家の妄想ではない

新興ブルジョアジーが資本家として大きな力をもつようになると、都市の住民である労働者を搾取し結果として抑圧するようになる。貴族や王族を都市から追い出しても、待っていたのは生活苦だった。「こんなはずではない」と労働者たちは嘆き落胆する。すでに公害で生活環境が悪くなった都市に住みながら、工場で働く賃金労働者（プロレタリアート）は市民という権利を政治的に獲得してもちっとも楽にならない自分たちの生活を見つめなおすことになる。労働者の自己理想とは、労働に見合うだけの賃金をもらい「豊かさ」を追い求めることだった。自らの労働の価値を最大化すること。それが労働者の「豊かさ」にほかならない。

そこで、ある運動に対してさらに違った運動、つまり労働をめぐる生活改革運動で現実を乗り越えようとした。まさに近代運動（モダニズム）の本領である。都市住民としてのブルジョアジーが社会運動（Social Movement）を通して学習したことは、集団行動による運動によって、権力や権益が変容し社会そのものが変革されることもあるということだった。ここでいう運動とは、政府、社会、世論などに対して、希望や目的あるいは問題解決を図る意志を人々の耳目に届くかたちにすることだと言っていいだろう。

とりわけ労働をめぐる理想の追求、つまりユートピア主義の運動は啓蒙的で、人々の心を揺さぶってきた。そのユートピア主義者（空想的社会主義者とも言われる）のなかでも、近代では最も早くからユートピア主義の運動を実践したのがロバート・オウエンである。オウエンは「ニューハーモニー」と呼ばれる理想の共同体をつくろうとして失敗はしたものの、オウエンに関して特筆されるべきは労働をめぐる抑圧や搾取からの救済のために、さらに言えば未来の社会のために教育を確かな方法論として位置づけたことにある。

ユートピア主義はきわめて教育的で啓蒙的な側面をもっている。フリードリヒ・エンゲルスが[3]ユートピア社会主義者として称賛した、ロバート・オウエン、サン＝シモン、シャルル・フーリエなど、その教育的で啓蒙的な側面は二十世紀に多大な影響力を発揮することになった。

近代運動にとってユートピアは単なる夢想家の妄想ではなく、テクノロジーから生み出されたリアリティ（現実）として、生々しい物質性を与える運動の方法論になっていったのである。

あらゆる専門家が職業化していく

空想的社会主義といっても、特に荒唐無稽な妄想というわけではない。とりわけ、サン＝シモンの思想は社会構想という点からすると、かなり合理的で科学的な側面を持ち合わせていた。サン＝シモンは産業に特別な地位を与え、産業者こそ自らの力を自覚し理想の社会に導かなければならないとした。[4]

パリのオスマン計画をはじめとして、土木事業で自然を改良し都市を巨大で機能的・衛生的な要塞のようにつくりあげていくこともまた近代運動のひとつだった。

ここで活躍したのが技術者や専門家だった。いわゆるユートピア主義者（空想的社会主義者）のなかでも、サン＝シモンは産業に特別な地位を与え、産業者という人間の集団から社会のあり方を考察した。ここには、近代運動（モダニズム）、ひいては都市文化としての同時代芸術を考えるうえでのヒントが数多く含まれている。

近代運動は疎外とユートピアを通じて階級という意識を際立たせた。社会のなかで生きる人々を、単に抽象的な「市民」あるいは「人間」として理解するのではなく、その社会で果たす役割や利害関係に注目して「階級」ととらえる見方は、マルクス＝レーニン主義の源泉となったばかりでなく、階級闘争という近代的なゲームを二十世紀にもたらすことになった。もちろん芸術家も知的なゲームの主役に躍り出ることで、専門家としての地位を確立することになる。

川に橋をかければ、いろいろな人々が都市に入ってくる。都市をめぐる交通は人々の動きを活発にする。人の動きが大きくなると、当然ながら都市の様子は大きく変わってくる。土木技術が産業化して社会を改良することを産業主義と呼ぶことがあるが、産業主義はそれまで閉じていた系としての都市を外部に拡大した。

たとえば、スエズ運河の建設は、十九世紀中頃（ナポレオン三世の時代）のフランスが関与した公共工事としては最も規模が大きく先進的だった。[5] 言うまでもなく、スエズ運河があるとないとでは、交通という点では大きな違いがある。なにせ喜望峰を回っていたヨーロッパとアジアを結ぶ航路が極端に短縮されたのだから、その恩恵が著しく大きいことは火を見るよりも明らかである。

こうしたわかりやすい社会改良を成し遂げようとする産業主義は、資本家と労働者との関係を決定づけるだけでなく、さまざまな人々の利害を明らかにする。利害を生じる産業の発展にとって、サン＝シモン主義は挑戦的で先進的であり、同時に欠かせない事業を推進する起業家精神を芽生えさせるきっかけにもなっている。

産業者は社会的には最も無力だった。社会で最も有益な役割を果たして影響力がある存在でありながら、社会的に最も無力である社会階層としてサン＝シモンは産業者を描き出したのだ。産業者がその社会への影響力を自覚することによって、産業者が社会を統治するという構想がサン＝シモン主義の中心的な考え方だった。産業者が統治する社会をつくることもサン＝シモン主義者らは構想した。

こうした思想はマルクス主義が台頭する以前のフランス社会主義運動となっただけでなく、資本主義にかわる新しい社会と経済を追求するマルクス主義的な社会を改革する運動に道を開く有力な潮流のひとつになった。

また産業主義は社会主義とは無縁のようなアメリカにあっても、実は移民が起業家精神をもつことで独自の資本主義を発展させたという意味では、ディズニーをはじめとするアメリカニズムの起源であるとも言える。大量生産や大量消費を可能にした生産システムであるフォーディズム[6]やテイラーリズム（科学的な経営管理法を導入することによって、生産現場の労働の能率が著しく向上し、雇用主には低い労務費負担を、労働者には高い賃金支払いを同時に実現することができるとする思想）などアメリカの資本主義を支える思想も、資本主義経済の生産力の発展を重視する産業社会論の流れを汲んでいる。その点では、サン＝シモンの産業主義の亜流にあるとも言える。

サン゠シモンからすれば、社会変革にとって技術の産業化は社会を大きく変えてしまう運動にほかならなかった。都市はユートピアとして理想化されるたびに生産と労働とが瞬時に交じり合い、都市にはブルジョアジーとプロレタリアートだけでなくさまざまな職能が専門化し、その専門が差異化することで新しい職業を生み出した。たとえば、ビューロクラート、テクノクラートなどの新しい専門家が生まれ、その専門化は職業として確立するようにもなった。階級をめぐるはげしい競合や衝突の危機をはらみながら、都市はさまざまな競争と闘争の場になる。それと同時に、私的所有という個を内面に迫る近代運動（モダニズム）によって、ロマン主義のような個の内面を重視するような芸術のあり方を実践することになった。

所有と階級をめぐる矛盾や葛藤はロマン主義以降の芸術運動を先導し、政治家や革命家や学者や僧侶なども職業の種類として自覚されていくなかで、芸術家の立場も好むと好まざるとにかかわらず、常に社会的、いや政治的にならざるをえなくなっていった。

「何を表現するのか」あるいは「何を表現しなければならないか」

結果的にユートピア主義は、サン゠シモンやフーリエらによって、社会主義の基礎となる思考をもたらした。その二十世紀的な実験が共産主義だったと言っていいのかもしれない。

そのユートピア主義ときわめて相性がよかったのが、十九世紀前半に登場したボヘミアンたちの考え方だった。ボヘミアンとは、フランス革命とナポレオン帝政時代を経た、十九世紀前半のパリの郊外に住んでいた芸術家たちである。

ボヘミアは一八三八年にオノレ・ド・バルザックが初めてもちいた言葉とされるが、そのボヘミア（ボヘミアン的な空間）という思想に共感する芸術家たちがボヘミアンである。若くて貧しいボヘミアンは真の芸術を求め、目先の経済的な利得を追い求めることはせず、日々「何を表現するのか」あるいは「何を表現しなければならないか」というテーマと向き合っていた。

ボヘミアを理想とする芸術家たちが集まったのはパリ郊外のモンマルトル周辺だった。当時パリの市域は現在よりもはるかに小さく、モンマルトル周辺はまだ「市外」（Faubourg）だった。「市内」があまりにも生々しい生産と労働の場となっていたため、ボヘミアンは「市外」に住むことで芸術家としての生活を確かなものにしようとした。[7]

ボヘミアンは自ら望んで貧困のなかで生活し、市外のモンマルトルで市税がかからないワインを飲みながら市民となることを拒否し、ブルジョア的な生活やそこから生産されるあらゆる文化を否定した。

このボヘミアンとしての生活は、単に清貧に甘んじていたわけでも、「芸術のための芸術」を実践する生活様式として受け入れられていたわけでもない。そのボヘミアンとしての生活そのものが芸術家としてのイデオロギーであり、生活様式になっていた。都市という政治的な境界を超えて、何もないということが創造的だと考え、疎外からの創造を実践しようとしたという意味で、ボヘミアンとして暮らすことそのものが社会的で政治的な運動だったのかもしれない。

モンマルトルでの生活では、ブルジョア的な生活とそれがもたらすさまざまな表象に対する強い反発によって、創造的で疎外されない体験が芸術家の資質に贈与されてくる。この贈与を共有することが芸術倫理であり、同時代に「何を表現するのか」あるいは「何を表現しなければならないか」という問題に向き合うことがある種の対抗的な運動をつくる原理だと考えられていた。

こうしたボヘミンアンとしての芸術家もまたひとつの階級として、ひとつの運動に対抗する運動でそれを克服しようとしていた。それも近代運動（モダニズム）のひとつのかたちである。運動を運動で乗り越えようとするのだ。そのとき、ユートピアは甘美で創造的で、未来に希望を託すことができる想像力になるのだ。

風景という倫理

もちろんユートピア的な理想主義はフランスだけで起こったわけではない。いち早く都市の産業化が進んだイギリスの都市でも同様のことが起きていた。その理想主義的な思想家の代表的な人物がジョン・ラスキンである。

ラスキンの思想は、ウィリアム・モリスのアーツ・アンド・クラフツ運動の理論的な根拠になったとされているが、いま読んでも徹底的に時代錯誤なアナクロニズムに徹している。そしていささかうんざりするほど道徳的だ。ときには「そんなバカな」と思うほど、過激なまでに中世や古代への回帰を促しながら、近代運動の規模と速度を伴った流れに抵抗する。

『近代画家論』[8]でのジョゼフ・M・W・ターナーへの称賛も、要は徹底した近代批判である。自然改良を続ける近代社会を批判し、自然に対する慈しみをある種の真理として位置づけている。ラスキンの論は途中からもはやターナーなどどうでもよくなっていき、過激なエコロジー論を展開していく。しかしそれはそれで興味深いものがある。

一見荒唐無稽のようにも思えるラスキンのアナクロニズムも、たとえば、風景をある種の倫理として絶対化しているという点では、今日的なテーマにもつながっている。風景には新しい存在論が必要だ。そうラスキンは考えていたようだ。自然と人間の調和といった非現実的な対称性を疑い、自然との間にも悲劇的なまでに人間中心的な考えが入り込んでいる風景という観念に倫理を要請した。もともとターナーを擁護した『近代絵画論』が出世作となったラスキンだが、そのターナーに対する擁護は風景を通じて自然の存在理由を考えさせてくれる、というものだった。ラスキンは風景を通じて自然の存在証明を求めた。まさに倫理的な態度である。

「自然とは何か」の問いなど、触れないですむにこしたことない。なぜなら自然改良で都市生活の価値を最大化しようとする、経済人（ホモエコノミクス）にとっては厄介な問いでしかない。近代という時代にあって、「自然とは何か」の問いはもう解決ずみの問題のように扱われ、さまざまな「便利」や「贅沢」が資本化の都合に応じて優先的に生産されていく。「自然とは何か」の問いは解決ずみどころか常に直面しなければならないからこそ、「風景」には新しい真理が表現されていなければならない。そうラスキンは考えていた。

このラスキンの倫理的な態度は実体経済にも向かう。資本主義では「富める者」と「貧しき者」との間で死にものぐるいの闘争が起こることがある。それを競争と呼んで、資本主義経済では当然の活力だと考えられている。だが、その活力そのものにラスキンは異議を唱える。たとえその競争に誰かが勝っても、世界からはどこかおおらかさや伸びやかさが消える。おおらかさや伸びやかさを失った世界では、才能豊かな芸術家も実体経済に翻弄されてしまうとラスキンは批判した。そうした状況をめぐって、ラスキンは古典主義経済の体制を批判する『芸術経済論』[9]として出版し、それはいまに伝えられている。

ラスキンの「何を表現するのか」「何を表現しなければならないか」という芸術倫理は、常に「よりよい社会」に視線を向けている。それがラスキンの考える「真理」だった。

サン＝シモンの産業主義的なユートピア思想とは、一見対極にあるように思えるラスキンの思想も、「よりよい社会」を理想化しその実現を意志として表明するために運動を起こさなければならないとした点では、ほかのユートピア主義思想と同様にモダニズム（近代運動）の典型だとも言える。

「美しいもの」や「魅力あるもの」「興味を引くもの」が、個としての人間を絶対視した「感性」なるものだけからはもたらされないこと。そうした反美学的とも言うべき態度は、十九世紀以降に美学や美術史が学問としての洗練度を上げていく。その一方で、近代運動を通じて芸術家たちはさらに反美学的態度を自覚しはじめる。芸術運動には必然的に、社会にある現実の問題を独自の方法で強調したり、状況を改善したりするために行動する社会運動の要素を含まざるをえなくなってきたからだ。

ラスキンが主張したように、同時代で「何を表現するのか」という芸術家の芸術倫理に向き合うことは、社会の深層で繰り広げられている「疎外論」や「ユートピア主義」といった近代社会に固有な回路を通してはじめて現れてくる。そうした芸術倫理は直接的には、先にも述べたようにモリスのアーツ・アンド・クラフツ運動に大きな影響を与えた。さらには、その後の自然主義、印象派、表現主義、バウハウス、デ・スティル、未来派、ロシア・アバンギャルド、シュルレアリズム、ダダなどの前衛的な芸術運動にも少なからぬ影響を与えることになった。

手続きの消費者

ブルジョアジーによる所有や新しい階級をめぐる政治的な転回（ポリティカル・ターン）が結果的に芸術的前衛やボヘミアンなるものへの革命として結び付いた。もちろん、都市での芸術の役割が祝祭性を帯びているからこそ、必然的に政治性の強いものになっていったとも言える。

たとえばプロセスアートやパブリックアートといった都市生活の公共性を強く意識した表現の登場は、近代以降の都市空間が大小さまざまな手続きの集まりであることに大きく関係する。近代都市の成り立ちを考えれば、手続きの集合に依存することを「居住する」と表現してもいいくらいだ。「手続きとしての居住」を継続しようとする人たちにとって、場としての都市は空間としての意味をもつとはいえず、手続きを重ねる「手続き的な時間」を消費しているとも言える。つまり、都市の住民としての市民は、手続きの消費者なのだ。

同様に、アートもまた、作品がパブリックやサイトスペシフィックを強調しようとすればするほど、場を離れて、風景やツーリズムなど手続きに依存した「参加」や「公共性」を前提として制作され、公開される。

すべては手続きに依存した事象（イベント）だとすれば、全米芸術基金（NEA）から巨額な助成を得たアート作品が物理的な場、たとえば地方都市での再開発地域の広場などに設置されることについて、特別な意味を見いだしたり、都市での役割が与えられたりすると、いったい誰がその恩恵を受けるのだろうか。

この問いには、芸術は権力との折り合いをどのようにつけるべきかという問いも当然ながら含まれている。芸術が権力の正当性を視覚化したり、劇場での上演で権力が人々を魅了したりすることに手を貸してしまうかもしれない。さらには単に行政的な手続きに巻き込まれ、アートそのものも都市のなかで単なる手続きになってしまいかねないからだ。

建築とパブリックアートは、都市での有意義な装飾あるいは啓蒙的な象徴であろうとする。結果的に、都市空間の権力の正当性を視覚化する手段になっている場合が多い。

では、都市の公共空間にパブリック・アートを設置することが、規範に対する否定や不同意を表現すること、つまり「批判的であること」を貫くことはできるだろうか。なにせ制作費は政府や自治体、あるいはそれに類する機関から出ている場合が、都市の公共空間での作品や芸術祭の開催では多い。

建築やパブリックアートは費用面から考えると、権力や企業統治に利用されることは避けられない。誰のための建築なのか、誰のためのパブリックアートなのかという問いから考えてみると、その目的がわからなくなってしまう。そこで「発明」されたのが、ヴィレム・フルッサーが「乗り越える」という意味で使った「プロジェクト（投企）」という考え方である。

プロジェクトをめぐる哲学

プロジェクトはもはや誰もが口にすると言っていいほど、もはや日常的で一般的な用語となっている。何かちょっとした取り組みも、「プロジェクト」と名前がつけられて伝えられることも多くなっている。要するに「プロジェクト」はとても便利な魔法の言葉になっている。

アートの分野でも、一定期間にわたってひとつのテーマで取り組む、あるいは制作に従事することなどを称して「プロジェクト」と特別に呼んで、ほかの「芸術作品」とは一線を画そうとしている場合が多い。

この「プロジェクト」の用語を根本的にひもといていくと、パブリックアートが述べる「パブリック」で都市計画や建築計画とともに権力に回収されていくことを「乗り越える」という意味で、アーティストらが「プロジェクト」という呼称を使って理想に向かう意志も明らかになってくるかもしれない。

マルティン・ハイデガーの実存では、自分自身のあり方を未来に向けて客体として投げかけていくことをプロジェクト（投企）と位置づけている。フルッサーの考え方も基本的にハイデガーの実存、つまり主体や客体が明確でないままに存在している状態で自分自身のあり方を考えようとする態度を踏襲している。

フルッサーは、世の中のさまざまな未来に向けた構想がサブジェクト、つまり「日常＝ケ（褻）」で埋められすぎて窮屈になってしまっていることを懸念する。そしてその後にデザインの現場が事後的に登場していることに、以下のような懸念を表明したのだった。

かつて客体とみなされたものはすべて、投企に他ならないこと、つまり技術から生まれた結果に他ならないことが、見えてくる。いまや、技術とは、可能なものからあるべきものを選り出すことなのだ。そうなると、技術行動の最終目標は、可能性の場から、あたかも客体に見える当為（モデル）を取り出すことに置かれる。技術が生み出すこうした擬似客体は、もはや主体によって否認される対象物ではなく、あるデザインから投企された投企物なのだ[10]。

ここでフルッサーは、人間についての実存を哲学的な背景として、プロジェクト（ハイデガーのEntwurf、ジャン・ポール・サルトルのprojet）に関して、テクノロジー（技術）という人間の営為をもちいてその意味を大胆に拡張している。

実存の哲学では、「ひとりの人間」を思考の理想状態として、人間を世界内存在や状況内存在（ヤスパース）などと位置づける。これは世界を感じ、考えるための方法である。人間はいつもある一定の状況のなかでしか生きられないし、世界のなかでしか生きられない。ふたつの状況を同時に知覚することも経験することもできない。これは、人間の存在を考えるうえではとても重要な考え方である。

「ひとりの人間」はあくまで理想的な思考実験にすぎない。思考の中心に据えた「ひとりの人間」を主体と呼ぶとすると、主体の本質は自らが自らを、自らが身を置く状況によって創造していくものでしかない。ここが実存の哲学のプロジェクト論の出発点である。

生命体としての「ひとりの人間」は生まれたてのときには、外部としての社会という認識をもっていない。事物や環境あるいはほかの人間との関係を学習することによって、関係の結び目として他者や個性という意識を獲得しながら、「ひとりの人間」は存在するようになる。

事物に対する考え方も同様である。「ひとつの石」という事物そのものは、それ以外の何物でもない。つまり「そのものである（即自存在）」である。目の前にある「ひとつの石」はどんなに観察しどのように思考しても、ただの石であることには変わりはない。

ところが、「ひとりの人間」は「ひとつの石」とは違っている。石は自分の存在について考えたりしないが、「ひとりの人間」は自分の存在についていつも気にかけている。人間は自分の存在を固有で唯一無二の存在であるという信念をいつも確かめようとして、その根拠を探している。自分自身の未来のあり方以上に関心があることはないからだ。これも当然のことだが、プロジェクトをめぐる哲学はその当たり前のことを問題として際立たせて思考する。芸術という表現のジャンルは、その当たり前のことを表現して世の中に投げかける行為である。

「ひとりの人間」が観察したり思考したりする方法によって、世界はずいぶんと違ったものに見えてくる。その点がプロジェクトという考え方の始まりである。「ひとりの人間」は、すでに客観的な事実として世界のうちに、好むと好まざるとにかかわらず放り投げられているように見える。それは被投性と呼ばれ、それは状況として認識されている。

どんな存在であっても「ひとりの人間」であるかぎり、その被投性のなかで見られ考えられる。つまり客観的な事実としての「ひとりの人間」とは、常にプロジェクトの結果だというわけである。「ひとりの人間」は自己という存在にこだわるために、常に「よりよい自己」に向けて現実を乗り越えようとするものだ。これが第1章でも述べた自己理想の交換である。この自己理想にあたっては、自分自身の存在について自らの知覚を総動員しながら「ひとりの人間」である自分自身を観察しようとする。その意識をもっているだけでなく、意識をもちいて観察結果に沿って「そのものではないものになろうとする（対自存在）」、もう少し言い換えれば、現在の自分ではないもうひとりの理想的な自分に出会おうとして、その可能性を未来に託すために、さまざまな企てを図ろうとする。その未来に託す企てをプロジェクトと呼んでいるのだ。

コミットメントという衝動

ここまでの議論で、プロジェクトは要するに、「わたし」「ひとりの人間」といった主体の本質を問うような企てであるとも言える。世界に制約された人間という観点から「ひとりの人間」の存在について考えようとする企てなのである。「ひとりの人間」は誰もが制約を受けながら、条件づけられたなかで生きている。逆に言えば、そういう制約があるからこそ世界について考えるわけだ。

制約から世界について考えてみるとき、ここではハイデガーが「人間は世界内存在である」と位置づけたことを参考にしてみよう。ここでいう「世界」には生活の場となっている自然環境や都市環境などはもとより、知性、感情、経験、歴史など内的・外的な環境が混然一体となった状態を意味する。

「人間は世界内存在である」という考え方はそもそも、世界にとって人間は一員にすぎないといった消極的な存在を想定していない。環境に人間が関わらずして世界など構成されないと考える。人間を絶対的な存在だとして、それは考えすぎだと言われかねないような、人間中心主義的な考え方である。この積極的な考え方が共同世界を形成している主体、つまり世界内存在である。このように共同性という点から人間が世界と関わることをハイデガーはゾルゲ（Sorge）と呼び、人間の存在を特別なものと考えた。

人間がいなければ世界など存在しないともハイデガーは言いたげだ。なんとも傲慢な考え方である。しかし近代は、何かとこの傲慢さがエンジンとなって、経済成長をもたらし、世界中に大都市をつくりあげたことも確かである。

ゾルゲを考えるうえで、プロジェクトは新しい関係を生じさせるように、表現や創作をあらかじめ投入しておく構想として位置づけられる。ここで重要なのは「あらかじめ」ということだ。あらかじめの企てとは、人間相互の関係や権力の構造を揺さぶり、ある課題について多少の誇張はあっても、コミットメント（関与）を促すようなメッセージを投げかけることだ。いわゆる言説や芸術といった表現活動は常に人間関係、社会と人間との関わり、自然界での人間の存在感など、世界に関与（コミットメント）している。つまりハイデガーの言い方を借りれば、ゾルゲがあることで人間は世界内存在として考えることができることが前提となっている。

ここで言説や芸術といった表現活動を「アート」という言葉で代表させようとすると、アートをめぐる企て、つまりアートプロジェクトの現場で起こることに期待されていることはすべて、アーティストと受容者（鑑賞者）の主観が交錯することによって生み出された間主観的な現象、つまりゾルゲが担保された現象であると言える。

間主観性は後期フッサール現象学で提示された概念である。世界の意味は認識の主体として絶対化されている個人の主観だけで演繹的・合理的に了解されるわけではない。自我は間主観性、つまり超越論的な場での他者と共同体を構成することで、複数ある主観が共同化された状態で高次の主観でもたらされる、とされる。

自分だけがある制約のなかに閉じ込められているわけではない。人間は誰もが、それぞれがほかの誰とも違う、その人独特の制約のなかで、条件のなかで生きているということだ。したがって、これは選択の問題とも関わってくる。

芸術の文脈での間主観性は、ここでは表現者と鑑賞者（受容者）との間の共生的で相互的な人間関係の基礎概念となるものと理解しておいていいかもしれない。ある人の表現は人々の快楽に触れたとたんに、突如として変貌を遂げる。この変貌は芸術と呼んでいい条件を十分に備えている。

どうしてアートは世界の見方を変えてくれるのか。その問いに答えるためには、アートが十字架のように宿命的に背負っている贈与と歓待ということを考えておく必要がある。贈与という無償の財の移転、そして歓待という無条件にもてなす精神がアートの大義を根拠として融合し、奉仕（サービス）の精神として発揮されることで芸術は社会化する。その社会化によって、世界をめぐる厳しさとおおらかさがいつしか調和しはじめ、世界が特別な意味をもちはじめるのだ。

簡潔に言えば、アートに備わった奉仕（サービス）の精神が、人々に発見の機会をつくり、考えたり行動したりすることに力を与えるからこそ、世界の意味が変わりはじめる。その世界への関与（コミットメント）こそが芸術というプロジェクトの必要条件となるのだ。

世界をめぐって、芸術に触れる者に「ひとりの人間」という理想状態を発見する機会をつくり、考えたり行動したりすることに力を与えること。それは表現者としては当たり前の役割だが、表現者が感じている世界を鑑賞者に対して一方的に提示しようとする芸術の特権的な権力構造を乗り越えることなのかもしれない。

メディア化する祝祭

「自己」をめぐる解明あるいは意思表示に使っているかぎりで、技術とは「はたらきかけ」であり、実在化あるいは現実化の行為である。その行為をアートプロジェクトと呼ぶとすれば、プロジェクトとは簡単に言えば「乗り越えること」であり、社会的に介入する機会にほかならない。

プロジェクトに潜在している可能性もまだ人間によって使い尽くされているわけではなく、「きたるべきプロジェクト」について語ることも可能である。現代に生きる人間が抱えているさまざまな制約を乗り越えていくために、プロジェクトが何か重要なきっかけを与えてくれるかもしれないと期待されても不思議ではない。

もちろん狭義のアートプロジェクトは、前衛芸術の方法を召喚し変容させていくことで一九八〇年代後半からアーティスト自身によって自覚的に実践された。ハプニングやイベントなど、六〇年代に現れた制度への投げかけは、芸術を現前化する自律的な作品形態としてではなく、人間関係におけるコミットメント（関与）という方法によって芸術表現を祝祭化していった。

ラディカルであろうとする芸術家たちは、必ずと言っていいほど自分自身のどこかに道徳的な基準を残しながら、自らが扇動者になろうとする。未来社会への道を導く政治的前衛というよりは、より疎外されていない新しい生活様式の探求者、あるいは祝祭化の扇動者としての役割を果たそうとする。もちろん芸術家は祝祭の扇動者になろうとして表現しているわけではない。しかしコミットメントの衝動が結果として、扇動者としての役割を果たすことにもなるのだ。

芸術作品に対して無我夢中になっているとき、作品に触れている人の知覚は外部へと開かれている。そうでなければ、作品は作品として見られることはない。しかし、作品を鑑賞するということは他者を受け入れると同時に、他者の表現を受け入れることだから、ある暴力性を招き入れる場に身をさらすことでもある。芸術は外部に開かれて投げかけられている以上、ひょっとすると相当な暴力性をはらんでいるのかもしれないのだ。

少し見方を変えれば、暴力こそ芸術の源泉ではないかと考えることもできる。視覚芸術が同時代を扱ううえで、技術がもたらす興奮状態以上の衝撃を与えようとして、知覚や身体に大きな力を行使することになるからだ。大きな力を加えようとすること。そこに結果として暴力性が伴っていても不思議ではない。人間の世界内存在を表現しようとすればするほど、人間がもともともっている暴力性を暴露することが効果的な場合だってある。

暴力は祝祭とも深い関係をもっている。近代都市の祝祭空間には、暴力が渦巻いている。第1章で紹介したヒップホップやキッズオブサバイバル、あるいはサウスブロンクスという都市の光と影といった例にみられるように、こうした試みはカーニバルであり社会矛盾に対する抵抗（レジスタンス）である。そのカーニバルとレジスタンスから浮かび上がったものは、近代都市という手続き的（メディア的）秩序に内蔵された祝祭性と暴力性なのだ。

暴力への欲望を内包しながら快楽へと昇華する「祝祭」。そこで実感されることは、都市生活がもっている境界の二重性にほかならない。差異化によって境界をつくることで、都市の秩序を更新するのだ。ラスキンが抱いた都市に対する不安はこうした都市という秩序の更新に対して、芸術にできることがなくなっているのではないかという危機感であった。

ラスキンが危惧していたように、資本主義の生産と労働が集住の条件となっている近代的な都市の日常に祝祭性と暴力性をはらんでいる以上、その祝祭性や暴力性を非日常として理解しようとすると、根本的に矛盾が生じ理解不能になってしまう。

都市では日常と非日常という分類が乱暴に使われがちである。ただ、この分類は近代的な社会規範では大きな意味をもつことも確かだ。「祝祭」や「暴力」が都市にも内蔵されている一方で、秩序としての都市が「近代的」でありつづけるためには、近代的という規範に基づく禁止事項がはっきりと表現されていなければならなかった。その禁止事項がタブーである。

道徳と倫理

タブーと呼ばれる社会通念のなかでも、典型的なものとして、インセスト・タブー（Incest Taboo）と呼ばれる近親相姦のタブー（禁忌）がしばしば論じられる。近親相姦と聞くと、大半の人たちは「気持ち悪い」「許容できない」などと思うだろう。だが、それはよしあしの問題でもなければ、気分の問題でもない。このような道徳や倫理は近代以降の社会がつくりあげてきたものである。近代的な家族はそうした禁止事項によって成り立っている。

もちろん、近親婚に遺伝子の形質異常が認められることは、現在ではすでに常識となっている。したがって、子孫の形質異常が発生しないように本能的に回避しているとすれば、近親婚の忌避はそれなりに本能的であると同時に、科学的であり合理的であると言える。

ただ、科学的に証明される以前から、人間はなぜ近親相姦をとりわけタブーとしてきたのか。この問いに対する合理的な理由を見つけることは、実際にはなかなかむずかしい。文化的には地域や民族、あるいは宗教などを背景に多くのタブーがあり、たとえばそのタブーがなぜタブーになったのかを簡単に説明するのには相当な困難を伴う。

この近親相姦のタブーを事実上初めてうまく説明したのが、クロード・レヴィ＝ストロースの『親族の基本構造』[11]だろう。レヴィ＝ストロースは近親相姦がタブーとなった理由として、経済的な理由が大きく影響していると指摘した。近親相姦を禁止したのは、族外婚を奨励することで経済的な交換が活発になることをねらったためだったという説を展開したのである。

族外婚はある一族からほかの一族への「贈与」であるとレヴィ＝ストロースは考えた。その贈与をきっかけとして、お互いの一族の「交換」が活発となる。生命を維持するための独自のルートを、女性の贈与によって確保しようというわけだ。つまりたくさん族外婚がおこなわれれば、必然的に贈与や交換といった経済的な交流の機会も多くなり、生の継続にはバリエーションが生じてくるというわけである。レヴィ＝ストロースは近親相姦のタブーを、こうした贈与と交換のメカニズムを解明することによって説明しようとした。

近親相姦だけではない。何がタブーとされるかは文化や時代によって大きく変わってくる。聖と俗、日常と非日常、清浄と穢れ、果ては男と女、国民や民族あるいは信仰の違いなどの二項関係。タブーはそのような二項関係によってつくられた禁止事項である。その分類が人倫、すなわち人間関係の基礎となる倫理で、その倫理を個人が内面化した規範が道徳として理解されるのだ。

侵犯の技芸

近親相姦に関して、ジョルジュ・バタイユはレヴィ＝ストロースの分析をやや批判的に論じながら、人間自らが宿している野生や暴力的な欲望を克服できるような理性を身につけるために、近親相姦のようなタブーの存在を位置づけた。[12] 近親相姦を忌み嫌い、遠ざけることで、不連続な状態、つまり「ひとりの人間」ができあがったとする。つまりバタイユによれば、人間は死や動物的自然を「禁止」することで人間という理性的な存在になったと見なしたという。その「禁止」が、親族間や同性同士でのセックスや婚姻、また排泄物、さらには人間自身の動物性そのものを忌み嫌い、遠ざけるようになったとされる。

ここでハイデガーが述べた「ひとりの人間」をもう一度思い出してみよう。「ひとりの人間」となるためには、それなりに世界との関わりが必要条件になるというのがハイデガーの説だった。つまり世界に関与(コミットメント)し制約を受けることで人間は世界内存在、つまり「ひとりの人間」になれるわけだ。ここで考慮に入れておく必要があるのは、バタイユは「個体=ひとりの人間」を「不連続」という言葉を使って、次のように論じていることだ。

> 生の根底には、連続から不連続への変化と、不連続から連続への変化とがある。私たちは不連続な存在であって、理解しがたい出来事のなかで孤独に死んでゆく個体なのだ。だが他方で私たちは、失われた連続性へのノスタルジーを持っている。私たちは偶然的で滅びゆく個体なのだが、しかし自分がこの個体性に釘づけにされているという状況が耐えられずにいるのである。[13]

この不連続という言葉もひどく回りくどい言い方である。この言い回しを解読しておくと、人間という存在が不連続な状態であることを強いられていて、どこかで他者とのつながり、つまり「失われた連続性」を求めてしまうというわけだ。近代的な個人という考え方は「連続性」を失ったこと引き換えに手にしたとでもバタイユは言いたいのだろうか。

バタイユが言う連続性には、生物学的な「個体」がはらんでいる生と死の両義性が含まれていることは間違いない。ここでは、死を感じるほどの快楽や動物的に欲望を充足することなどが想起されるが、それらが暴力に近いくらい強く連続性を求めてしまうこともある。

さらに、エロティシズムと死との関連では、生殖のことも考えておかなければならない。セックスの快楽とともにある生殖は個体を誕生させる原因になっている。これが生の不連続性、つまり「ひとりの人間」を生物学的につくる背景にもなっている。一方で、生殖は血統のような存在の連続性を引き起こしもする。つまり、生殖は密接に死とも結び付いている。だからこそ、生物学的な「個体」に不安がったり快楽を覚えたりする「ひとりの人間」の存在を受け入れることも「生」なのである。

日本語では性器のことを陰部と言い換えたり、「あそこ」とか「あれ」などと隠語で表現したりする。これは自らの生理的な属性を自ら否定することで、性器やセックスを隠蔽し秘めたものとして特別扱いしていることをわざわざ表明しているようなものである。その表明はバタイユの言葉では「呪われた部分」である。この「呪われた部分」を理性として積み重ねた秩序をつくることが「禁止」である。

禁止を積み重ねることで近代という世界をつくりあげた理性は、なかなか巧妙で手ごわい。禁止による理性的な蓄積は「呪われた部分」を嫌悪するものとして定めたわけでなく、結果としてはむしろ「呪われた部分」を神秘性や魔性として、特別な観念として社会規範の外部に追いやってしまう。

ここから、セックスは快楽であると同時に死であり、その死は同時に生であるという両義性の物語がつくられている。その物語を近代的な生活を送るうえで理性としてどこか背負いながらも、宙づりにしたまま日常生活を送らざるをえないという規範（道徳）がつくられるのである。

その規範（道徳）はなぜ必要だったのか。簡潔に言えば、動物性あるいは野生から脱することが近代的な理性と考えられてきたからだ。もちろん禁止という理性によって積み重ねた規範に生きる近代人にとって、「呪われた部分」の魅惑には抗うことができない。人間はその「否定」や「禁止」を破ることが、快楽となるからだ。「否定の否定」への欲望である。エロティシズムの欲望は、この「否定の否定」、つまり「侵犯」の欲望だと言える。バタイユはこの「否定の否定」という欲望に着目する。「禁止」という理性のルールを破り、動物的自然に戻りたいと願う。これが「侵犯」である。人間は自分で禁止しておいて、箱にしまってあるはずの「呪われた部分」と言うべき生々しい欲望を、「パンドラの箱」のように開けてみたくなるのだ。なんとも厄介な動物である。箱を開けてみたくなるこの欲望が侵犯である。侵犯してしまうと、人間は人間でなくなってしまう恐怖と戦いながら動物的な欲望に身を委ねる。

つまりエロティシズムは、一度は禁止によって定義された「死」を再度否定することで、死ぬことなしに死ぬという理想的な欲望（これをバタイユは至高性と呼んでいる）を満たす衝動に向かう。それは人間がもっているどうにもならない欲望なのだ。[14]

「侵犯」も同様である。かつて自分たちの意志で死や動物的自然を理性の積み重ねで隠したにもかかわらず、隠して獲得したと思い込んでいる理性をさらに否定するという二重の「否定の否定」をおこなってしまう。近代的な理性に基づく道徳といった規範はかくも屈折していて、わずらわしいものなのだ。

そこで同時代芸術はその厄介な規範を、「一瞬の裂け目」のもうひとつの断面として切り取り、人々が内面化している「呪われた部分」を切断面として暴露しようとすることがある。

切断面を鮮やかに見せようとすると、その切るための刃物は暴力的なまでに過激な方法をとることもある。もちろん性的関係、あるいは近親相姦的なタブーを利用することによって侵犯しようとすることも含まれる。

「禁止」は道徳という規範をつくりあげる。そこでは、近代的な理性としての「ひとりの人間」を成り立たせている暴力や死への恐怖といった「呪われた部分」も抑圧される。したがって、それが理性的であっても死への恐怖を利用しようとする。極端に言えば、日常的にセックスと暴力が表現されると、程度の差はあるにしても、それが秩序を破壊するテロリズムに感じられても不思議ではない。

嫌悪の正体

近代都市が禁止という手続きで呪われた部分を抑制しているように、国民国家という統治の形式にとって、衛生思想とそれを後押しするテクノクラシーはきわめて説得力をもつ。都市から死のイメージを遠ざけるためだ。

幸か不幸か、人間の身体は肛門やペニス、ワギナなどの排泄や生殖にまつわる器官が股間に集中している。生を継続し、子孫を残すうえで最も重要で、動物的で人間的な器官だが、いつの間にか不浄だと考えられたり、羞恥心を抱いたり、つい隠そうとしたりする。これが動物的自然への嫌悪感となっている。

不潔や猥褻など不健全や不衛生などをめぐる嫌悪という概念は、もはや近代人の私たちにとってリセットできないものになっている。このリセットできない状態は、実はさまざまな問題を突き付けてくる。ひょっとすると不健全や不衛生などへの嫌悪は、近代という時代精神を最も色濃く反映しているかもしれない。この嫌悪は、単に生命や経済に関わっているだけでなく、豊かさや協働、自由や美あるいは技術などといった、グローバルリゼーションにいや応なく巻き込まれてしまった社会を生きる現在の人間という種にとって、向き合わなければならない問題がぎっしりと詰まっている。

「都市の勝利」がどこか説得力をもってしまうのは、おそらく嫌悪の逆説、つまり不潔や猥褻など不健全や不衛生などを「遅れたもの」として考え、「禁止事項」を積み重ねて秩序とすることで乗り越え、そして排除していった達成感が暗に表現されているせいだ。その意味では、「近代的」とはある意味で、不健全や不衛生なものの克服をめぐる感慨である。

実際に近代的な都市というのは、ある意味で不健全や不衛生などに蓋をして、豊かさや協働や自由、美あるいは技術を視覚化してきた歴史でもある。たとえばオスマン計画などヨーロッパの都市は生の肯定で秩序がつくられ、そして日常的な社会秩序も常に衛生思想に基づいて生を肯定するシステムとしてつくりあげられた。[15]

産業革命を経た、たとえばロンドンやパリなどの都市では大気汚染や河川の水質汚濁が進み、都市環境が劣悪になった。これら十九世紀ヨーロッパの大都市で貧富の差が拡大した結果、都市のスラム化が進み、コレラ・結核・腸チフスなどの疫病が貧しい人たちの間に蔓延していた。

都市計画とは禁止事項を数えあげる祝祭である。秩序を確立するために、都市は祝祭を要請する。祝祭によって、集住の条件としての禁止事項を積み重ねた集合体を都市と呼び、近代人は都市の美学を追求する。ただその美学を追求するあまり、負の祝祭、つまり戦争さえその美学のもとに正当化されてしまう。

近代的な秩序の確立という点からは、パリはオスマンによるパリ改造計画で「光の街（La Ville-Lumière）」として生まれ変わることが計画されたことが典型的な例としてしばしば論じられる。[16] 排泄物とゴミであふれていたパリを衛生的にし、「光」という啓蒙の表象で改造しようとしたのである。公衆衛生はもとより、計画道路、上下水道、建築基準、公園の景観から果ては指定地区での売春摘発に至るまで、生活の隅々にわたって規制に乗りだし、「光」の流れがコントロールされた。光に象徴される啓蒙とは生そのものだった。

「光」をテーマにした都市改造ではとりわけ疫病対策の公衆衛生が強化された。英語で疫病（エピデミック epidemic）の語源がギリシャ語の「民衆の間」を意味するエピ・デーモス（epi-dmos）であることを考えても、古代から疫病は集住や定住を折に触れて脅かしてきた。ヨーロッパの歴史はギリシャやローマの時代からペストはもとより、チフスやコレラ、そして赤痢などの疫病とともにあったと言っていい。ときに戦争の勝敗を左右し、結核や梅毒はヨーロッパの近代史に深い影を落としてきた。

「民衆の間」を壊滅させる疫病や性病。人々が集まって生活するようになると、感染症は拡大しやすくなる。感染源を媒介する要因が多くなるためだ。人がたくさん集まると、接触の機会が増え、当然ながら感染の確率は高くなる。空気感染するだけでなく、食べ物やセックスによっても感染したりする。その実、戦争には衛生管理による国家の統治を徹底し、疫病や性病を克服することも含まれる。公衆衛生が国民国家を支えるという考え方である。「民衆の間」に衛生は浸透しなければならない。だからこそ、ドレスデン国際衛生博覧会を先駆とした、衛生思想を視覚化する啓発的なイベントも世界中で開催された[17]。

このように、近代都市は禁止と侵犯が積み重なった理性である。その理性が発揮されることが集住の必要条件なのだ。空間である前に経済的な背景をもち、動物的な自然を遠ざけた理性が重視された集住の条件。それが近代的な都市なのだ。

この集住は、近代人にふさわしい生活の保障を国家に要求する権利（生存権）が基礎になっている。つまり、ここには第1章でも述べた「積極的な自由」の行使がある。積極的に禁止と侵犯を統制する理性を国家権力に委ねた結果なのだ。したがって、冒頭に挙げた「都市の勝利」は禁止と侵犯を統制する理性の勝利宣言でもある。世界に関わることとは制約を受けることであり、そしてその制約のなかで近代人は世界内存在、つまり先に述べたハイデガーが言うところの「ひとりの人間」になれるという考え方だ。近代人が「ひとりの人間」を認識できる背景には、不衛生や死の気配を「遅れたもの」としてできるだけ遠ざけた日常を実感できることが求められる。不衛生や死の気配を感じさせる振る舞いをする人のことを、不潔な人や乱暴な人、あるいは卑猥な人として排除しようとする、それが近代である。

そうした日常のなかに不衛生や死の気配が感じられることになると、当然ながら、近代人はいやな気分になる。そしてその気分を表明すること、つまり嫌悪は感情的なようでいて、実は理性のひとつと考えられることで、嫌悪は単なる感情を超えて禁止と侵犯の根拠になるのだ。

「多くの人々」の暴力性

親子でテレビを見ていてラブシーンやセックスシーンが出てくると、親子ともに気まずい空気が流れる場合が往々にしてある。大人たちはその微妙に気まずい空気を解消するために、チャンネルを変えようとする。無理もない。

なぜなら、名目的には家族という共同体は理性的で、禁止事項が合理的に集積された近代的な共同体でなければならないからだ。だが、その場に子どもがいるのはセックスの結果である。セックスによって生命を維持したり子どもを産んで育てたりすることができ、それで家庭ができているのに、テレビで流れるラブシーンやセックスシーンは家庭では暴力のような扱いを受ける。こうして書き連ねてみると、どこか非論理的で理不尽なことのように思えてくる。

ところが、どうやら近代人の秩序というのは微妙なもので、ラブシーンやセックスシーンが家族の団欒に介入してくると、不潔な人や乱暴な人、あるいは卑猥な人が突然土足で上がり込んできたように感じるものらしい。そのシーンが家庭を支えている秩序という理性を脅かすように直観するからだろう。直観とは言っても、べつに本能的なものではない。とても社会的で規範的なものである。

その直観はいい悪いなどの判断に結び付き、見ていい、見るべきではないといった選択の問題になってくる。この嫌悪が検閲を呼び込んでしまうのである。このとき判断する親は権力者となり、見ることができるかどうかは権力者の胸先三寸になる。これはいわゆるパターナリズム（paternalism）[18]と言えるかもしれない。

家族とは言っても、「ひとりの人間」を担保する集住の場である。私的空間と思われがちな家庭でも、実は社会的であり、規範的である。近代的な共同体の最小単位でもある家族でさえ、嫌悪が感じられるとパターナリズムは突如として警察のような官僚組織になり、パターナリズムを発揮してしまうのだ。

官僚組織は、嫌悪感を理由に権力を行使することで秩序や健全さが保たれると信じている。それこそが危うい境界の再定義である。親子でいるときにセックスに関係する表現の表出を未然に防ごうとはたらくのだ。

こういった嫌悪が場合によっては、善悪をわきまえる基準、つまり道徳に姿を変えてしまうことがある。良心や良識を超えて、嫌悪が不道徳に短絡してしまう場合である。

嫌悪の感情と不道徳が社会のなかで高まってしまうと、極端な例としては不道徳に思える嫌悪の対象が法律で「禁止」されるようなこともある。法が道徳を強制することは許されるのかという有名な論争がいわゆるハート・デブリン論争[19]である。ほんの五十年前のイギリスで実際にあった学問的な論争で、それはいまでも道徳と法制度との関係を考えるうえでのベンチマークのひとつになっている。[20]

この論争[21]でテーマになったのは同性愛の性行為だ。同性愛を不道徳だと多くの人々が思っている社会にあって、同性愛を不道徳だとして法律によって禁じることは許されるか、という論争である。

このハート・デブリン論争の背景にはふたつの飛躍が含まれている。ひとつは不道徳＝違法という飛躍である。もうひとつは「多くの人々」という多数派の嫌悪が社会の禁止事項を決定してしまう飛躍である。同性愛が禁忌（taboo）や罪悪（sin）と見なされて、権力によって法的に違法とされる事態について議論になったのがハート・デブリン論争だった。

まず前者に関しては、道徳的な嫌悪感の空気が犯罪という法律上の違法行為として決定される飛躍が起こってしまいがちだということである。しかも立法の手続きに矛盾がなければ、国家によるパターナリズムを呼び込むことになり、嫌悪や不道徳が違法になってしまうことも飛躍ではなくなってしまう。つまり「同性愛なんて普通じゃない」「同性愛のセックスなんて信じられない」といった嫌悪感が「同性愛の性行為は違法なので逮捕されるべき」という法規範に飛躍してしまうのだ。一見たわいがないことのように思えるが、眉をひそめる人が多いからといって権力が性行為を違法と判断し、身分を拘束し、自由を奪ってしまうことは飛躍であるばかりか、逆に暴力的であると言える。この暴力的な飛躍について議論できない社会こそ疑問視されなければならないのではないか。なぜなら、ここに近代社会の成熟度を測るものさしがあるからだ。

後者に関しては、嫌悪の感情が公共空間に充満すると、それが「多数派」と見なされ、嫌悪の対象を不道徳と決めつけ法律の手続きとしての正当性を与えてしまうという問題である。禁忌や罪悪は排除の方向に向かう。「多くの人々」という多数の意見が、最終兵器のように強大な大義になってしまうのだ。

嫌悪の感情が道徳規範の基礎となっていること。そして、その嫌悪の感情＝法律という警察権力による同性愛が不道徳であるとする偏見はともかくとして、ここで注意しなければならないことは、嫌悪の感情が懲罰意識に飛躍してしまうことだ。嫌悪と犯罪は、一見無関係のように思える。しかしこれは、法律の運用をめぐって起こりやすいすぐれて文化的な問題である。

嫌悪感が多数意見を占める場合、その多数意見を反映することが民主的だと思われがちだが、実はこれにも根拠はない。多数派が正しい選択をするとはかぎらないことは、ハート・デブリン論争と同様、一九五〇年代にケネス・アローが『アローの不可能性定理[22]』で示している。アローが経済学の立場から数学をもちいて示したことは、ある程度の賛同が見込まれていても、どちらが望ましいかという個人の好み（選好）をどんな方法で考慮し、あるいは掛けたり足したりしても、「社会的に望ましい」とされる意見をまとめることなどできないというものだ。

アローに続く社会的選択理論の理論家が議論しているように、「多数決」が正しい「決め方」をするとはかぎらないことはさまざまな観点から論じられている[23]。民主主義の手続き上、「多数決」

はひとつの有力な決定論だと考えられている。だが、「多くの人々」という多数派を根拠として、同性愛を法律的に「禁止」してしまうパターナリズムが大きな力を発揮してしまうような事態もありうるのだ。検閲は、道徳の問題以前に、およそこのパターナリズムが表現という行為に介入する場合に起こるものである。

たとえば児童ポルノ問題に関して、子どもの性を商品化していることを社会が抑制する（禁止したり取り締まったりする）ことに反対する人はあまりいないだろう。しかしその取り締まりが強化されすぎて、検閲の対象が拡大されていくと、児童ポルノ問題が表現の自由を侵害する大義をつくってしまうことに懸念を表明する人も少なくないだろう。いきすぎた権力の介入が児童ポルノの取り締まりをきっかけとして適用が拡大されることになれば、表現者であれば警戒するからだ。

ここで、あらゆる検閲に反対する人が児童ポルノの検閲をパターナリズムだと批判したとしよう。その人に対する批判は当然ながら、次のようなものになる。社会的な弱者である子どもの人権を尊重するのは当然だ。したがって検閲を受け入れることはやむえないと。その結果、この件に関しては権力の介入に寛容である人たちが大多数を占めることになる。ここまではもちろん私も含めて、誰もが直感的に正しいと合意できるだろう。

しかし「多くの人々」という考え方を警戒し、あらゆる検閲に反対する論者は次のように反論することもできる。児童の性について思考したり表現したりすることについて、児童自身には考えたり意見を言ったりする自由はないのか、と。ここでいう自由の考え方はなかなか厄介なのだが、児童の性に関する権利は児童自身にあり、その児童自身が所有しているはずの性について権力が介入するのはパターナリズムで出過ぎたことだ、という考え方である。

確かに児童ポルノの禁止に寛容になってしまうと、権力に児童の性を支配する権利があることを論理的に認めてしまうことになる。権力の適用に対して寛容になるとき、その背景を政治的な野心に利用されると、権力の乱用に道筋をつけてしまうことにもなりかねない。それは、同時多発テロ以降のアメリカの政治が顕著に示したことでもあった。

ところが、この問題は要するに、倫理と政治が混同してしまった状態である。この混同は比較的簡単に起こりやすい。社会とは人々の交際を政治によって調整したり代理したりしている状態である。その調整や代理にあたって、倫理的な評価や判断に従うべきは政治や行政である。政治や行政が倫理的な判断を代表してしまうなど、もってのほかである。

したがって、倫理的に物事を考えたり振る舞ったりしなければならないことと、政治的な問題や行政的な手続きの問題が触発している状況では、何をさしおいても無条件に人々の倫理的な判断が優先されなければならない。

生け贄にされる表現

さまざまなかたちで発表される表現を公の機関が権力の名のもとに取り調べたり、禁止したり差し押さえたりする検閲は、最近に始まったことではない。検閲の歴史は実はとても古い。古今東西、道徳的な検閲や政治的な検閲の例は枚挙にいとまがない。歴史的に芸術家は検閲と戦ってきた。

ミケランジェロの『最後の審判』(一五四一年)も裸体部分が検閲の対象になっているし、ティツィアーノの『ウルビーノのヴィーナス』(一五三八年頃)の性的な表現は二十一世紀になった現在でも美術研究のテーマとして新鮮さを保ちつづけている。しかしながら当時はとんでもなく世間を震撼させる問題作だったようだ。ティツィアーノが投げかけた猥褻をめぐるレアリズムの論争は、美術史でも結果的にクールベの『世界の起源』(一八六六年)やマネの『オランピア』(一八六三年)などにも受け継がれていった。

演劇の分野でも、エリザベス・ジェームズ朝の時代、つまりウィリアム・シェークスピアの時代、[24]いやそれよりももっと以前から表現者たちは検閲と戦っていた。とりわけ十八世紀中頃から十九世紀中頃にかけての演劇は、一七三七年に演劇検閲法が施行されることによって演劇が政治の介入を許し、多くの劇場が憂き目に遭い劇作家は廃業に追い込まれたりして苦難を強いられた。

演劇は権力に対する批判の視点をもつ場合もあるが、同時に権力による欲望のはけ口として利用されてきたという歴史もある。大衆演劇は都市の境界に生じる錯綜した欲望を取り込みながら、現実を逸脱するカタルシスとなりえたのである。権力者と芸術家はお互いの力と能力を利用しあいながら、芸術は洗練度を上げ、権力は力の行使をアピールしてきた。

これまで、多数の芸術作品は芸術を利用する権力の狡猾さを暴露してきた。芸術家がとても自然な動機に基づいて表現の衝動に動かされ、多くの人が現在の秩序を脅かしてしまうように思える作品を提示して、人々の知覚を特別にしたとするとき、人々は自分が身を置く秩序の根拠や確かさについて考えはじめることだろう。人によっては、秩序には根拠や正当性などないのではないかと疑いはじめるかもしれない。

権力者は、このような権威に対する懐疑が拡散することを極端に警戒する。そして、このイメージの多価性への解放は祝祭という名前をもつ。祝祭は、理性的な象徴のはたらきが混乱したり錯乱したりしている状況でもある。

祝祭は歴史と本質的に接続している。その歴史的な段階で、自然と社会と人間の生活での危機や警戒をめぐって、変革の瞬間と結び付いている。革命がそうであるように、祝祭は変革の瞬間をもたらすのだ。芸術は祝祭の永続化であり歴史化にほかならない。検閲との戦いとは、いわば歴史的であり、倫理的な「関係」であり、それに抵抗することはもうひとつの「理性」を構築していく実践（プラクティス）である。そして、この運動としての芸術表現そのものが祝祭となる。

一方、権力者は権力を維持することに執着するので、現在の秩序に疑問をもたれては統治がおぼつかなくなり不安になってしまう。権力者は概して小心者である。そのため、権力は秩序を乱す作品をつくった芸術家を反秩序的な危険分子として、パターナリズムに導いて道徳の問題に持ち込もうとする。

都市のなかに現れる芸術という名の狂気は、論理的な根拠をもった秩序の根底を揺るがすかように、針小棒大に先走って過敏に反応され過大に評価されてしまう。それが、歴史的に芸術を検閲し弾圧してきた本性である。

なぜ、権力は芸術家の奔放な表現を警戒し、ときには検閲し弾圧するのか。その理由は都市と祝祭の関係を考えるとわかりやすいかもしれない。芸術表現によって多くの人々を高揚させる祝祭性が都市にもたらされるからだ。祝祭は、一時的であっても人々の狂気を発散させる時間であり、狂気は秩序との相性がすこぶる悪い。この祝祭性を権力がコントロールすることはむずかしい。むずかしいからこそ、権力は都市の祝祭性を警戒する。

このむずかしさを未然に悟られまいとして、時の権力者は検閲によって祝祭性を帯びそうな表現、たとえば大胆な性描写や政治的な表現を未然に抑圧しようとする。その抑制にあたって、検閲や弾圧はあたかも理性的な方法のように振る舞われるが、近代的な理性とはそもそも動物の警戒心と恐怖を感じる本能から生まれた手続きの積み重ねなのだから、権力者のほうこそ動物的なことはなはだしい。

表現行為や表現した物を対象とした検閲も、道徳的な嫌悪感の空気と多数派という飛躍によって禁忌や罪悪が認定され、公権力による発禁や身分の拘束(逮捕)が起こることが多い。

少し視点を変えると、検閲がパターナリズムとして介入することで、さっきまで見ていたラブシーンやセックスに関係する表現のすべてが作品そのものとは切り離され、それが他人のセックスのように矮小化されてしまう。むしろ権力は表現を矮小化したいのだ。その理由ははっきりしている。権力の行使を、「反道徳的かどうか」「芸術とは何か」といった議論に巻き込まれず、法律上の手続きに帰することができるからだ。

「一瞬の裂け目」をつくりだす

私たちが生きる社会では、自由と平等が権利として保障されていることになっている。確かに、誰もがなんとなくそれらを実感している。しかし、その考え方はまちまちである。「人それぞれ」とはよく言ったものである。ほかの人が大事にしている価値観を私が理解できないことも多々あるし、私にとっての利になると思うことが、誰かの損になってしまうこともありうる。そんな違うことを認めあうのが社会だと理解することもできる。

このように差異を認めあうことを原則とする社会にあって、検閲は不道徳と罪悪（sin）との境界をめぐる問題を急に行政の問題として矮小化してしまう負の祝祭である。道徳的な嫌悪感の空気が流れることを未然に防いだり、その空気が流れている責任が行政に及ぶことを阻止したいからだ。問題は、嫌悪の空気が広がることで、検閲に根拠を与えてしまいかねない状況そのものにある。たとえば、規範化した道徳は中央集権化されうるが、「人々」の基礎になる嫌悪の感情をコントロールすることは不可能である。両者は、まったく異なるものだ。相互に還元不可能で、因果的な効果をもった諸性質や諸力をもっているからである。

メディアテクノロジーの技術革新とともに、資本主義の形態が情報消費社会へと移行し現代芸術も顕示的な消費財としての市場を広げていく。検閲の形態も、インターネットによるコミュニケーションの寡占状態が続くなかで、実感としてはかなりわかりにくいものになりつつある。[25] 事実、

「Google」などのポータル型の検索サイトは児童ポルノなどの政府に都合が悪い情報を検閲している。アメリカ政府や情報機関の国家安全保障局（NSA）がインターネット上の個人情報にアクセスしていることも、かなり以前からまことしやかに伝えられている。

その一方で、アーティストが繰り出す心地よい飛躍と、人に発見を与える破綻、つまりベンヤミンの述べる「一瞬の裂け目」[26]が同時代を生きる人たちにとっての切実な課題の核心を突くこともある。アートも資本主義の市場原理に巻き込まれながらも、「一瞬の裂け目」をつくりだし、表現の地平を広げるとすれば、かろうじて対抗的な力となりうる。

理性とは、そもそも動物への警戒心や恐怖を感じる心から生まれた。その恐怖を克服したのは理性だけではなく、芸術や芸能である。芸術に希望がもてるとするならば、「一瞬の裂け目」という同時代を自らの表現で切り取り、その断面を読み取るゲームとして用意することにほかならない。表現は「一瞬の裂け目」という同時代を切る刀なのだ。

その意味で、表現という側面から見れば、美術や音楽、演劇など芸術作品のなかにはアクティヴィズム（積極行動主義：activism）や道徳的規範の臨界を問うメッセージ性をもっているものもある。このような同時代的な芸術表現のアクティヴィズム的な性格は政治や経済のきわどい状況にとって、歴史のセンサーとしてはたらく場合もある。

芸術作品は人々をある特定の思想・信条に誘導することも少なくない。つまり芸術表現には世論形成や世論誘導によって「人々」という関係をつくってしまう能力があるのだ。抽象的で多義的な言葉を駆使した思想・信条よりも、はるかに短時間で合理的に何か特別な思想・信条を伝えられることがあるからだ。

このように同時代の芸術表現は資本主義経済を背景とした市場経済の申し子である一方で、世論の形成や誘導などによって人々の「関係」をつくる伝達装置にもなりうる。同時代芸術のアクティヴィズム的な側面は、新しい「関係」をつくるという点で新しい抵抗運動や表現活動のモデル、つまりアートプラクティスとなる可能性を秘めていることは言うまでもない。

権力は、「人々」や「ひとりの人間」の定義をできるだけ単純で素朴なものであってほしいと思っている。「関係」が単純であればあるほど、統治するうえで合理的だからだ。国家は国民という抽象的な社会集団を統治の対象とする以外にないが、芸術は鑑賞者や愛好家、あるいはコレクターなどある程度個人が特定できる社会集団をつくる能力を常にもっている。芸術は社会から隔絶しているから純粋であるわけではなく、人間関係など社会の基礎的な関係を確立するという意味では、文化としてはかなり優位性がある分野でもある。

遊びをせんとや生まれけり

都市という空間的な概念以上に、芸術は人々を動員し感情を揺さぶる影響力をもっている。そんな影響力を自覚しているからこそ、アーティストは常に倫理的な態度をもっている。道徳という規範を代表しながら反道徳的な逃げ道をつくっている権力とは相いれないのは言うまでもない。

検閲する権力としての国民国家は法律の運用者でしかない。法律の運用者はそもそも目的合理的な追求、つまり統治を合理的に維持するために法律を適用しようとしているだけで、社会的・道徳的な基準などそもそももつことはできない。道徳は徳を個人が内面化することだとすれば、社会集団としての国家が道徳を内面化している個人を侵犯することはそもそもできない。国民国家は道徳に経済的な合理性を適用して統治の危機、つまり倫理的な混乱を最小限に収めようとする。

表現者はきわめて鋭敏なアナロジーの能力を駆使して、世界の意味を探り出そうとする。その過程で、彼らは言語的アナロジーの裏側、つまりメタレベルのコミュニケーションに達する経験を受容者と共有することになる。そのとき、表現者がつくりだしているのは、生々しい空間の感触、つまり「見る―見られる」あるいは「読む―読み取られる」という対称性である。この対称的な関係にあって、表現者の技芸に対する敬意や憧れが生じると、幸福な快楽原則になる。この快楽原則に従った表現はまったく違ったものに変貌を遂げる。この変貌を遂げた表現に与えられる敬称が芸術なのである。

その対称的な関係がこれまでどうして芸術と呼ばれてきたか。それは、芸術には幸福な快楽原則を伝達し伝承する行為に対する強い信頼感があるからだ。芸術とともに権力者は歴史を飾ることを夢見る。だからこそ、歴史的に多くの権力者や治世者は芸術を奨励したり支援したりしてきたのだ。その点でも、よく言われるように、芸術とは歴史にほかならないのかもしれない。

二十世紀に確立した同時代芸術は資本主義との関わりもいや応なくテーマになった。そのため、国民国家も芸術表現を私有できるようになり、その私有が公共財と呼ばれるようになった。近代以降の同時代芸術は都市という集住の条件のなかで「ひとりの人間」をめぐって資本主義市場での実験を繰り返していったために、いや応なく公共性を高くし政治性を強くしていった面もある。「ひとりの人間」として表現しようとすればするほど、それが社会論的あるいは政治学的な転回と軌を一にすることがなければ、同時代をめぐる表現が快楽原則を発揮できなくなりつつある。そして、その結果として芸術家は現在の自分ではないもうひとりの理想的な自分に出会おうとして、その可能性を未来に託すために倫理的な態度や行為を伴って企てを図ろうとする。その企てに快楽原則を伴えば、それはアートプロジェクトと呼ばれるにふさわしいものになるだろう。

グレゴリー・ベイトソンは、「遊び」とは、「これは遊びだ」というメタレベルのコミュニケーションを含む行為だ[27]と述べる。当たり前のようだが、この言明は検閲の問題を考えるうえでも示唆に富んでいる。

現代芸術は「遊び」を続ける挑戦である。そして芸術とは、「これは芸術という遊びだ」というメタレベルのコミュニケーションを含みながら、関わる人たちの知覚を特別な状態にしてしまう才能にほかならない。

その才能が関わる人の知覚を揺さぶってしまうために、しばしば「観客」よりも政治的に積極的な「群衆」をつくってしまう。そういう「群衆」ができあがることを恐れる権力が、検閲という介入によって、故意にコミュニケーション不全の状態をつくりだしてしまうこともある。そうした介入があったとしても、芸術家は「これは芸術という遊びだ」というメタレベルの遊びを続けなければならない。芸術表現は「遊びをせんとや生まれけり[28]」と表現されるように、遊びを通じて生きていることに実感し、気持ちが華やぐような時間を人々にもたらすことである。こうした誘導を絶え間なく続ける芸術家の挑戦は、遊びであるからこそ同時代を生きる条件を問う倫理的な実践でありつづける。

注

▼1 ヴァルター・ベンヤミン「複製技術の時代における芸術作品」『ボードレール――他五篇』野村修訳(岩波文庫、ベンヤミンの仕事)、岩波書店、一九九四年、一一〇ページ

▼2 同論文

▼3 シャルル・フーリエ『四運動の理論』上・下、巖谷國士訳、現代思潮新社、二〇〇二年

▼4 サン=シモン『産業者の教理問答――他一篇』森博訳(岩波文庫)、岩波書店、二〇〇一年

▼5 スエズ運河を建設したフェルディナン・ド・レセップスは熱心なサン=シモン主義者だったといわれている。産業社会の発展というサン=シモンの思想は、こうした産業の発展に欠かせない起業を推進する教義にもなった。

▼6 もともとはアントニオ・グラムシがレギュラシオン理論という資本主義批判のなかで命名したものである。

▼7 小倉孝誠『恋するフランス文学』慶應義塾大学出版会、二〇一二年

▼8 ジョン・ラスキン『風景の思想とモラル――近代画家論・風景編』内藤史朗訳(近代画家論、風景編)、法藏館、二〇〇二年

▼9 ジョン・ラスキン『芸術経済論――永遠の歓び』宇井丑之助/宇井邦夫訳、巌松堂出版、一九九八年

▼10 ヴィレム・フルッサー『サブジェクトからプロジェクトへ』村上淳一訳、東京大学出版会、一九九六年、一九三ページ

▼11 クロード・レヴィ=ストロース『親族の基本構造』福井和美訳、青弓社、二〇〇〇年

▼12 第四論文『近親婚』と題された論考。ジョルジュ・バタイユ『エロティシズム』酒井健訳(ちくま学芸文庫)、筑摩書房、二〇〇四年、三三六―三七四ページ

▼13 同書二四ページ

▼14 宗教もまた、本質的には同じような欲望の表れであるとバタイユは論じている。この点については、ジョルジュ・バタイユ『宗教の理論』(湯浅博雄訳〔ちくま学芸文庫〕、筑摩書房、二〇〇二年)に収録してある湯浅博雄「解題――バタイユにおける

〈至高な自己認識〉」を特に参照されたい。

▼15 大森弘喜『フランス公衆衛生史──19世紀パリの疫病と住環境』(学術叢書)、学術出版会、二〇一四年

▼16 一八五三年から七〇年までの十七年にわたってセーヌ県知事を務めたオスマンによるナポレオン三世の構想に従ったパリの都市改造計画。

▼17 荒俣宏『衛生博覧会を求めて──荒俣宏の裏・世界遺産3』(角川文庫)、角川書店、二〇一一年

▼18 ラテン語のpater(パテル=父)を語源にもつパターナリズムは、父権主義などと言われることがあるように、ある共同体で強い立場にある者が、弱い立場にある者、たとえば子どもの利益のためだとして、本人の意志に反してでも行動に介入したり干渉したりすることを意味する。公権力機関の個人に対する介入、干渉が認められる根拠や背景という観点からパターナリズムを論じた文献としては、澤登俊雄『現代社会とパターナリズム』(ゆみる出版、二〇〇六年)あるいは「特集 パターナリズムと公共性」(「談──speak, talk, and think」第八十三号、たばこ総合研究センター、二〇〇九年)。

▼19 一九五〇年代のハート・デブリン論争の結果、五七年『ウルフェンデン報告書(the Wolfenden Report)』(正式名称は「同性愛犯罪と売春に関する委員会の報告」)によって、同性同士の性行為に関する不処罰、および同性愛に関しても公然と路上で売春した場合に限って処罰されることが勧告された。

▼20 この論争を包括的に概観するものとして、児玉聡「ハート・デブリン論争再考」(南山大学社会倫理研究所編「社会と倫理」第二十四号、南山大学社会倫理研究所、二〇一〇年、一八一─一九九ページ)を参照。

▼21 井上茂「法による道徳の強制」『法哲学研究』第三巻、有斐閣、一九七二年、九七─一四七ページ

▼22 Kenneth J. Arrow, *Social Choice and Individual Value: Second Edition*, Yale University Press, [1951] 1970. ケネス・J・アロー『社会的選択と個人的評価 第三版』長名寛明訳、勁草書房、二〇一三年

▼23 坂井豊貴『社会的選択理論への招待──投票と多数決の科学』日本評論社、二〇一三年

▼24 太田一昭「シェイクスピア時代の「検閲」とはなにか」「言語文化論究」第三十五号、九州大学大学院言語文化研究院、二〇一五年、七九─九一ページ

▼25 「人民による人民のためのウェブ検索」を標榜し、リバタリアンを自称する検索エンジン開発団体Yacyは検閲困難なP2P型検索エンジンを開発している(YaCy「The Peer to Peer Search Engine」〔https://yacy.net/en/index.html〕[二〇一九年十二月二十日アクセス])。

▼26 ベンヤミンにとって「一瞬の中断によって仮象に裂け目を入れること」は「崇高」と位置づけられている。

▼27 グレゴリー・ベイトソン『精神の生態学 改訂第二版』佐藤良明訳、新思索社、二〇〇〇年

▼28 榎克朗校注「巻第二 雑」『梁塵秘抄 新装版』(新潮日本古典集成)、新潮社、二〇一八年、三五九ページ

第4章

ポスト・アーカイヴ型アーキテクチャをめぐって

棚の論理というアーキテクチャ

最近、やたらと「アーカイヴ」「アーカイブ」などの言葉が目に入ってくる。それはいつのころからだろうか。少なくともアートの分野でアーカイヴという言葉を頻繁に目にしたり耳にしたりするようになったのは、おそらく一九九〇年代前後からのことのように思う。

当初は妙に違和感があった「デジタル・アーカイブ」[1]という和製英語にも耳が慣れてきたせいか、実体がまったく伴わない「デジタル・アーカイブ」も、インターネット上のどこかにあるような気がするから不思議である。ではこのデジタル・アーカイブはいったい何を意味するのだろうか。「文化的資産」をできるかぎりデジタル化して保存し、「いつでもどこでも誰でも」アクセスできるようにしようということだ。しかしながら、これだけインターネットとスマートフォンが普及しても、いわゆる「文化的資産」にアクセスできるようになったという実感は、少なくとも私にはない。

もちろんヨーロッパでは、アーカイヴという資料を集めた場所あるいは組織・機関は古い伝統をもっているし、その論じられ方もさまざまである。ミシェル・フーコーやジャック・デリダなど人気の哲学者がアーカイヴについて論じたこともあり、文化や芸術を語る論者にしてみれば、アーカイヴはすっかり人気の「コンテンツ」だ。アーカイヴという用語の誤用もかなり目立つ。単なる記録をアーカイヴと呼ぶことも少なくなく、意図的あるいは意図的ではないものも含めて、アーカイヴという用語の使い方は大混乱していると言っていい。

アーカイヴが資料の集合体であることは間違いないけれど、どのように集めているか、あるいは集めたかという違いでその性質は大きく異なってくる。現存するアーカイヴはその経緯や来歴によってさまざまである。それは当然の話である。経緯や来歴を資料の集合というかたちに委ねているのがアーカイヴなのだから。世界中にあるアート関係あるいは関連しそうな分野のアーカイヴをざっと見渡して、いささか無理を承知で分類してみよう。

個人アーカイヴ

哲学者ジャック・デリダは修士論文をフッサール研究で提出したが、その執筆中にはケルン大学の（ドイツ語読みで）フッサール・アルヒーフ[2]（Husserl-Archiv der Universität zu Köln）に足しげく通っている。フッサール・アルヒーフは、言うまでもなく哲学者フッサールの個人アーカイヴである。ヨーロッパやアメリカには、そうした著名な哲学者や文学者の作品に関する資料だけを網羅的に収集した個人アーカイヴを擁する有力大学が多い。著名な個人アーカイヴをもつことが有力大学の証しと言わんばかりに、人材と資金をかけてアーカイヴをもつことにご執心である。個人アーカイヴの場合、著者の場合は著書そのものが含まれることが多いが、アーティストの場合、作品そのものが含まれることはほとんどない。作品の発表形態、素材、設計図や指示書、書簡、契約書など成立の事情などを記述した資料の集合体が収蔵されている。作家のバイオグラフィー（伝記的な事項）をていねいに確定しながら、年譜形式に資料が編集されることもある。また、その作家や作品のことを論じた文献も資料として収集して保存するのが一般的である。

主題アーカイヴ

主題的なアーカイヴは、ある特定の主題や時代に限定し、ある特定の関係資料を網羅的に集めた場所、あるいは組織・機関ということになる。アメリカのメリーランド大学図書館にあるゴードン・プランゲ文庫[3]は、占領期の日本で出版された文書と出版物のアーカイヴである。メリーランド大学の歴史学教授で、連合国軍総司令部（GHQ）のダグラス・マッカーサーのもとで戦史室長の任にあたったプランゲは、第二次世界大戦後一九四五年から四九年までに日本で出版され検閲のために納本された出版物を、資料性が高いと判断しアメリカ本国に持ち帰っていた。なかなかの慧眼である。当時は価値などまったく定まっていなかった資料でも、将来的にその時代を知るための貴重な資料となることを見越したのだ。アーカイヴ活動はこうでなくてはならない。GHQの検閲制度によってプランゲ博士が資料を細大漏らさず保存したことで、現在の私たちはかろうじて、この時代の出版物を俯瞰できる、ということである。「ある時代に意図をもって蒐集された」という事実が結果として「主題」になる事例である。

機関アーカイヴ

大きな組織では、研究センターあるいは研究支援センターの機能をもつ機関をアーカイヴ（Art Archive あるいは Archives）と呼ぶこともある。ルネサンス美術の研究者アビ・バールブルクが所蔵していた蔵書や資料を基礎として設立されたロンドン大学ウォーバーグ研究所（バールブルグ研究所）[4]は研究の中枢である根拠として、自分たちが収蔵している作品や機関の存立基盤に関わるテーマをもつ研究者を擁すると同時に、図書資料のための司書や専門資料の管理担当者（アーカイビスト）を置き、さまざまな研究発表や研究の新たな企画ができる体制をもっている。

以上のようなアーカイヴを機会や縁があって訪ねると、それぞれに独特な「棚の論理」を実感せざるをえない。棚に収められた秩序は、もちろん研究や思考のひとつの結晶である。長い間、資料を所有し継承しようとする人たちの強い意志とその意志に応える分厚い利用者が存続しつづけることで、アーカイヴはアーカイヴたりえる。いつの時代も、深い探究心をもつ研究者や歴史家の存在があってこそそのアーカイヴなのである。

その「棚の論理」に導かれて、歴史は語られはじめる。いや、語られるべき歴史のために「棚の論理」が確立したのかもしれない。だとすると、アーカイヴに関して語られるべきは、棚の論理というアーキテクチャ（設計思想）ということになるだろう。

「棚の論理」と呼ばれるそのアーキテクチャは、モノの所有や蒐集を前提としている。古いモノには記憶という認知の構造を超えた思考と想像力が内蔵されている。私たちの生きる知覚と感情の世界に、資本としての「かたち」が視覚化される。前述したように、世界の資本化にとって、棚の論理は最も基礎的なアーキテクチャ（設計思想）なのだ。

コールド・ストレージの資本論

棚の論理というアーキテクチャがもたらすのは、単なる学問分野でもなければ、創造のための時間と空間でもない。アーキテクチャを実感させる空間では、そこに「世界」という想像力が立ち現れることで人々に知的興奮を与えるのだ。「世界」はごく日常的に使われている用語だが、具体的には何を意味しているのかわからない言葉で、謎と言えば謎である。しかし過去から現在に至るまで、「世界一」とか「世界中」といった言葉は数多くの人々の心を揺さぶってきた。「世界」がもっているスケールの大きさや多様さに取り憑かれてしまう人はいつの時代にもいるものである。

地球規模のスケールの大きさや多様さという意味で使われる「世界」以外にも、「世界」は独特な共同体という意味で使われることもある。「アートワールド」「学問の世界」「歌舞伎の世界」といった具合に、「分野」や「専門」には独特な共同体があることを示唆するときに、「世界」という言葉が使われる。

このような「世界」ははたしてどのようにできているのか。それを知る手がかりも、図書館の「棚の論理」というアーキテクチャにある。

ドキュメンタリー映画『コールド・ストレージ』は、ハーバード大学図書館の「ハーバード・デポジトリー」と呼ばれる広大な閉架書庫をめぐるドキュメンタリー映画である。[▼5]『コールド・ストレージ』はコンピューターの専門用語にちなんだタイトルである。めったに使われることがないデータを、将来使われるかもしれない可能性を考慮してどんなに巨大になっても保管しておく保管庫がコールド・ストレージである。

「ハーバード・デポジトリー」はまさにコールド・ストレージである。ケンブリッジ地区のメインキャンパスからおよそ五十キロ離れた郊外に巨大な収蔵庫（閉架書庫）を建設し、そこに使われるかどうかわからない九百万点もの資料（書籍、フィルム、LPレコード、テープ、パンフレットなど）を収蔵している。さすがはハーバード大学、物理的な資料を「コールド・ストレージ」として保管しているのだ。この同時代的な棚の論理をかなりクールに表現しているのが『コールド・ストレージ』というドキュメンタリー映画である。一冊の本がやってきて本棚に収まり、読者がその本を手にするまでのプロセスを、ときにはユーモラスに描写するアラン・レネの『世界の全ての記憶』[6]を、『コールド・ストレージ』はカメラワークなどを含めてトリビュートした映像作品である。

アラン・レネがフランス国立図書館（BN）を撮った『世界の全ての記憶』は、本を読むことで世界と向き合う「幸福」を描いている。だがこの「幸福」を映像に収めようとすること自体にアイロニーがある。本を読む程度で理想や世界を語り、図書館の棚を記憶のすべてなどと思い込もうとする人間は、やはり純朴である。インキュナブラや初期刊本や、日々生産されつづける新聞や雑誌まで、ありとあらゆる紙媒体を分類し保管しつづけている当時のフランス国立図書館も、基本的には「コールド・ストレージ」である。

「ハーバード・デポジトリー」を映像で表現した『コールド・ストレージ』は救いようがないくらい人間的である。『世界の全ての記憶』にも同様のシーンがあるが、『コールド・ストレージ』では機械操作でチェックインとチェックアウトがおこなわれているシーンがフォトジェニックに表現される。もちろん、ハーバード・デポジトリーのほうがはるかにハイテクではあるが。

誰の目にも火を見るより明らかな収蔵の限界をわかっていながら、世界の頭脳たりえようとするハーバード大学のプライドが涙ぐましい。世界の頭脳をめざすという考え方など、あまりにも人間的である。さらに言えば、そもそもドキュメンタリー映画をつくろうとする意志も、まさに人間的である。『コールド・ストレージ』には意匠を凝らしたウェブサイトでの公開を含め、ハーバード大学の「棚の論理」というアーキテクチャを実感せざるをえない。それと同時に、悲しくなるほどの人間くささが漂っている。この人間くささを振りまいている、映画『コールド・ストレージ』が表現しているような棚の論理が成立する背景には、ひとつの「資本論」が潜んでいる。

資本主義での「他者」は、モノの所有を明らかにすることによって必然的に立ち現れる。ひとつの美しい石を見かけてその美しさに魅了された人は、その石の所有を考えるようになる。「人のものかもしれない」あるいは「誰も見たことがないものかもしれない」という他者の想定によって、所有という考え方は欲望に変わる。「わたし」という主体をめぐる物語が「モノ」をきっかけにして始まる瞬間である。モノという他者を「わたし」がさらに他者化することによって、「わたし」をモノの系列として位置づけるようになる。この「わたし」という主体性を表現することの核心は、実のところ、資本の本質に触れるものである。数種類の美しい石を独占的に蒐集して、並べることによって、違いがある美しさをほかの誰かに誇らしげに見せようとするかもしれない。この世にある「美しい石」は、当初から「美しい石」として存在したわけではない。いわば「無からの創造」

として、「美と醜」という価値の判断を超えて、「美しい石」が所有の対象に変貌を遂げると同時に、モノの存在そのものが「わたし」を通じて「世界」という回路に編入されてくる。裏を返せば、石の採集を独り占めした人は石の価値をコントロールすることもできるわけだ。つまり所有したいという欲望によって石というモノは資本に組み込まれる。こうして、モノは「世界」の一部となって資本化されていく。ハーバード・デポジトリーの「棚の論理」を視覚化した『コールド・ストレージ』は、モノが「世界」として資本化された「なれの果て」でもある。

モノが「世界」として資本化され、棚の論理というアーキテクチャができあがるプロセスは、「世界」を実感しようとする「わたし」にとって、なくてはならない模型(モデル)なのだ。アーキテクチャ(設計思想)によって、他者を想定し対象となるモノを「他者ではないモノ」にすること、つまり所有し支配する蒐集物コレクションとすることによって、「わたし」は世界を資本化する第一歩を踏み出すのである。「棚の論理」と呼ばれるそのアーキテクチャは、記憶という認知の構造を超えた思考と想像力を通してはじめて、私たちの生きる知覚と感情の世界に、資本としての「かたち」を視覚化する。繰り返すが、世界の資本化にとって棚の論理は最も基礎的なアーキテクチャ(設計思想)なのだ。

世界は洞窟でつくられる

「棚の論理」が要請されるのは、世界という想像力を歴史が欲望してきたからにほかならない。さらに言えば、ハーバード・デポジトリーに人間くささを感じるのは、どこかに「完全な世界」があって、少しでもそこに近づきたいと願っているように見えるところだ。

では、その魔法の言葉のように人々の心をざわつかせる「完全な世界」は、どのようにして特権的な想像力になったのか。フランス国立図書館にしろ、「ハーバード・デポジトリー」にしろ、「世界って何だろう」と思い詰めた末に、独自の「棚の論理」をつくりあげてきたはずである。そのことを考えても、まずは「世界って何だろう」という問いについて向き合わざるをえない。

世界という想像力の成り立ちを考える際、ハーバード・デポジトリーがそうであるように、とりわけフェティシズムと呼ばれているモノと人間との奥深い関係に内蔵されているという観点に立ってみると、少し視野が開けてくるかもしれない。表現という人間の行為を考えるだけでは、とても芸術作品の成立に近づけない気がするからだ。

ここで、世界という想像力をモノとの関係から考えるためのモデルとして「プラトンの洞窟」[7]をあげておく。生まれたときから捕らわれの身である人たちが洞窟にいるという、いささか不自然な初期設定から「プラトンの洞窟」は始まる。その囚人たちは、洞窟の壁に向けて手足を縛られ身動きできない状態で拘束されている。どうやら、囚人たちは欲望に取り憑かれたという「罪状」で捕らわれの身になったようである。囚人の背後にはたいまつがたかれているため、壁に向かっている囚人たちの目には洞窟の壁面に揺らぐ影しか見えない。さらには、囚人たちが気づかないように、たいまつと囚人の間にはいろんな種類の道具、木や石などでつくった人間や動物の像を飾り、たいまつの火で囚人が見る影絵は何か生命体のようにゆらゆらと動いている。扇動する人たちが、「おまえたちは欲望をむき出しにした動物のような存在だ」と言わんばかりに欲望の影をゆらゆらと動かしているということなのかもしれない。この動いている影絵だけが囚人にとっての世界である。洞窟のなかでは物欲、性欲、権勢欲がうごめいている状態が現実で、その移り変わりに一喜一憂しているのが囚人ということになる。さまざまな欲望に翻弄されとらわれている人間は、文字どおり囚人そのものである。そう考えると、不自然に思える「生まれながらの囚人」という設定も理解できなくはない。そして欲望が渦巻く洞窟のなかでは、範囲が限られた小さな善の光にのせて扇動する人たちが囚人の享楽的快楽をあおり、囚人はその快楽の影こそが現実だと誤解してしまう。「プラトンの洞窟」には、救世主（メシア）らしき人物が洞窟の外からやってきては、見ているものが影にすぎず、光にあふれた世界はすばらしいと囚人たちに説き、外に連れ出そうとするエピソードも登場する。囚人たちは囚人たちで生々しい欲望を乗り越える努力を繰り返しながら、善という光の世界に近づこうとする。光り輝く世界にいる幸福にたどりつくべく、自制心を身につけながら、やっとたどりついたときの達成感は何ものにも代えがたいものとされる。いわば、ある種の宗教的体験のような話でもある。

　洞窟のなかの影絵だけの世界は、囚人たちにとっての現実である。その一方で、洞窟の外に太陽が降り注ぐ明るい理想的な世界があるということを説くために洞窟は比喩として使われている。太陽というイデア（理想）が完全無欠な世界として描かれるためには、光が届かないながら、鉱物や水や音が織りなす洞窟という世界が「もうひとつの理想」として必要になる。洞窟の外の世界にあふれている光が神によってもたらされたのだとすると、洞窟のなかは神の啓示が及ばない、理性が及ばない悪い場所のように描かれがちだ。しかし一方で、人間であることを実感することができる格好の場所だとも言える。理性で欲望を乗り越えることを説く教訓のようにも思えてくるが、少し深読みすると、欲望と向き合う「わたし」が担保されている特別な場所として洞窟をプラトンは描いているような気もしてくる。

そして、洞窟のなかにあって、たいまつと囚人の間に飾られているさまざまな種類の道具や木や石などでつくられた人間や動物の像はとても気になるところだ。これについて考えれば考えるほど、洞窟のなかで飾られた人工物が洞窟の比喩ではとても重要な役割を果たしているような気がしてくるのだ。ここでの「自然―人間―人工物」という三者の関係は、「わたし」の理性と欲望を揺さぶっている状況であり、それが強調されているような気がしてならない。

洞窟のなかで「自然―人間―人工物」という三者の関係が「わたし」のあり方に影響を及ぼす歴史的な出来事と言えば、洞窟壁画のことを思い出さずにはいられない。プラトンが生きた古代と呼ばれる時代よりはるか以前から、「自然―人間―人工物」という三者の関係によって「わたし」のあり方に影響を及ぼすことが起こっていたのである、それを洞窟壁画が教えてくれる。

数万年前に描かれたとされる数々の洞窟壁画には、たいていの場合、動物が描かれている。一般的に言って、洞窟壁画は古代人の生きる糧だった動物を描いていると解釈されている。しかし、わざわざ暗い洞窟に入ってまで、なぜ動物の絵を描いたのだろうか。

動物の脂に火をともして恐る恐る洞窟のなかに入っていった三万年前の人たちは、岩肌のでこぼこに自分の影が浮かびあがった「映像」に、ある種の感動を覚えたにちがいない。そしてあるとき、その暗闇に浮かびあがった自分自身の像のでこぼこをふとなぞって描いてみると、自分の姿は生き生きとした動物に見えてくる。このイメージの変換操作こそ、洞窟壁画の起源と言えるかもしれない。この操作が洞窟のなかでおこなわれることによって、自分自身の像が壁画というイメージに変貌を遂げるのである。自らの影が毎日命がけで追っている動物に変貌している洞窟は、やはり特別な場所だったにちがいない。そう、洞窟は人間自身が動物でもない、道具でもない、火でもない存在であることを確認する場所なのだ。

洞窟を特別な場所にしているのは、狭い範囲にしか届かないたいまつの効果である。この弱々しい光を太陽の光との対比で描いているのが「洞窟の比喩」である。この弱々しい光に、人間の弱さや不完全さが定義されているような気もしてくる。太陽の光がさんさんと降り注ぐところで洞窟壁画が描かれることはない。「洞窟の比喩」だけで考えるかぎり、太陽の光は絶対的な善とされ、洞窟は不明や無知、あるいは強欲が渦巻く場所のように考えられなくもない。裏を返せば、善に満ちあふれたところでは、洞窟壁画のような創造的な行為は起こらないことになる。しかしその実、自分の姿と動物が重なるような主客未分化の状態をもたらす洞窟では、洞窟壁画のような観念の世界につなげていく力と生々しい物質性をもっている。

このように、洞窟は太古の昔から、理想の世界を表現するためのアトリエのような場所として考えられてきただけでなく、現実の世界を変えるためのモデルとして位置づけられてきた。だからこそ、私たちは自らが身を置く洞窟に、世界を変えるための問いと対話を見いだそうとするのである。

光り輝く真っ青な広い空を見上げて、なんだか幸せな気分になるときがある。もちろんそういうときには、目に飛び込んでくる木々の造形や、遠くに見える山々をいとおしく思う。そのような木々や山々を目にすると、自分の精神の内部に洞窟のような特別な空間があるような気がしてくる。それは決して光がさんさんと輝く空間ではない。洞窟のような「自然―人間―人工物」が感じられる場所があってはじめて、木々や山々をめぐる問いと対話は心の片隅で記憶として少しずつ成長しはじめる。その記憶こそが、特権的な自分なりの「世界」をつくりだすアーキテクチャとなるのだ。

世界のつくりかた

洞窟の内部を歩くと、その独特な暗さからなまめかしさや後ろめたさが入り交じった怖さがいや応なくわきあがってくる。その感覚は、実際には洞窟の暗さと冷たさに息づいている秘密めいた孤独感にほかならない。洞窟の暗さと冷たさはいずれにせよ私たちを不安と孤独に誘う。私たちが自分の孤独を理解しようとすると、まずは自らのリビドー（性的欲求）のあり方に向き合わざるをえなくなる。それと同じように、世界のスケールや多様性を理解するためには、まずはリビドーをめぐる唯物論的な分析が必要となるだろう。

その分析のために、フィレンツェのピッティ宮殿のボボリ庭園に隣接する『グロッタ・グランデ』は、まさにうってつけの場所である。ジョルジョ・バザーリとベルナルド・ブオンタレンティによる『グロッタ・グランデ』は、芸術とリビドーをめぐるさまざまなテーマを、そこに身を置く私たちに容赦なく突き付ける、独特な緊張感をもった人工洞窟である。[8]

そのテーマは、「自然―人間―人工物」という三者の関係がリビドーのあり方に影響を与えることを思い起こさせてくれる。『グロッタ・グランデ』は気恥ずかしくなるほどわかりやすい、過剰なエロスが満載の空間である。バザーリとブオンタレンティという当代きっての芸術家が手がけているわりに、あえてそうしたのではないかと思うほど下品で趣味が悪い。グロッタが「グロテスク」の語源となったことも納得できる「作品」である。ワギナを模した洞窟の入り口から入ると、そこには三つの部屋からなる子宮が広がっている。最初の部屋に入ると、多彩色で彩色された装飾や壁、また天井の襞が独特な存在感を醸し出している。そしてごていねいにも、張り巡らされた管から出る水が壁の表面を濡らすことによって、石の肌理や色がより妖しく浮き出る仕掛けになっている。さらには、天井にはめ込んだガラス製の水鉢で魚を泳がせたりしている。演出過剰なことははなはだしく、さまざまな趣向を凝らした装飾がこれでもかというくらいグロッタに身を置く人の目に飛び込んでくるのだ。

二番目の部屋にはビンチェンツォ・デ・ロッシ作の大理石像が置かれている。さらに奥の部屋には、鳥と草花のフレスコ画が施された室内の中心にジャンボローニャによる妖艶な裸体のビーナスの噴水が設置され、ニッチに飾られたスプーニャの噴水とともににぎやかな水音をたてている。そして、最も奥の部屋には妖艶な裸体のビーナスがおよそ大理石とは信じられない肌理(きめ)で立っている。とにかく何もかもが「やりすぎ」である。『グロッタ・グランデ』は人工的な生物が洞窟の壁面や床から生まれ出るような妄想さえ思い起こさせる。

この妄想は『グロッタ・グランデ』の場合、ギリシャやローマの古代文化への憧れや畏怖によるものらしいが、その「やりすぎ」のせいで異様な違和感だけが印象と記憶にへばりつく。人工物が洞窟に置かれていることの異様さが、そこに身を置く人たちを特別な妄想に導く。

ここで視覚化されている過剰なエロスは、人間が石から生まれ出るような神話やプラトンの洞窟に出てくるような洞窟のなかの生々しい欲望のパロディーにもなっている。妄想から始まっているとはいえ、『グロッタ・グランデ』は憧れや畏怖をある種の秩序として演出した劇場でもある。その妄想に基づく「ありえないモノ」のコレクションが置かれたグロッタに身を委ねることは、他人のセックスを垣間見るような気恥ずかしさと不気味さに由来するのかもしれない。その過剰さは『グロッタ・グランデ』ができた当初から、やはりありえないような同様の感覚をもたらしたはずである。それを実感できることこそが「わたし」という自我が自覚される第一歩になる。

水しぶきの音が響く秘密めいた暗さに身を置いて、その過剰なほどのエロスをめでるための『グロッタ・グランデ』で過ごす時間は、ほかの誰のものでもない、「自然―人間―人工物」という三者の関係に担保された「わたし」だけのものである。しかも、そこは決して私的な妄想が侵されない空間である。

人工物にあふれた洞窟に身を置くひとりの人間には、性愛の欲望に取り憑かれた「わたし」という主体が強く意識される。そしてこの「自然―人間―人工物」という三者の相互作用が起こる『グロッタ・グランデ』では、宇宙（＝対象リビドー）と人間（＝自己リビドー）の関係が暴露され、それが引き金となって「わたし」をめぐる記憶が突如としてよみがえるのだ。

この奇妙な洞窟について考えていると、必然的にスーザン・ソンタグの「キャンプ」[9]という考え方にたどり着く。「キャンプ」とは一九六四年にソンタグが発表したエッセー「キャンプについてのノート」で論じたもので、極端な人工的誇張や不真面目な悪趣味など、ある種ゆがんだ価値のなかにも美的な魅力や意義を見いだそうとする、ひとつの美学的な態度である。「キャンプ」という考え方のとても柔軟で懐が深い点は、二十世紀の「高級文化」の緊張感や「前衛」の内向的な態度の息苦しさだけではなく、サブカル的な表現にも積極的な意味を見いだそうとする態度にも通じる点である。誰もが思いつくような方法ではない観点で、世界のおもしろさに関わってみようというポジティブな審美眼だと言える。

こうしたポジティブさは、能天気に見えたり、傍若無人に見えたり、悪趣味に見えたりするものである。バザーリとブオンタレンティもポジティブな態度で、サブカル的な表現をあえて導入して『グロッタ・グランデ』をつくりあげたのかもしれない。徹底的に不完全で欲望にまみれた現実、「プラトンの洞窟」の例で言えば、囚人たちが鎖につながれている洞窟のなかをあえて誇張して再現しているようにも見える。

しかもバザーリとブオンタレンティはそれを自虐しているような態度さえ感じられるから、これはまさに「キャンプ」である。ソンタグが「キャンプ」という審美的な態度で示したように、そうした『グロッタ・グランデ』の異質さを極端に誇張することによって、バザーリとブオンタレンティは当時の規範や倫理を異化していくことができると考えたのかもしれない。

このような異化は、自らの意志に関わらない記憶を起動させる。自らの意志に関わらない記憶とは、たとえば性的欲求や諧謔的な趣味、刹那的な快楽など、普段理性的な態度で抑圧されている記憶である。異様な『グロッタ・グランデ』での「自然—人間—人工物」という三者の相互作用によって、モノとの一体感に陶酔し「わたし」が自覚されると同時に他者の存在感は必然的に大きくなる。この他者が自らの意志に関わらない記憶によって立ち現れる。そこで出現した他者がまさに世界である。能天気でも、傍若無人でも、悪趣味でも、「自然—人間—人工物」という三者の相互作用が記憶を呼び起こした瞬間から、「わたし」という人間の存在を通して他者としての世界が立ち上がるのだ。そう、洞窟が世界としてつくられるためには、「自然—人間—人工物」という三者の相互作用のなかで起きている世界（＝対象リビドー）と人間（＝自己リビドー）をめぐる関係が記憶として更新されなければならない。バザーリとブオンタレンティが構想した『グロッタ・グランデ』がそうであるように、グロッタのような異化はことあるごとに要請され、世界は記憶に応じて更新されるのだ。

イザベラ・デステの明るい洞窟

モノとの一体感に陶酔し、世界が自らの意志に関わらない記憶に応じて発明されることに魅了された蒐集家は、歴史的に数えきれないほど存在する。モノに囲まれている状態によって、モノたちと「わたし」の身体が一体化したかのような錯覚が陶酔をもたらす。もちろん、こうした蒐集家たちは太古の昔から数多く存在していたにちがいない。

フェッラーラの名門エステ家からマントバ公に嫁ぎ、「ルネサンスの華」とまで称された才媛イザベラ・デステも、そんなひとりだった。[10] しかしイザベラの蒐集はどうやらそれまでの人たちとはどこか違っていた。簡単に言えば集めて並べることがイサベラ自身の「豊かさ」そのものを表現していた点で、それまでの蒐集と大きく異なっていた。

一時期はレオナルド・ダ・ビンチが描いた『モナ・リザ』のモデルだという説まであったほどだから、イザベラが身につけていた「豊かさ」はもはやちょっとした歴史的な事件と言ってもいいくらいで、ルネサンス期から現在に至るまで何かと語り草でありつづけている。

イザベラは書物や美術品、工芸品などを精力的に蒐集してグロッタと名づけた部屋を、マントバ・パラッツォ・ドゥカーレ（マントバのゴンザーガ家の宮殿）の庭園に隣接するようにしつらえた。このミューズの彫像が置かれた庭園（＝理想化した自然）と、コレクションが並べられたグロッタの相乗効果はイザベラの独特な世界観を表現していた。このような「これが世界なのよ」とでも言いたげな、エゴイズムを全開にしたヨーロッパの貴族的な趣味が、ルネサンス以降のヨーロッパの芸術や文化を導いていく。

太陽の光がさんさんと輝くなかに、究極のエゴイズムでモノが蒐集され、洞窟という世界が「もうひとつの理想」として表現されていた。キャビネットでつくられたグロッタはのちにストゥディオーロと呼ばれ、グロッタから派生したストゥディオーロやクンストカマーは、歴史上初めて登場した個室という様式を確立した。[11] ストゥディオーロは書斎やスタジオの起源であり、クンストカマーは近代になると博物館、図書館、文書館として整備されることになる。もちろん、アーカイヴはストゥディオーロやクンストカマー[12]を先祖にもっている。

欲望に抑圧された人間がいる暗い洞窟を再現するのではなく、世界を神と同じ気持ちで体感したいイザベラは明るい洞窟をつくる必要性を感じていたのだろう。明るい洞窟という「もうひとつの理想」をつくることによって、イザベラは太陽というイデア（理想）をさらに完全無欠な世界として描くことができると考えたのである。その後、庭園も蒐集の部屋も「もうひとつの理想」として世界各国でつくられていくが、イザベラはそうした貴族的な「豊かさ」を表現する先駆者のひとりだった。

イザベラの独特な世界観は並べ方、つまりグロッタに配置された蒐集品にある。この配置された蒐集品はイザベラの古代信仰を表現していて、さらに言えば世界そのものを解釈した世界観にもなっている。そしてそれは、イザベラ自身の記憶術であるとも言える。イザベラのグロッタは、マニエリスムやグロテスクの文脈よりも、個としての人間が理想化される近代的な記憶術として理解されてもいいだろう。

ここでいささか不用意に「近代的な記憶術」と書いてしまったが、この記憶術については少していねいに論じておく必要があるだろう。ここでいう記憶術はおそらく、一般的に記憶術という語感で直観するものとは、だいぶ異なるものである。イザベラがグロッタをつくりあげようとした記憶術は個人の思い出や認知プロセスとしての記憶を確かにしようとしたわけではなく、あくまで自然の模倣という理想的な表現に近づくための方法である。[13]

イザベラだけでなく、この時期以降に蒐集家が集めていたモノは書物や絵画、彫像などの人工物だけでなく、動物や植物などの自然界で採集した標本も含まれていた。人工物も自然の一端として位置づけられていたとも言えるし、誰かが技巧を駆使した、いまなら芸術作品と呼ばれるようなモノも自然の一部だった。つまり、グロッタという記憶術にとって、人工と自然という区別はあまり意味がないことだったのである。

イザベラの記憶術は、彼女が理想化した自然がグロッタと庭園で表現されていた。自然の模倣を忠実におこなったという意味では、イザベラがグロッタをつくろうとした意志も当時の芸術家がめざしていた理想と大差ないものだった。イザベラはミューズの彫像を庭園やグロッタに置いて、その記憶を神格化した女神ムネモシュネ[14]の母性を表現しようとした。あたかも自分もミューズのひとりだと言わんばかりに。イザベラの理想化はまさに自然の模倣で、それは芸術と言えるものだったかもしれないが、ひとつだけ特徴的なのは「わたし」が強調されていることだ。「わたし」の解決を近代的な記憶術は最大のテーマとしている。人間が自分を取り巻いている世界を実感しようとするとき、人間が置かれている状況を理解しようとして人間はシステムとルールを発見しようとし、つくりだそうとする。グロッタには生と死、自然と文化、大地への帰属とそこからの離脱など、「わたし」をめぐる自然界との折り合いが表現されていた。グロッタを通じてイザベラが目にしたかったのは、「わたし」が記憶にとどめたい理想的な自然の表現ではなく、「わたし」が自然の一部となるための方法だった。こうなると、グロッタは芸術以外の何物でもない。「自然の模倣」を理想とする芸術家の態度そのものだったからだ。[15]

芸術家は「わたし」と向き合い、あくまで美しい無限としての自然を追求しようとする。その追求にあたって、誠実に努力すればするほど決まって空間や時間といった物理的な奔放さに直面する。

そのとき、そこにあるシステムとルールを発見しようと努め、ひとりの人間が「わたし」を取り巻いている世界を実感し表現することは、人間が置かれている状況を懸命に理解しようとする近代的な記憶術に向かうことになる。

そのような近代的な記憶術は、イザベラのグロッタがそうだったように、ルネサンス期から十九世紀に至るまでの深い探究によって培われてきた方法であり、可能性であった。その可能性としての方法が担保された場は、近代化が進んでいく過程で、図書館、博物館、美術館といったアーキテクチャとして整備されるようになり、国民国家の「豊かさ」を視覚化するようになった。

壁面という支持体

ストゥディオーロの扉を開けると、そこには世界が姿を現す。その姿を視覚化された世界にあって、壁面に収納された書物は家具調度品を遥かに超えた自意識の発露となって一望的な迷宮として表現される。ストゥディオーロがつくられた当時の図版や図面を見ていると、壁面の使い方をきわめて重視して設計していたことがわかる。

壁面は、当時の聖堂建築の内部空間などでも重視され、そこでの主役がフレスコ画などだったように、きわめて重要な支持体であった。屹立する建築をひとつの理想化された宇宙だと考えれば、壁が強靱な知性と理性によって装飾化されても不思議はない。やがてマニエリスム期にかけて、珍品で壁だけでなく部屋全体を埋め尽くすように収集した、世界のミクロコスモスたるいわゆるブンダーカンマー（驚異の部屋）へと発展する。ここでは、世界について見たり聞いたり触れることがひとつの可能性であり、世界を知ることが一生をかけた巡礼であることを思い知らされるだろう。「わたし」を保証する空間として始まったストゥディオーロだが、その個室は単なる個人的な読書の空間としてだけではなく、他者を意識した宇宙として構想されていった。ストゥディオーロの蒐集の空間としての性格を強くすればするほど、この宇宙は古代遺物や美術品のコレクションを収蔵する空間へと発展し、所有者の権勢を顕示するための展示という表現の空間となる。最終的には、十六世紀になってギャラリーとしてひとつのアーキタイプ（建築類型）として確立することになった。これが巡回型のギャラリー空間へと発展し、近代的な図書館や博物館・美術館の原型になったことは言うまでもない。

ストゥディオーロがそうであるように、閉じた空間に滑り込んだ表現は柔らかな問いとなって建築を広げていく。その瞬間に建築は物理であると同時にシステムとなり組織という形式となる。「うた」はゴシック建築時代の朗読から始まった。ゴシック建築は声を音楽というシステムに変換し、「うた」という形式で未来への想像力としていった。教会という建築のなかで、見る・聞く・感じることこそが歴史を清算し未来を想像するための巡礼である。同様にストゥディオーロでは、書物と事物から見る・聞く・感じるという探究の意志が記憶術として組織化されることになる。「うた」が記憶術として組織化されていったように、ストゥディオーロでおこなわれる探究は生と死、大地への帰属とそこからの離脱を並々ならぬ手練手管で理想化する記憶術にほかならない。それはときに音楽と呼ばれたり、場合によっては美術や文学、あるいは哲学として見なされたりする。

記憶とは理想に向かう意志であり、記憶に向かう意志を壁面に表現した棚の論理というアーキテクチャ（論理構造）に託していたのである。

アーカイヴ型アーキテクチャ

棚の論理を考えるとき、「自然／人工」という対立軸はいろいろな意味でわかりやすい。芸術も人工という観点で考えてみると、それはそれで新鮮である。ドイツの美術史家ホルスト・ブレーデカンプはこの「自然／人工」というわかりやすい対立から、ストゥディオーロを解読しようとしている。[16] 当たり前のことだが、ストゥディオーロやクンストカマーは蒐集品をキャビネットや本棚に並べる。

イザベラ・デステのストゥディオーロはまさにローマやギリシャの古典を絶対化する回路を視覚化し、蒐集品を並べる秩序として表現しようとしていた。それによって、ローマやギリシャといった古典、「自然／人工」が混在した状態で集められているモノを、他者として向き合い思考する方法を確立したとも言える。グロッタは世界の多様性を表現すると同時に、「多様性のなかの単一性の獲得」を表明し、歴史として閉じられたことを視覚化する。グロッタとはそんな回路である。実はその回路を発見する方法がルネサンス期に流行した記憶術である。

なるほど、並べる秩序は広い応用性のある、「使える」アーキテクチャである。軍隊の隊列やマスゲームなども並べる秩序として視覚化されているからこそ、権威を人々に知らしめることができる。また都市の街並みも並べられた秩序である。都市の秩序も並べることを基礎としている。ここで言う記憶術はもちろん、私たちの記憶力をよくしたり、うまく記憶できるように工夫したりするノウハウではない。では、何を記憶しようとする方法なのだろうか。並べる秩序は蒐集されて並んだ秩序として整理された状態がひとつの掟となっているのだ。その掟が人々の記憶にとどめられているからこそ、その秩序は掟となる。蒐集されて並べられ、視覚化されている状態は、「社会的記憶」とも呼ぶべきもので、人々が社会を自覚する根拠となっている。

ブレーデカンプがそうであるように、このような社会的記憶の起源をたどろうとするとき、ルネサンスのネオプラトニズムを参照する歴史家は少なくない。ネオプラトニズムはヘルメスやカバラーあるいはプラトンなどに対する古代信仰を巧妙に使いながら、キリスト教の正当性を理論化しようとした。ユダヤ神秘主義、グノーシス、ゾロアスターやディオニソス祭儀などの異教や他者をあえて取り込み、アクロバティックに「多様性のなかの単一性の獲得」という黄金の法をめざした。他者を退ける根拠をつくりだすことによって、キリスト教の「黄金の掟」が正当であることを示そうとした。キリスト教が世界秩序の根源であることを社会的記憶として定着させるために、あえてキリストではないものをはっきりさせようとしたのである。「プラトンの洞窟」に続いて、二十一世紀にもなって二千五百年前の哲学者を取り上げるのも気が引けるが、西洋の思想にあってプラトンへの信頼感は群を抜いている。並べる秩序について考えるためにも、やはりプラトンの影響力は少なくない気もするので、ここは少し遠回りしてでもプラトニズムについて少し復習しておくことにしよう。

地上の世界（現象界）は洞窟のなかと同様に、不完全な世界であるとプラトンは考える。その不完全な世界にいる人間もかつては永遠で、完全なイデアの世界にいたという。不完全だから有限で、じきに滅んでしまう。そんな人間は地上界にいて、どこかに残っているイデアの記憶を取り戻そうとする存在であるらしい。イデアの世界（＝英知界）はすべてが完璧で、生じることも滅びることもない、不変で、永遠の世界なのである。

キリスト教的世界観が正しいことを理論化しようとするネオプラトニズムは、イデアをめぐる記憶をもちいて、世界を説明しようとする。人間の精神のどこか一端にあるイデアについての記憶を回復させようという感情が、キリスト教的世界観には少なくともふたつあるとされる。そのひとつが「エロス」である。私たちが普段耳にする「エロス」の語感とはずいぶん異なるが、エロスとは不完全な世界にきてしまった人間がイデアという完全な世界に戻りたいという気持ちである。西洋思想はどうも完全か不完全かをはっきりさせたがるようだ。プラトンは円をイデアとし、幾何学に超越的な地位を与えていた。そしてプラトンに続くプラトニズムもネオプラトニズムも、幾何学的な対比は真理を現す方法だと考えていた。私たちが現実に認識している円というかたちは不完全なもので、イデアの世界には永遠不変で完璧な円があるとする。この完璧な円に憧れ近づきたいと思う気持ちが「エロス」である。古代ローマ時代の建築家ウィトルウィウスが『建築論』で記述した人体図は総称して「ウィトルウィウス的人体図」と呼ばれることが多いが、ダ・ビンチが一四八〇年代に描いたドローイング「ウィトルウィウス的人体図」[17]はあまりにも有名で、この人体の比率を完璧な円として表現しようとする探究心も「エロス」のひとつとして考えられる。

もうひとつの重要な観念が、「アムネーシス（想起）」である。アムネーシスとは不完全な世界に身を置く人間が完全なるイデアの世界についての記憶を取り戻そうとする意志である。イデアの記憶を取り戻そうとするキリスト教の正当化にとって、記憶は人間に備わった価値交換のシステムだと考えられていたと言っていい。

その未来をめぐる想像力、つまりアムネーシスをめぐる構想は、十六世紀中盤以降のルネサンス後期の芸術や文学の重要なテーマになっていった。芸術は「完璧な円」と一体化したいと願い、同一性を求める。そしてその同一性に向かう意志、それが記憶である。キリスト教の優位性が強調される以上、キリスト教の教義以上のイデオロギーはなかったはずである。

アムネーシスという思い出そうとする意志は理想に向かっている。理想に向かう意志は、いまの言葉で言えばイデオロギーと呼ばれるものだ。イデアの世界の記憶を取り戻すことが最大の価値なのだから、記憶は人生にとって最もかけがえのないイデオロギーになる。歴史の正体はその実、このイデオロギーにほかならない。

ところが、プラトンの時代とルネサンスはやはり違っていたようだ。他者との向き合い方についての態度表明が求められたのだ。「多様性のなかの単一性の獲得」というテーマは、実はなかなか危ういものである。他者を知れば知るほど、著しい差異が気になって同一性を見いだすことはむずかしい。蒐集は世界の単一性を獲得するために、集団的な知性をキリスト教に集約させなければならなかった。

人もモノも蒐集されればされるほど、逆に世界の多様性や混乱、無秩序が明らかになる。こうした多様性や混乱や無秩序については、他者をどのように理解するか、あるいは他者の意見とどのように向き合うかという問題に関わってくる。さらに言えば、世界を観察し操作しようとする「わたし」もそのなかに取り込まれ、蒐集されていくのだ。

自然は機械によってつくられた

イザベラ・デステによるストゥディオーロのエレガントさは、アムネーシス（想起）を「棚の論理」という幾何学的な回答で具体的に視覚化したことにある。ストゥディオーロやクンストカマーなど、「棚の論理」のような論理構造をアーカイヴ型アーキテクチャと呼ぶとすれば、人間がアーカイヴ型アーキテクチャに身を置くと、縦と横といった幾何学的な根拠をもった棚の並びの論理性によって「自然―人工―人間」という三つの系列がなすアムネーシスを視覚的に明らかにすることができる。ストゥディオーロやクンストカマーなど、自然物も人工物も分け隔てなく包摂するアーカイヴ型アーキテクチャのおもしろさは、世界そのものを「自然―人工―人間」という三つの系列から価値化しようとする資本主義と、人類的な普遍性をもつ「古代信仰」とが、ストゥディオーロやクンストカマーといった「わからない」回路を通じて、明らかなつながりをもっていると感じられる点にある。その点で、蒐集は世界を知るためには最も現実的なフィールドワークである。人をいろいろなところからたくさん集めれば、見たことがないモノを見ることができるし、考え方の違いも知ることができる。またこれをまとめるためには、何か法則のようなものも必要になる。人もモノも蒐集を進めれば進めるほど、逆に世界の多様性や混乱や無秩序が明らかになる。世界の多様性や混乱や無秩序については、他者をどのように理解するかという問題に関わってくる。ガラクタのようなモノを集めてきても、場所ごとに分けたり、時系列に並べたりすることによって、集めてきた自分が混乱しないように努めるものだ。モノを操作する主体のあり方自体が秩序になることを、ここから人々は学習するのだ。

だが、そのとき棚の論理で他者としての蒐集品を配置すると、目の前に広がる世界は一気に秩序として見えてくる。その点が縦と横という幾何学的な根拠をもつアーカイヴ型アーキテクチャの強力なイデオロギーの基礎となっている。蒐集品を他者として見なすことによって、それは操作可能なものになるからだ。「自然―人工―人間」という三つの系列で「操作可能」の状態が成立し、アーカイヴ型アーキテクチャは世界をめぐる理解の方法として科学的な世界観の基礎にもなる。科学的発見の価値づけも、アーカイヴ型アーキテクチャが根拠になっているのである。人間が自らの身体を介入させてモノを見るとアムネーシスが視覚化され、それが世界になるのだとすれば、自然と人間との間には連続性がある、つまり人間は自然の一部であると考えられても不思議はない。

ルネサンス期から近代にかけての西洋世界は、アーカイヴ型アーキテクチャという棚の論理に美しさや無限を求めて自然の模倣を追求してきたのである。それがアムネーシスとしての記憶であり、幾何学的な根拠を追求すればするほど、幾何学的な根拠や機械論的な世界観が重視されるようになり、こうして近代が準備されていくことになったのである。

フランスの哲学者ジル・ドゥルーズは、このアムネーシスと芸術の関係についてマルセル・プルーストの『失われた時を求めて』を題材に、とても興味深い指摘をおこなっている。まずは、プルーストにとっての芸術とは非物質的なもの、あるいは精神化されたものだと言う[18]。つまり物理的に蒐集することは不可能なものとしている。そして、そうした物理的に蒐集できない芸術のなかから本質やイデアが立ち上がってくるとしている。いままでの芸術作品の価値体系を否定しているばかりか、「自然―人間―人工物」という安定感がある三つの系列を根本から否定してしまうような、なかなか思い切った考え方である。

しかもこの本質やイデアは、きわめて個人的なもので、もはやプラトン的なイデアとはまったく異なるものだと論じている。芸術という形式を採用しなければ、永遠に個人的な秘密として明らかにならないようなことが芸術というわけだ。つまり芸術は「完璧な円」と一体化したいと願い、同一性を求めるだけではなく、個人の差異を芸術として差異化することにも賭けている。同一性ではなく、差異が芸術の本質であるとしているのだ。また蒐集とモノをめぐるフェティシズムについて、ジェイムズ・クリフォードはモノが所有可能な状態となるためにはまず「完全なる他者」にならなければならないと論じ、他者化によって確立した主体―対象関係に独特な個人主義が発揮されていることが近代的な西洋文化の特徴であることを指摘している[19]。

一方ブレーデカンプは、「自然物―古代彫刻―人工物―機械」という関係は近代にはさまざまな秩序として表現されてきたと論じる。自然への畏怖を彫刻のかたちで模倣し、その集合名詞としての人工物を人々が日常的に認識するようになり、人工物としてとりわけ機械が操作するようになるという推移を説明する。ブレーデカンプの考え方は、機械信仰を必ずしも反自然として位置づけているわけではない点で興味深い。機械信仰はむしろ自然の模倣や回帰を根拠にしているという。自然改良の方法が有用性をもつにつれて、機械が自然に脅威を与えるのではないかと人々の不安や嫌悪も大きくなり憎悪の対象となる。無理もない。機械はいままで人間ができなかった自然改良をいとも簡単にやってのけたりするからだ。蒸気機関の登場に端を発する産業革命は、まさに自然を論理（機械の原理）によって大きく変えてしまった。ただ一方で、機械の存在感が大きくなればなるほど、人々は自然というものがどのようなものかということを意識し思考しはじめたのだとも言える。つまり機械という他者の存在が、近代的な自然観をつくっていったのである。操作可能という考え方は蒐集だけでなく、最終的には機械を自然のなかに組み込んで思考するきっかけにもなっている。操作可能になってこそ、モノの価値がはっきりするという考え方である。

価値づけ（reasoned value）は操作と操作子（操作対象）の関係で成立するという考え方に道筋をつけたのである。自然物も人工物も分け隔てなく包摂するこの時代の記憶術も、ほどなく美術や文学、あるいは哲学として分化する。十八世紀の新古典主義（ネオ・クラシシズム）とロマン主義の登場によって、「芸術」は「技術」とはっきり区別されるようになった。操作可能な機械という他者が意識されればされるほど、視覚優位の近代的な体系は整備されていった。

複製技術と記憶術

アーカイヴ型アーキテクチャの背景には、ネオプラトニズムや「印刷革命」という技術がもたらした社会変革、つまりいまの言葉でいうイノベーション（技術革新）が大きく影響している。もちろん複製技術が社会にもたらす影響力は、デジタル時代を迎えた現在に至っても、今日的なテーマとして大きな課題であることには変わりはない。この複製というテーマは、歴史的に古く、多くの思想家や歴史家がさまざまな角度から取り上げている。

複製を単に状態や構造としてとらえるのではなく、「双子」「ドッペルゲンガー」「セルフポートレート（自画像）」「パラレルワールド」のように、その人間の生態や存在そのものが常に複製性をはらんでいると理解してみることもできる。個人の存在を主張することをはばからないようになればなるほど、人はアイデンティティと呼ばれる間に合わせの代用品、つまり「わたし」の複製品を探し出そうとする。さらに言えば、「わたし」とは、ＤＮＡの反復的な複製によって成り立っている生命体であると考えることもできる。もちろん近代的な「わたし」という社会的な存在にも、いろいろな「わたし」がいる。家族のなかの「わたし」や、市民としての「わたし」あるいは労働者としての「わたし」など。「わたし」が社会化すればするほど、振り返ることができる生命体としての自らの起源は希薄になる。また逆に、「わたし」が存在する根拠を探ろうとすればするほど、社会システムや歴史過程に依存せざるをえなくなってしまう。その複数性は、近代という歴史過程を分析する多くの思想家たちによっていろいろな分析が試みられてきた。

ヴァルター・ベンヤミンも、そのような問題意識を一貫してもっていた思想家である。そのベンヤミンには『複製技術時代の芸術』というあまりにも有名な著作がある。ほかのベンヤミンの著作をほとんど知らない人でも、『複製技術時代の芸術』を知っていたり読んだりしたことがある人は少なくない。七十年以上前の著作が変化の激しい技術革新の文脈で依然として読まれていること自体、奇跡的と言ってもいいかもしれない。それだけに、当時としては先駆的で現在にも通じる問題点が多く含まれている。『複製技術時代の芸術』にあって、マルクス主義者であり人間的唯物論の実践を夢見たベンヤミンは、ひとまず複製物（芸術だけではなく文化領域全般）によって、私有の観念が大きく変わってしまうことを大いに歓迎している。そのうえで、テクノロジーが果たす役割をていねいに検証している。最終的には、時代を変容させる推進力を欠いたあらゆる歴史主義的な芸術や文化を批判の対象にしている。芸術作品が蒐集されるものだということに終止符が打たれると、芸術作品が政治性を帯びて、大衆の参加を大きく促すのではないかと期待する。『複製技術時代の芸術』という観点からすると、ストゥディオーロあるいはブンダーカマーなどは私有の権化のような存在である。芸術作品の蒐集など、ベンヤミンにあっては、時代変革の力などないものとして批判の対象となっている。[20]

たとえば、有名な「アウラの消失」についても、蒐集という観点から考えてみることもできる。一般的に言って、「アウラの消失」は複製技術によって芸術の一回性が失われ、芸術固有がテーマにしてきた（はずの）美の絶対性が消失してしまったなどと理解されている。だが〈神／自然〉からの模倣が一回限りで唯一無二だと言われると、権威的で隠喩的な力がその作品にある力を人々に感じさせることも確かだ。その力が「アウラ」だとすれば、二回三回あるというのはありがたみがそれほどないのではないか。そう考えていくと、いわば「アウラ」は私有をめぐる霊的なエネルギーである。

霊的なエネルギーをもつ芸術作品を「私有」しているとすると、「なんとも稀少なものをもっているのですね」といった感じで尊敬を集め、作品もうやうやしく価値の高いものと評価されることになる。「なんとも稀少な」作品をたくさん「私有」しているとなれば、ストゥディオーロあるいはブンダーカマーが「もうひとつの世界」と見なされても不思議はない。誰かが独占したいほど希有な存在という意味で、芸術作品は「アウラ」にあふれていたのだ。

この「アウラの消失」をより正確に理解するためには、『複製技術時代の芸術』が、鉄とガラスの建築について論じている「パリ〜十九世紀の首都」[21]に続いて発表されたことに注目しておこう。近代という歴史過程がもつ二重性（一方で大量生産化が進み、他方では物神性が強まるといったこと）を、パリという都市のあり方を通じて、ベンヤミンはパリに滞在しながら思考し、そのエッセンスを「パリ〜十九世紀の首都」として結実させた。十九世紀のパリも、当然ながら近代という歴史過程の二重性をはらんでいた。

ベンヤミンはそれを「迷宮」としながらも、人々に新たな関係性の発見を促す契機がはらんでいることを重視していた。ここから有名な「遊歩術」や「パサージュ論」が生まれていく。そして、新たな関係性の発見は「パリ〜十九世紀の首都」以前にも、近代的な都市のあり方を「知り合いの原型」と呼んで重視していた。「複製される物」と「複製された物」が交換という行為や市場という経済原則によって、一方で大量生産化し他方で物神化され全体として芸術作品という迷宮を形成している状況を重視し、「複製される物」と「複製された物」の関係性をことさら綿密に観察し記述していったのである。

「アトム―ビット―人間」

画家は、ルネサンス期から近代に至るまで、対象をできるだけ(さまざまな意味で)精密に描くという才能を発揮することによって社会的に認知された。画家はある意味で「複製家」だった。そして、写真技術の誕生と同時に画家は自然の景観を一変させてしまうテクノロジーの影響力に直面し、自らの職業人としての思考や手法を再考せざるをえなくなった。手順がさらに形式化され、抽象化されたテクノロジーが「複製家」としての専門性を大きく修正することを促したのである。その役割を決定的なものにしたのが、写真や映画というメディアの誕生である。その誕生の衝撃は、もちろん、ベンヤミンがあらためて論じなければならないほど、社会のすみずみにまで及んだ。とりわけ、「見る」ということに関して独自の能力を発揮していた(とされる)芸術の領域での衝撃はとても大きいものだった。それは当時しばしばもちいられた「絵画は死んだ」という表現に集約される。絵画という芸術が「完全なる自然」の模倣あるいは複製だとすると、絵画が死んだのだから芸術が死んだに等しいと感じた人も少なくはなかった。

写真や映画というメディアで複製物を手にする人は、モノがどこにあるかという場(site)の呪縛から解放される。ところが、複製物は別の場の感覚を人々に与えることになった。たとえば、ポスター(poster)という複製物は、ある空間の存在を知覚的に拠点化(post)する。たとえば、ある映画に関するポスターが街角に張られていると、そのポスターを見ている人との間には、その映画の認知に関する独自な空間ができあがる。目撃する人の視覚の能力を頼りに、その映画の存在が、そのポスターが張ってある街角との関係で認知されるのだ。

ポスターという複製物は独立して何かを伝達する能力をもっているのではない。知覚するための位置を確保することが保証されているからこそ、その役割を発揮できる。しかも、複製物としてのポスターは複数の空間を同時に占有できるから、人々はポスターのメッセージを何度も目にすることで記憶を強化することになる。複製のテクノロジーが記憶の領域に作用しているのは、そのような知覚する拠点を数多く配置しておくことができ、反復して同じメッセージを「完全」に伝えることができることに由来している。

そのような拠点化への欲望に促されて、記憶という理想に向かう意志は写真や映像といった複製のテクノロジーにたとえられるようになった。だからこそ、ベンヤミンは、「アウラの消失」を問題視したのである。

複製物が流通するということは、そのオリジナルの資料を独占する力から解放されることを意味している。つまり複製は、元資料を所有する人からも、あるいはそれを独占的に所有していた人のひとりよがりな価値からも解放された余剰生産物である。複製は、独占的な所有という古い価値体系を破壊すると同時に、あらためて「複製された物」は「生産された物」としての価値が再編成される可能性をもつテクノロジーとして受け入れられてきたのである。

芸術概念が誕生したのは十八世紀半ばのフランスだったとされる。[22] ある絵画作品がひとりの画家によって制作され、それを購入する巨大な組織（十八世紀以前なら教会、いまなら美術館や企業）や個人

（十八世紀以前なら領主や貴族、いまならばいわゆる「富裕層」）が存在する。この交換の図式は、事の複雑さを度外視すれば、いまでも基本的にはそれほど変わっていない。ところが、複製技術誕生以前とそれ以降で大きく異なっているのは、交換のプロセスに複製というテクノロジーが介在し、その芸術作品をあらかじめ「知っている」人が多いことである。その芸術作品は、複製物がつくられた瞬間から匿名性が高い交換の手続きにさらされることになる。

もちろん、匿名性が高い交換の手続きは、瞬く間に複雑な関係性を見せはじめる。複製物は産業社会では大量生産のモデルにもなったが、写真というテクノロジーが同じイメージを数多く生産し、匿名性を高めて不特定多数の人が同じ絵をもつことができるようになるのと同様に、生活していくうえで必要とされる必需品も匿名性が高くなり不特定多数の人がまったく同じ物を所有できるようになった。その結果、物やイメージが数多くの人々に行き渡ることで市場の優位性を発揮するようになって、その手続きをできるだけ迅速に処理するような手順が洗練化されていった。「複製される物」と「複製された物」との間に生じるスリリングな関係。近代産業主義が成熟していくプロセスで、この循環的なプロセスを確実に迅速に処理するような手順、つまり速度が発見された。速度とは複製の変数である。より正確に述べると、速度は複製物を忠実に生産するプロセスを繰り返す手続きの数である。コンピューターはまさにその手順を忠実に実行する機械にほかならない。

写真と映画が映像メディアと呼ばれるのは、見るというある種の知覚的な能力と、見たことを解釈し伝えるという表現力を「媒介」することで急速に普及していったからだと一般的には理解されている。

映像メディアが急速にわれわれの生活に影響力を及ぼすようになった背景には、メッセージの多様さを引き出して発見の機会を拡大したことがある。それは単に印刷された文字に限定されていたコミュニケーションの機会を増大させただけでなく、さまざまな発見の機会を広げることになった点で革命的な変化であった。しかも、その変化には速度を伴った拠点化が含まれていた。

コンピューターを中心として進化しはじめている複製技術は、パーフェクト・ワールドの欲望を忠実に写し出すテクノロジーとして期待されている。理想化すればするほど、そのパーフェクト・ワールドはわれわれの意に反して、するりとわれわれの掌中からこぼれてしまう「はかなさ」を兼ね備えている。ベンヤミンが述べた「アウラの消失」は、パーフェクト・ワールドという理想的な世界観がもはや存在しないことを暴露していた。コンピューターをはじめとする情報メディアは、理想や融和の精神を取り込み、それを解体し、さらに新たな理想や融和への欲望を喚起する。それは否定的な意味を超えて、「知り合いの原型」であり、迷宮への入り口となるのである。写真や映像にたとえられるようになった記憶は速度を伴って「知り合いの原型」から関係を飛躍的に増大させる。そのことは、インターネットが急速にブンダーカマー化していることをわれわれに教えてくれている。

速度が完全なるコミュニケーションを実現しようとする手続きを迅速に処理するための手順であるかぎり、記憶をめぐるテクノロジーも効率のいい手順をめざす。そこに、虚実や真偽を問うことには疲労感が伴い、複製の産物である「わたし」やその起源を確認することさえ現在では困難になりつつある。インターネットのブンダーカマー化は「自然―人間―人工物」の系列をあっさりと乗り越え、「アトム―ビット―人間」の系列をめぐる掟に担保された権威としての知は求められなくなりつつある。集合的知性の理解がどうあっても必要なことを、誰もが実感しはじめている。コンピューターという機械が人間を決めるようになったのである。

知のパラダイムとしての情報

インターネットが急速にブンダーカマー化し、「アトム―ビット―人間」の系列をめぐるポスト・メディアの状況がどうあっても避けられなくなっている同時代性のなかで、アーカイヴ型アーキテクチャの考え方で資料の集合体を構想することは限界に近づいている。検索エンジンが導くインターネットのアーキテクチャにあって私有をめぐる霊的なエネルギーは、もはや霧散してしまったと言っていい。

象徴的なのは、コンピューター用語としてのアーカイヴ(archives)とは、複数ファイルをひとつにまとめて保管することを意味していることだ。つまりあまり利用されなくなったプログラムやデータの保管庫がアーカイヴなのだ。ハーバード・デポジトリーを見ていると、ハーバードだけにアーカイヴがあるようにも思えてくる。現在は、公文書に関する公的な記録の保管場所として「公文書館」のような公的な機関がアーカイヴと呼ばれることも多いが、広義には図書館、博物館、美術館あるいはフィルムセンターなどもアーカイヴとして位置づけることができる。通常の検索エンジンが収集できない情報が「埋蔵」されているインターネットには、もはやアーカイヴ型アーキテクチャは通用しない。「資産」が蒐集されていることの意味がはっきりしないからだ。蒐集よりも操作と流れと速度が価値づけの根拠となっている以上、アーカイヴというテクノクラシーはあまり意味がないものになってしまっている。

西洋的な美術の歴史は、ウォーバーグ研究所がそうであるように、資料の蒐集を根拠とした歴史でもある。美術史そのものがアーカイヴ型アーキテクチャの形成と密接な関連がある。君主型知識社会は信仰や啓蒙といった要素を取り込みながら、ある種の階級社会のバランスを絶妙にコントロールしてきた。アーカイヴは、その場所に特有な(site-specific)結び付きに関する来歴や典拠(権威)を保管した場所にほかならない。文化(culture)とは耕作(cultivation)を語源とする概念だが、その場所に特有な(site-specific)結び付きを表現したものすべてを文化として位置づけることができる。だからこそ、国民国家は領土を確かなものにするために、その場所に特有な(site-specific)表現の断片を拾い集めて、資料や芸術作品を蒐集し、領土(国土)の確からしさを誇示する。多くの国民国家が、資料や芸術作品の蒐集を基礎とするアーカイヴ型アーキテクチャによってその歴史をつくっていったのである。

歴史的には、十五世紀後半からの印刷革命によって、プロテスタンティズムの文書主義が世界的な規模をもち、「掟」としてのアーカイヴも当然ながらその性格を変化させていき、近代に入ってからは国民国家の統治を根拠づける「機関」としての役割を担っていることも重要である。つまり、美術館は芸術作品を蒐集することによって、「掟」を権威化している機関でもあるのだ。

ここでもう一度、市場という観点から印刷という複製技術を考えなおしてみよう。唯一の他者が神であり、唯一の典拠（権威）が『聖書』だった時代の権威と権力を根こそぎ解体し、知の産業化によって知が市場という経済的な規模で理解されることに道筋をつけたのが印刷技術である。当然ながらアーカイヴも、市場という概念上の場を想定せざるをえなくなってきた。とりわけ、印刷技術の普及によって書籍商がつくった市場は、図書館という書籍の蒐集機関だけの問題にとどまらず、資本主義と都市といった重要な社会経済史の文脈にも関連している。「図書館は人間精神の宝庫である」という信条を表明していた哲学者ゴットフリート・ライプニッツは、多様な他者をどのように理解するか、ということを思考していたアルシービストでもあった。新刊書を購入するために安定した予算の必要性を説き、利用の便宜を向上させるために、著者名順や刊行年順、あるいは分類順といった目録での管理の必要性も明晰に指摘していた。アルシービストとしてのライプニッツは、利用しやすさを整理と管理の基本としている点できわめて合理的な考え方をもっていた。それは近代的なアーカイヴへの道筋を与えていたとも言える。

このライプニッツが生きた時代は、科学と国語（俗語）の形成が進んでいった時期でもあった。プロテスタントによる印刷術の開発がさまざまな点で宗教改革と初期の近代科学を準備していったことは言うまでもないが、科学者は神の所業を解読することを大義としてその名声を競った。神の所業を解読した偉大な科学者としての名声は印刷された出版物に託されたわけである。近代科学は単に自然の解読だけでなく、「知の公開促進」という側面でも大きな役割を果たした。一見普遍的に思える科学的な法則や技術の様式は、記述の一般性に支えられている。公理や定理、あるいは用語の一つひとつが記述の体系や規約に依存している。つまり、科学的言説とは記述の体系や規約を遵守することを誓約した共同体の規格でもある。しかも、それは「知らせる」ことを前提にした規約である。つまり、ある形式に沿って「知らせる」ことが科学的な言説であることを保証していた。ライプニッツが新刊書の購入や貸し出しを重視していたのは、まさに科学という共同体を念頭に置いたものだったと言っていい。

その一方で、宗教改革によるプロテスタンティズムがヨーロッパを席巻することによって、『聖書』が各国語（俗語）に翻訳されたことは、布教という点での影響にとどまらなかった。書籍商たちが持ち込む文学は、「外国」の世俗的な要素があったため人々の好奇心を大いに刺激した。また、科学に関連するノウハウも同様に伝えたため、結果的に技術者や職人などの新しい階層を生み出した。大量の印刷物が出回るようになっていったことを背景として、ある地域の言語を同質化する一方で、使用する言語によって地域間の壁を厚くする方向、すなわちある種の文芸共和国的な地域性がデザインされていく。

こうして母国語という概念が誕生し、「国民国家（ネーション・ステート）」という近代という時代に特徴的な想像上の共同体の出現は、出版業者たちによって大量に市場に送り出される科学と母国語の出版物によって促されるようになった。それを享受する側、すなわち国民という人間の集団は、啓蒙主義や産業革命を得て、自然の現象やその真理を記述すること、また文芸を読み親しむことを強化していった。この強化の過程で、ある形式に沿って「知らせる」こと、つまり「情報」という知のパラダイムが、印刷技術や市場経済を前提とした科学と国語（俗語）の形成とともに成長することになった。

ビットウエアの超越性

二十世紀の声を聞くに至って、国民国家にとって「知は資本（capital）である」とともに、国益（national interest）は知の蓄積から生まれる利子になった。もちろん、そのような考え方は、現在のアーカイヴ的な基盤、公文書館、図書館、博物館あるいは美術館などが整備される必然性の背景となっている。また、十九世紀から二十世紀にかけての科学や技術の成果は、記録の形式に大きな影響を与えてきた。たとえば、写真技術は印刷の手法を合理化しただけでなく、資料の形態そのものにも大きな影響を及ぼした。

ところが、「知は資本（capital）である」という考え方を社会経済的な文脈でも加速させてきた二十世紀は、コンピューターという機械を世に送り出した。そして、二十一世紀のいまとなっては理想的な記録のあり方やアーカイヴという考え方そのものに修正を迫っている。

もしインターネットをアーカイヴとして位置づけるとすれば、このように加速された知の資本化や集約化を促し、ポスト産業主義社会の主役に抜擢されたことを考慮したうえで、アーカイヴ型アーキテクチャは修正が求められる。さらには、通貨を否定し信用というコミュニケーションの情報が価値づけ（reasoned value）の根拠となっているインターネット上の資産をビットウエアと呼ぶとすると、もはやアーカイヴという機関はビットウエアを一元的で独占的に蒐集することは難しいという課題に直面するにちがいない。もちろん、「人間―自然―人工物」から個人の権利を守る著作権なども国民国家が保証しているが、インターネット上では決定的な権利保護にはなっていない。平たく言えば、国民国家が保証している著作権は著作者や表現者の経済的な権益を永遠に保護できるわけではなくなっている。

アーカイヴは力の根拠になるという点で「掟」でありつづけてきたことは確かである。しかしながら、インターネットによって、あらゆる知的な興味の対象が、好むと好まざるとにかかわらず、大量消費可能な商品になりうることが明らかになってきた。アーカイヴは力の根拠になっているが、ポスト・アーカイヴ型アーキテクチャによるビットウエアは必ずしも力を担保するとはかぎらない。ブラウザで検索できるデータが内容を保証するわけではないからだ。もちろんディープウェブで交換されているデータのように、秘境のなかにとじこもって知的洗練を追い求める傾向がある専門家やハッカーに向けたビットウエアも、依然として懐古趣味アルカイスムや綿密な読解を満たす新しい「場」になる可能性もあるかもしれない。アーカイヴに求められる「場」としての特性は、単なる技術開発や社会経済の問題だけではなく、すぐれてコミュニケーションをめぐる倫理の問題を突き付ける。

速度を獲得したポスト・アーカイヴ型アーキテクチャは、「アトム―ビット―人間」の関係から新しい操作と操作子を次から次へと産出し、「自己と他者」といった安定した関係を変えて、超・自己のような価値づけが時々刻々と更新されるサイト（場）を形成しつつある。ヨーロピアナのようなアーカイヴ型アーキテクチャはおそらく国民国家の遺物として、忘れられてしまうことになるだろう。ポスト・アーカイヴ型アーキテクチャを基礎とするメディア創造の実験が繰り返されることによって、「ビットウエアが保証する知の典拠（権威）とは何か」「知とは何か」という問いは、同時代芸術の専門家にとって、常に向き合わざるをえない課題となる。そして、ビットウエアが集積した資料体は、これまでの掟あるいは法の役割を大きく逸脱して、もはやアーカイヴとは呼べないものになっているにちがいない。

注

▼1　デジタル・アーカイブという言葉は、一九九六年に設立されたデジタルアーカイブ推進協議会（JDAA）の準備会議のなかで月尾嘉男氏（東京大学教授・当時）がもちいたとされる。二〇〇五年にはデジタルアーカイブ推進協議会は解散している。事実上失敗に終わったこの国家事業の批判的な検証や総括なしに、どういう背景があるのかはわからないが、中央省庁による「デジタルアーカイブ」への支援は広く長く継続している。総務省『知のデジタルアーカイブ——社会の知識インフラの拡充に向けて』二〇一二年三月（http://www.soumu.go.jp/main content/000167508.pdf. p.6.）［二〇一九年十二月二十日アクセス］

▼2　"Husserl-Archiv der Universität zu Köln,"Universität zu Köln（http://bit.ly/2CMM3Q3）［二〇一九年十二月二十日アクセス］

▼3　プランゲ文庫は、連合国軍総司令部（GHQ／SCAP）の参謀第二部（G2）で戦史室長を務めていたゴードン・ウィリアム・プランゲが連合国軍占領下の日本で民間検閲支隊（CCD）によって検閲目的で集められた出版物を、民間検閲支隊が解体したあとにメリーランド大学に寄贈したもの。一九七八年ゴードン・W・プランゲ文庫と命名。国立国会図書館との共同保存事業によって、マイクロフィルム化やデジタル化が進められている。資料の内訳としては、新聞約一万八千タイトル、雑誌約一万三千七百タイトル、図書・パンフレット約七万千タイトル、報道写真約一万枚、ポスター九十枚、地図約六百四十枚となっている。すでに多くの研究に資するところとなっている。たとえば、在日韓国人コミュニティに関する研究や原爆投下と報道のあり方に関する研究、漫画や児童書の研究にも利用されていて、国立国会図書館ができるまでのGHQ占領下の出版事情をつまびらかに把握することができ、占領期の日本の同時代性を写す鏡になっている。プランゲ文庫の資料は

国立国会図書館のサイトから検索することができる（国立国会図書館「プランゲ文庫の検索」〔https://rnavi.ndl.go.jp/kensei/entry/senryo-prange.php〕［二〇一九年十二月二十日アクセス］）。

▼4 「The Warburg Institute（ロンドン大学ウォーバーグ研究所）」（http://warburg.sas.ac.uk/）［二〇一九年十二月二十日アクセス］

▼5 ハーバード・デポジトリーの概要とドキュメンタリー映像は以下で参照できる。"The Library Beyond the Book"（http://librarybeyondthebook.org）［二〇一九年十二月二十日アクセス］

▼6 『世界の全ての記憶 TOUTE LA MEMOIRE DU MONDE』フランス、一九五六年、二十二分（監督：アラン・レネ、プロデューサー：ピエール・ブラウンベルジェ、脚本：レモ・フォルラーニ、撮影：ギスラン・クロケ、音楽：モーリス・ジャール）。DVD『アラン・レネ／ジャン＝リュック・ゴダール短編傑作選』（紀伊國屋書店、二〇〇一年）に収録してある。

▼7 プラトン『国家』下、藤沢令夫訳（岩波文庫）、岩波書店、一九七九年

▼8 Cristina Acidini, Valentina Conticelli and Francesco Vossilla, *Bernardo Buontalenti and the Grotta Grande of Boboli*, Maschietto Editore, 2012.

▼9 スーザン・ソンタグ『反解釈』高橋康也／出淵博／由良君美／海老根宏／河村錠一郎／喜志哲雄訳（ちくま学芸文庫）、筑摩書房、一九九六年

▼10 Sarah D. P. Cockram, *Isabella d'Este and Francesco Gonzaga: Power Sharing at the Italian Renaissance Court (Women and Gender in the Early Modern World)*, Routledge, 2013, Egon Verheyen, *The paintings in the studiolo of Isabella d'Este at Mantua (Monographs on archaeology and the fine arts)*, New York University Press for the College Art Association of America, 1971.

▼11 海野弘『書斎の文化史』（ティビーエス・ブリタニカ、一九八七年）あるいは原研二『グロテスクの部屋——人工洞窟と書斎のアナロギア』（〔叢書メラヴィリア〕第二巻）、作品社、一九九六年）。

▼12 パトリック・モリエス『奇想の陳列部屋』（市川恵里訳、河出書房新社、二〇一二年）あるいは磯崎新／菊池誠、篠山紀信写真『磯崎新＋篠山紀信建築行脚11 貴紳の邸宅——サー・ジョン・ソーン美術館』（六耀社、一九八九年）。

▼13 Stephen Campbell, *The Cabinet of Eros: Renaissance Mythological Painting and the Studiolo of Isabella d'Este*, Yale University Press, 2006.

▼14 ギリシャ神話では、ゼウスとの間に九人のミューズを産んだとされる。

▼15 フランセス・A・イエイツ『記憶術』(玉泉八州男監訳、青木信義/井出新/篠崎実/野崎睦美訳、水声社、一九九三年)あるいはメアリー・カラザース『記憶術と書物——中世ヨーロッパの情報文化』(別宮貞徳監訳、工作舎、一九九七年)など。

▼16 ホルスト・ブレーデカンプ『古代憧憬と機械信仰——コレクションの宇宙』藤代幸一/津山拓也訳(叢書・ウニベルシタス)、法政大学出版局、一九九六年、二六—三七ページ

▼17 "Vitruvian Man by Leonardo da Vinci"(http://blog.world-mysteries.com/science/vitruvian-man-by-leonardo-da-vinci/)[二〇一九年十二月二十日アクセス]

▼18 ジル・ドゥルーズ『プルーストとシーニュ——文学機械としての『失なわれた時を求めて』』宇波彰訳(叢書・ウニベルシタス)、法政大学出版局、一九七四年

▼19 James Clifford, "On Collecting Art and Culture," in *The Predicament of Culture: Twentieth-Century Ethnography, Literature and Art*, Harvard University Press, 1988, pp. 215-251.

▼20 ヴァルター・ベンヤミン『複製技術時代の芸術』(「ヴァルター・ベンヤミン著作集」第二巻)、晶文社、一九七〇年、一七ページ

▼21 ヴァルター・ベンヤミン『パサージュ論』第一巻、今村仁司/三島憲一訳(岩波現代文庫、学術)、岩波書店、二〇〇三年

▼22 Paul Oskar Kristeller, "The Modern System of the Arts: A Study in the History of Aesthetics (II)," *Journal of the History of Ideas*, Vol. 13, No. 1, Jan, 1952, pp. 17-46.

第5章

歓待のゲーム

クレーマーおじさん

ある芸術祭のディレクターが自らの活動を一般の人向けに紹介したり解説したりするというトークイベントでの出来事。ひととおりの発表が終わり、その後に「そんなわけのわからないことに税金を使うなんて、無駄遣いもいいところだ」「あなたが好きな人やお友達を呼んでいるだけではないのか」「なんだか哲学者の名前とかむずかしい言葉ばかり出てきて、何を言っているのかさっぱりわからない」といった質問で、聴衆のひとりがディレクターを問い詰めはじめた。こんな身も蓋もないような質問でその場が凍り付いてしまう場面に出くわすことは少なくない。私はその張り詰めた空気がそんなに嫌いではない。この手のトークイベントではどうもなれあった質疑応答が多くなるので、こうした類いの質問は、弛緩した場に緊張を与えてくれる。たいていは妙な緊張が走るだけで不毛なことが多いが、場合によっては意義あるものになることもある。

ただその日の質問はいささか度を越していた。ディレクターの顔からはプレゼンのときの余裕に満ちた表情がすっかり消え、過ぎるほど真面目に必死の形相で芸術祭の内容について理解してもらおうと説明の限りを尽くしていた。「この人たちは国際的にも活躍している人たちだ」などと、ディレクターは招聘した人たちの実績を紹介しながら、国際的にも意義がある芸術祭であることを強調する。だが、それがどうやら火に油を注いだようだった。そこで、もとより感じの悪い質問者はどういうわけか激高して、「外人ばかり高い旅費払って呼んで、いったい何人の人がそれを喜んで見たんだ？」といった調子で、もはや質問は罵声に近いものになっていた。さらには「ホテルはどこだったのか」「飛行機代はいくらだったのか」といった質問は具体的で生々しいものになっていった。もはや質問者はクレーマーおじさんになっていた。

クレーマーおじさんが矢継ぎ早に繰り出す理不尽な質問に、さすがにホテル代や飛行機代は明かさなかったものの、ディレクターは明らかに苦渋の表情を浮かべながらも、かなり実直に対応していた。招聘したアーティストなどのゲストについては、とりたてて自分ひとりで決めているわけではなく、事務局には専門家がたくさんいて、その人たちと協議して決めている、企画や運営に関しては、諸外国の主要な芸術祭を参考にしていて、公正に地域の人たちに文化的な意味を説明できるような体制と企画になっている、そんな誠実な説明を重ねていた。

自分がそのディレクターの立場なら、かなり早い段階で激しい口論になっていたにちがいないと思いながら、やりとりをながめていた。とりわけやたらと海外のアーティストの待遇について指摘してくる質問者は最後まで、「国際性が高い芸術祭」をアピールするディレクターの説明を聞き入れようとせず、トークイベントそのものは時間切れで終わってしまった。最後までクレーマーおじさんは「自治体のイベントで外人は必要ない」という主張を繰り返していた。いまどき「ガイジン」を特別視するなど時代錯誤もはなはだしいとも思うが、要するに外国人のアーティストが招聘された芸術祭がことさらお気に召さなかったようである。

錯綜する「寛容と不寛容」

聞いたところによると、この見るからに感じが悪いクレーマーおじさんはいろいろなところに現れては、前述したような質問を浴びせて、イベントの主催者やゲストを困らせているという。このクレーマーおじさんのようにムダに正義感を発揮している人は私が出くわしただけでもひとりやふたりではない。全国津々浦々に頻繁に出没しているのだろうと推察できる。

彼らは自分たちが市民であることをしきりに強調するのが特徴で、何かにつけて税金の無駄遣いと批判するのがたいていである。いわば、「プロの市民」みたいな人たちである。彼らは言うまでもなくコミュニティ意識が高く、地域のお祭りやボランティア集団を仕切っていたりする場合もある。「地域らしさ」のアイデンティティが、なぜか江戸時代のお殿さまだったりするので、同時代芸術の専門家と議論が嚙み合うはずもない。もちろんこの「地域らしさ」に乗じているのがＮＨＫの大河ドラマだったりするので、事態はなかなか厄介である。

廃藩置県が実施されて百五十年以上たつのに、「おらが街」のシンボルがいまだにお殿さまや幕末の志士だったりするのはいかがなものかとも思うが、そういう認識の人もまだまだたくさんいるのだろう。それは仕方ない。こういう考え方の人が相手なのだから、ディレクター氏が「国際性が高い芸術祭」についての企画趣旨をていねいに説明しても、理解や共感はなかなか得られない。鎖国の時代さながらに地域性のアイデンティティを求める人たちに、「国際性」の重要性を理解してもらうことは砂浜に落としたコンタクトレンズを探すくらいむずかしい。さらに言えば、「ガイジン」に対して過剰な排除の意識がはたらいてしまうのも、鎖国意識が強いとあれば仕方ない面もある。

私がこのときことさら気になったのは、クレーマーおじさんが自分の主張を押し付けようとするときに、やたらと「ガイジン」という言葉を使っていたことだ。ここでの主張は、納税者である自分の立場から言って、税金を払ってもいない人を処遇しているのは正しくないという主張であるらしい。いわば、クレーマーおじさんにとって、「ガイジン」には公共性がないということになるようだ。

この類の議論がむずかしい点は、感情的になりやすいことだ。なぜ感情的になりやすいのか。誰だって意見や考え方を他人に押し付けられるのはいやに決まっている。したがって、正しさを押し付けられると反発したり感情的になったりするものである。人は自分の主張が優位に立つことをめざして自分の意見が正しいことを論理的に実証しようとする。これは当然である。議論や論争とはたいていそういうものだ。

社会的な次元では、違った意見の可能性を考えることが論争のきっかけになる。違った意見があるからこそ、社会という人間が交際するうえでの秩序を私たちは自覚しているはずである。帰属している国籍や行政区分はひとつの社会的な次元だが、それ以外の観点があることを認めないとすると、それはもはや社会的な次元ではなく、単なる個人の思い込みだということになってしまう。問題は、論争が社会的な次元を超えてしまったときだ。クレーマーおじさんにとって「ガイジン」が国際展に参加していることは、一見社会的な次元のなかにあるように見える。しかしながら、その主張にはまぎれもなく、好き嫌いという感情の問題が入り込んでいる。社会的な正義に反していると主張したとしたら、それは社会的な次元で主張しているかどうかが、はなはだ怪しいものになってくる。

その一方で、「ガイジンが嫌いだ」という主張をクレーマーおじさんの単なる思い込みとして退けてしまっていいのだろうか。確かに、社会的な次元ではじめから論争にはならないような暴論である。ただ、「正しいから」という理由で強引に人に押し付けようとする人に対して、私が「思い込みが激しい人だ」と一蹴してしまったとしたら、私もクレーマーおじさんと同様の不寛容な人間になってしまう恐れは十分にある。

「ガイジン」に対して不寛容なクレーマーおじさんが、見るからに感じが悪そうで、「ガイジン」を忌み嫌うからと言って、私はそのおじさんに対して不寛容でいいのだろうか。逆の見方をすると、不寛容なクレーマーおじさんに対して私は寛容でいられるだろうか。私は寛容でいようとして、クレーマーおじさんに対して不寛容な態度をとらざるえなくなる。

クレーマーおじさんが「ガイジン」に対して不寛容であることに対して、私は寛容でいられない。私が外国人に対しては寛容だとすると、外国人を排除する意見を押し付けようとするおじさんに対しては不寛容にならざるをえない。誰かが「不寛容なおじさんに対して不寛容になっていることは、寛容な態度ではないね」と私を批判したとしたら、「仰せのとおりです」とうなだれるしかない。やはり厄介な話だ。

『カレーの市民』

クレーマーおじさんの話は氷山の一角で、こうした「寛容／不寛容」の問題は公共的な文化芸術の問題ではしばしば耳にする話である。たとえば、駅前や公園など公共空間に設置されている彫刻作品は、そこに彫刻を設置した人は無自覚であっても、私には寛容の問題を投げかけられている気になってくる。なぜか裸婦像が多かったり、妙に地元の名士を顕彰しているものがあったりするものだから、私も感じの悪いクレームおじさんになってそんな押し付けのパブリック・アートはいらないとクレームのひとつも言ってやりたくなるときもある。なぜ公園や駅前などの公共空間に、裸婦像の彫刻が必要とされているのか。もはや冗談の域である。

彫刻を例にして、公共空間に置かれた芸術作品の社会的な役割についてもう少し踏み込んだ議論にするために、ここで誰もが知っているオーギュスト・ロダンというビッグネームにご登場願おう。ロダンの『カレーの市民』は世界中に延べ八体設置されている、有名な彫刻作品のひとつである。もちろんロダンはおそらく世界で最も著名な彫刻家のひとりだろう。もともと『カレーの市民』は普仏戦争[1]の敗北で壊滅的な被害を受けたフランス・カレー市の市長が、若者の犠牲を顕彰することを目的に町の広場への設置を提案したもので、一八八八年に完成した。趣旨としてはまさにパブリック・アートである。

ロダンの『カレーの市民』は設置にあたって、論争を巻き起こしたこともよく知られている。

『カレーの市民』が戦後の解放感にあふれた市民の姿ではなく、むしろ陰気で疲れきった市民の姿を描き出していたせいで、戦勝気分を盛り上げるような彫刻としていかがなものかと物議を醸したのである。戦後の復興に向けて気分が盛り上がらないと思う人たちが多くいても、不自然ではないほど、ロダンが描いたカレー市民の表情は苦渋に満ちたものだった。

ところが、疲弊しきった市民の姿を描いた彫刻作品が、普仏戦争でカレー市民が受けた被害を二度と繰り返してはならないという前向きなメッセージだと考えたら、どうだろう。戦争の英雄を彫刻でたたえてしまうと戦争の肯定につながるとも言えなくはない。疲れきった市民の姿を描くほうが戦争の悲惨さや悔恨をより正確に伝えることができるという考え方もあるだろう。ロダンの意図はそういうことだったのだろうと推察できるが、当時のカレー市ではすこぶる評判が悪かったらしい。ロダンが描いたカレー市民の様子があまりにも陰鬱なものだったので、それを見ただけで「暗い」「意味がわからない」「この町にはふさわしくない」といった反対の声が上がったようだ。この気持ちもわからなくはない。戦争が終わって解放感を味わっているときに、戦争に打ちひしがれた表情の彫刻が多くの人たちの目の触れるところに設置されては、戦勝気分に水を差された気分になる人がいても不思議はない。

結果的にロダンの案を採用したカレー市長は、戦争をめぐる想像力が豊かになることをロダンの彫刻に託したとも言える。将来カレー市に足を踏み入れる未来の市民に向けて、無条件にロダンの戦争に対する考え方を我慢してでも受け入れてほしいと解釈することもできる。未来の市民に向けて、当時のカレー市長が彫刻をもちいて歓待しようとしている、ということだ。ここで言う歓待とは他者を無条件に受け入れることである。

このように書いてしまうと、当時の市長によるロダンの彫刻を設置する提案がとても理にかなったことのように思えてしまうことも事実だ。「暗い」「意味がわからない」「この町にはふさわしくない」といった意見の人たちがとても凡庸で、未来への展望がまったくなかったように聞こえてしまう。

だが当時の市長の理想は、未来に向けて「寛容になりなさい」と市民たちに服従することをやんわりと求めていることも事実である。当時の市長の振る舞いは、結果的にロダンの表現に「暗い」「意味がわからない」「寛容になりましょうね」と理解を求めたことになる。換言すると、市長は自らの政治的な信条を貫くためにそれに反対する人たちには不寛容さで対応したとも言える。

では、ロダンの彫刻に不寛容さを隠さない人たちに対しても、市長はどうすれば寛容になれたのだろうか。いや、そもそも寛容にならなければならなかったのだろうか。ややこしいが、このややこしさのなかにこの問題についての核心的なテーマが隠れているような気がしてならない。寛容の強制を至るところに見るのだが、それは、一方的な寛容であって、不寛容な人間を無意識に社会から排除してしまう振る舞いに見えてしまう。カレー市の人たちは平和を今後も望んでいたことは言うまでもなく、戦争の悲惨さや市民生活が陰鬱になってしまう戦争を二度と起こしてはならないと思っていることも確かである。

善の構想

不寛容な態度（ロダンの作品は陰気くさくていやだ）に対して、不寛容になる態度（天才ロダンの芸術的な意図を尊重しない人など無視して『カレーの市民』を設置しよう）は寛容とは呼べないだろう。つまり当時のカレー市の市長は、市民感情に対して寛容か不寛容かと言えば、寛容な人ではなかったことになる。もちろん、不寛容な相手に対しては、こちらも不寛容な態度で臨むしかない、という考え方は理解できる。しかしその態度は、あくまで不寛容でしかない。もちろん不寛容だからといって、人間として劣っているわけでも間違っているわけでもない。

ここで二十一世紀を生きる私たちが気にしておかなければならないのは、市長が「善の構想」を示していたかもしれない点だ。「善の構想」とは、一部の人たちに批判されようと「よいこと」を優先して政策を実行する、ある種の政治的な信条である。もちろん「善の構想」はそれほど単純な問題ではなく、多元的で複雑である。侵略や支配を「善」として起こった戦争は世界史のなかで枚挙にいとまがない。人間は正しいと思い込んで戦争を繰り返してきたのだ。だからといって、常に正しい「善」があるはずもない。『カレーの市民』をめぐっては、市長と反ロダン派は互いの「善」をわかりあえない状況に置かれていたにすぎない。しかしロダン反対派の考え方も古いだけで「善」と言えば「善」であり、間違ってもいない。[2]

そうしたわかりあえそうにもない状況のなかで、市長は自らの「善の構想」[3]を政治家として実行に移したのである。市長は政治家という公的権力をもっている人だから、ロダンの『カレーの市民』を設置することを「善の構想」として実践した。そのために政治家としての権力をもちいたのである。そのせいで、結果的にロダン反対派の人たちを抑圧せざるをえなかったことになる。

幸いなことに、『カレーの市民』は近代美術史に残る傑作としてロダンの名前を美術史に刻むことになった。カレー市という都市もロダンの彫刻のおかげでその名を歴史に残すことになり、普仏戦争を記憶するモニュメント（記念碑）としての役割も十分に果たしている。

ロダンのメタ・モニュメント

そもそもロダン本人がアーティストとしてそのときどう考えていたのか、ということが当然ながら気になってくる。当たり前の話だが、『カレーの市民』が特別な作品になったのはロダンという芸術家の力量によるところが大きい。

そうした力量をもっていたロダンに関する研究は膨大だ。最も作家論が多い芸術家のひとりでもある。[▼4]アンソロジーを読んでいると、ロダンは近代という時代や、近代社会に生きる個人というテーマに向き合っていたため、その考え方は近代という時代を知るための教科書のようになっていることに気づく。

近代や個人といったテーマに向かい合っていた当時のロダンは、『カレーの市民』を少なくとも英雄の彫刻として残すことに興味はなかったようだ。近代的であること、そして近代的な個にこだわるロダンが、英雄や聖人を称賛するモニュメント（記念碑）のような彫刻をつくりたかったはずはない。彫刻はヒロイズムや宗教的な高揚感から自由にならなければならないとロダンは考えていたはずだから。

少なくとも、『カレーの市民』を制作するロダンの態度はあくまで近代人として政治的だった。そしてなによりもその前に、自己と向き合う芸術家だった。ややむずかしい言い方をすると、ロダンのテーマは自己の多元的な本来性にあったように思う。自己の多元的な本来性とは要は根本的に近代社会に生きる「わたし」は多様であり、不変ではないということだ。もう少し『カレーの市民』に沿って言えば、戦時中と戦争後の自己は同じ身体をもつ「わたし」だが、同じ存在とは思えないほど法や政治に依存している存在である、ということだ。

だからこそ、戦争から解放されたカレー市民をテーマとして向き合ったとき、センチメンタルなナルシシズムに陥ることなく、ロダンは歴史的で非個人的な虚像として戦争に翻弄されたカレー市民を描くわけにはいかなかったのだ。人々がロダン自身と同じように、戦争で生死にさらされることの理不尽さを彫刻が語り、その物語で人々が戦争の悲惨さや無意味さを心理的なつながりとして感じなければならなかった。

普仏戦争という歴史的な瞬間が古代の物語ではなく、たったいま自らの身に降りかかっている出来事のような印象を人に与える姿を、ロダンは描きだしたかったにちがいない。戦争や市民を政治的なモチーフに、戦争の犠牲となった一市民を、ある種のメタ・モニュメント（モニュメントについてのモニュメント）として表現したのである。

だが、市長の意向に沿って作品を完成させ設置したのだから、結果的に自分の考え方を貫いたロダンの態度は、英雄像をほしがっていった人たちにとって不寛容な態度に思えたのかもしれない。

ここで整理しておくと、当然ながらロダンはモニュメントの依頼をされ、『カレーの市民』を制作し設置した。未来に向けて「寛容になりなさい」と市民に服従を求めた市長の「善の構想」に応えたロダンは、「善の構想」を実践した芸術家ということになる。市民の反発は多くの人たちが慣れ親しんだ境界を侵して、異物を提出したことが原因と言える。異物は不愉快だったり目障りだったりする。だからこそ異物になるのだ。先述したクレーマーおじさんがいたら、目障りだからいらないなどと言ったりするのかもしれない。

『カレーの市民』は苦渋にあふれた人間の表情をあえて暴露している。この表現によって素朴な記念碑となることを拒否し、それまでになかった「よそよそしさ」をこの彫刻はもたらしたということになる。この「よそよそしさ」に、当時のカレー市民は違和感や嫌悪感を覚えたのかもしれない。見方を変えると、ロダンは偏狭な他者性という考え方がもっている倫理的な態度、つまり他者への向き合い方を間違うと戦争という力の行使に至ってしまう愚かさを彫刻という形式で示したとも言える。他者性の表現とは単なる「よそよそしさ」ではなく、「自分ではない誰か」を暴露して自己の認識を高めることだ。戦争で抑圧された陰鬱な「私たち」を「過去にいた他者」として表現することで、現在を生きる「私たち」はどういう人間であるのか、さらに言えば「近代に生きる人間とはどのような存在なのか」という問題を彫刻という形式で投げかけたのである。このように、彫刻という芸術の形式がモニュメントとして利用されることに関して、どうしても事例として検証しておきたいことがある。被爆地・長崎のことだ。

平和祈念像

八月の日本はどこも暑い。だが長崎の夏はからだにまとわりついて、その暑さは振りほどけない気さえする。湧き上がってくるような海からの湿気、山肌から降りてくる熱風。そんな暑いさなか、毎年八月九日になると、この場所では広島と同様に総理大臣も出席して原子爆弾で亡くなった人たちを追悼する平和祈念式典が開かれる。式典のひとつのハイライトでもある長崎市長が読みあげる「長崎平和宣言」は、その年の被爆者の立場を政治的に表明するとても大事なマニフェストである。

その政治的な儀式がおこなわれる長崎平和公園は、原子爆弾が炸裂した爆心地の少し北の丘陵地に向かって整備され、被爆から六年後の一九五一年（昭和二十六年）に完成した国立の公園である。長崎にも原爆資料館、原爆慰霊碑など、広島と同様、記憶装置としての「痕跡」が爆心地付近に集まっている。もちろんたくさんの観光客のほか、修学旅行のコースにもなっていて、年間を通じて多くの人が訪れている。

ただこの長崎市平和公園を訪れる人の多くが思い浮かべるひとつの疑問がある。それが平和祈念像の存在である。平和祈念像は彫刻家・北村西望によるもので、四年がかりで制作され、国内外からの寄付金三千万円が制作費としてあてられ、台座の制作費二千万円を長崎市が負担して完成した。毎年政府主催で開催する平和祈念式典は、世界各国に向けてさまざまなメディアを通じてその式典を伝えている。そのため平和祈念像は世界的にも有名な像になっている。

それにしても、「なぜあの像が原子爆弾と関係があるのか」と疑問に思った人は私だけではないだろう。そもそもあの場所でポーズをとって座っている像はいったい誰なんだ？　どういうわけで長崎はあの像に平和を託しているのか。どうしてあの場所に座っているのか。なぜ女性ではなく男性なのか。あのポーズは何を意味するのか。

像の台座に記された説明によると、上空を指さしている右手は原爆の脅威を、水平に伸ばした左手は平和を、横にした足は原爆投下直後の長崎市の静けさを、立てた足は救った命を表し、軽く閉じた目は原爆犠牲者の冥福を祈っているということらしい。彫刻家の作品に込めた思いということなのだから、あのポーズに文句を言っても仕方ない。まずはそういうものだと理解するしかない。

それにしてもあの男性はいったい誰なのか。人間の属性、たとえば身体的な特徴から見ると、なにやら筋骨隆々としたヘラクレスにも似た西洋人のようでもある（このことはいまでも何かと問題視する人たちもいるらしい）。確かに、原爆投下や被爆者を象徴するにしては、何か腑に落ちない男性の像ではある。

記憶に「正しさ」はあるのか

一方の被爆地・広島。広島の平和記念公園はよく知られているように、建築家・丹下健三のチームによって原爆ドームと当時の都市の痕跡が絶対化されている。それに対して、長崎の場合、平和公園のなかに当時の都市としての痕跡がほとんど見られない。原爆ドームのように被爆の悲惨さを視覚的に伝える象徴的な戦争遺産が存在しないのである。

もし原爆ドームのような都市の痕跡を残すのだとしたら、長崎の場合は浦上天主堂だったはずである。浦上天主堂は爆心地から数キロの場所にあった、長崎でも有数の大教会である。この浦上天主堂では原爆が頭上に炸裂したとき、主任司祭・西田三郎によるゆるしの秘跡（告解）がおこなわれていて、信徒が訪れていたという。集まっていた信徒は全員被爆して死亡した。

長崎の被爆は広島のそれと条件がかなり違っている。広島では、市のほぼ中心部に原爆が投下され、三角州が広がっている都市圏に沿って被害が市の全域に及んだ。

それに対して、長崎に落とされた原子爆弾は市の中心部からはずれた浦上地区の頭上で炸裂した。プルトニウム２３９を使用する長崎に投下された原爆「ファットマン」は、広島に投下されたウラン２３５の原爆「リトルボーイ」の一・五倍の威力があったにもかかわらず、長崎の独特な地形、たとえばすり鉢状の斜面が多く山の陰になっている場所が多いという地理的な条件が重なったこともあり、長崎の中心市街地は広島ほどの壊滅的な打撃は受けていない。実際、浦上天主堂とほぼ同じころ（開国後の幕末期）に建てられた市の中心部に近い大浦天主堂は原爆の影響はほとんどないまま、いまでも創建当時の姿をとどめ、国宝に指定されている。

一方、浦上天主堂は被爆から十三年を経過した一九五八年まで、被爆当時の凄惨な姿をとどめていた。それを原爆ドームのように原爆のシンボルとして保存することもできたわけだ。だが実際にはそうはならなかった。できなかった理由については、さまざまな見解がある。爆心地である浦上が長崎の中心市街地からはずれた地区にあり、クリスチャン信仰の地だったこともその要因としてあげられることもある。無理もない。よりにもよって、日本で有数のクリスチャンが多い地区に原爆を落としてしまったのだから、その痕跡を、アメリカをはじめとする連合国が残したくないと考えても、さほど不自然な話ではない。長崎の原爆は投下された時点で、落とした側にとっても認めたくない不都合な事実があるのだから、モニュメントという記憶の痕跡が都合よく改竄されても仕方がないような、不運な状況を背負っていたのだ。[5]

浦上燔祭説

結果的に、浦上天主堂は原爆の遺産として被爆当時のままの姿を遺されることはなかった。アメリカ政府による圧力が大きく影を落としているとも言われる。市議会も賛成していた浦上天主堂の現状保存案に対して、アメリカ政府が当時の市長と大司教に圧力をかけたという説もある。さらには永井隆『長崎の鐘』が利用されたことも指摘されている。[6] 自らも長崎医科大学で被爆し被爆後の長崎で治療にあたり、結果的に四十三歳の若さで白血病によって命を落とした永井は長崎ではいまでも特別な存在である。その永井を有名にしたのが著書『長崎の鐘』である。永井は「エロスの長崎　マリアの浦上」と述べる。出島を擁して江戸時代から花街と商業で繁栄しつづけてきた長崎市街とは異なり、江戸時代から仏教徒に身を隠して貧しい農民たちがマリア信仰を続ける浦上とは大きな温度差があったことを指摘する。そして、被爆の経験について、クリスチャンの立場から次のように総括している。

終戦と浦上潰滅との間に深い関係がありはしないか。世界大戦争という人類の罪悪の償いとして、日本唯一の聖地浦上が犠牲の祭壇に屠られ燃やされるべき潔き羔(こひつじ)として選ばれたのではないでしょうか。▼7

ここで永井は、浦上天主堂で被爆し亡くなった信者の人々を、「羔(こひつじ)」と呼んでいる。凄惨な戦争を引き延ばしてしまった結果、被爆者が人間の裁きに捧げられる羔といういけにえになったと永井は述べたのだ。「終戦と浦上壊滅」との関係に目を向けていることから考えても、これが戦前の日本政府や軍部に向けられた批判であるとも読める。さらに、「世界大戦争という人類の罪悪」という表現からは、そもそも戦争を引き起こしてしまった罪深い人類全体も責任を負うべきで、その責任を浦上のクリスチャンたちは神に選ばれて先んじて負ったというキリスト教の原罪という教義を感じさせたりもする。

それにしても、クリスチャンの敬虔さとはそういうものかと思う半面、そこまで寛大さを発揮できるのかといぶかしく思えてくる。原子爆弾の製造と投下という暴挙の責任を、被爆して亡くなった人間が先んじて負うという考え方など、なかなかできるものではない。仮に思っていたとしても、被爆地・長崎で口にしたりすることは勇気がいることである。被爆者という戦争被害者がいる街で、戦争そのものの責任を被爆者も負うのだという考え方は、暴論だと批判されても仕方ないだろう。

実際に、このような永井の言説を「クリスチャンの独善」[8]あるいは「浦上燔祭説(うらかみはんさいせつ)」[9]として批判的に論じるものもある。詩人・山田かんは永井らの言説を被爆の実態に即していないクリスチャンの独善的なエゴイズムであると批判すると同時に、行政による爆心地周辺の観光化に無力感を表明していた。

ただ、観光化を懸念していた山田でさえ、浦上天主堂は被爆建造物として世界に向けたメッセージとして遺すべきであるとも主張していた。山田と同様に、長崎市議会も旧浦上天主堂の保存に傾いていた。ところが、『長崎の鐘』が出版された一九四九年に長崎市は「国際文化都市」を宣言して「公園」の建設を決め、廃墟として五八年まで遺っていた旧浦上天主堂は取り壊されることになり、長崎は象徴的な被爆の痕跡を決定的に失うことになった。

永井のような被爆をめぐる考え方は、よしあしにかかわらず、ひとつの物語として受け継がれる。その永井という語り部の考え方が結果的にGHQやアメリカ政府に利用されたと理解されても不思議ではない。クリスチャンの国民も少なくない連合国側、とりわけアメリカ国民の心情を考えても、いくら戦時下にあるとはいえ、教会が大量殺戮兵器である原爆を投下した事実の表象となることはなんとしてでも避けなければならなかったのかもしれない。

そして「おじさん」が座っている

被爆した旧浦上天主堂の側壁は平和公園に移設され、原爆遺産として公園を訪れる人々の目に触れられる状態にはなってはいるものの、はっきり言ってモニュメントとしての存在感はまったくない。もしクリスチャンが祈りを捧げてきた浦上という土地の固有性を尊重して、日本人でもアメリカ人でもない第三者がこの地の記憶をデザインしていたら、いろいろな「自由」が思考されるきっかけになっていたかもしれない。実際に浦上には敵国のスパイ扱いされ、第二次世界大戦中にも投獄されていたキリスト教信者がいたほどだ。キリスト教徒への弾圧は江戸時代で終わったわけではない。第二次世界大戦中に至るまで続いていたのである。そのことを考えても、長崎の被爆をめぐる記憶を浦上天主堂に託すことになれば、「異端」や「自由」について考えたり話し合ったりするうえでふさわしい場にもならなければならない。

いずれにしても、長崎の平和公園は被爆に関するいろいろなことを封じ込めてしまう開かない引き出しになっているとも言える。もちろん、平和公園は公園という名前がつけられてはいるが、少なくとも単なる憩いの場ではない。だからといって、平和や原爆について視覚化し語ったり学んだりする教化啓蒙の場でもない。「平和祈念」を合意形成する政治的な場となっている。しかしながら、原爆が投下された事実を思い起こすという以上の想像力がはたらかない場にもなっている。

平和祈念像は芸術が政治利用された典型的な例である。平和という抽象度が高い観念をメタファーとして表現することを要請されたのだから、第二次世界大戦後という同時代を反映していることは間違いない。つまり、芸術家が宗教性も歴史性もまったく欠いた、「おじさん」を「何でもないモニュメント」あるいは「無意味な彫刻」として制作することで、被爆という経験のシステムを宗教や文化などから遠ざけて中立化し、記憶の制度化を形象化したとも言えるのだ。ここには、ハンス・ゼードルマイヤーが「中心の喪失」[10]と指摘した宗教性も歴史性も欠いた状況を生み出すことによって、むしろ芸術は政治的な役割を果たすという近代性が皮肉にもはっきりと現れている。

こうなると、素朴に「戦争の記憶って何だろう」という問いが頭をもたげてくる。それ以前に、「記憶とはいったいどんなことを意味するのだろう」という問いさえ浮かんでくる。これは、誰もが一度ならずとも抱いたことがある純朴な問いである。覚えている、あるいは覚えておくといったことは、人生そのもののように思えるときもある。もちろん被爆者たちにとって、原爆をめぐる記憶は人生そのものである。その人生を「おじさん」の彫刻に託している。やはり、妙と言えば妙な話である。

「おじさん」の彫刻は何を表象しているのか

被爆者はなんと言われても、たとえどんな慰めやねぎらいを受けても、原爆のことを簡単に忘れ去ったり、悲劇的で凄惨な被爆体験をいや応なく背負うことになった人生をどこかに追いやったりすることなどできない。その悲劇的で凄惨な結末がもたらされた突然の大変動、つまりカタストロフの再現は可能か。そして、その再現（＝表象）の試みにはどんな意味があるのか。こういった問いに必ず直面することになる。著者が幼いころからなんとなく思ってきたことだが、両親や祖父母が語る被爆の話はとても悲劇的で凄惨だったものの、どこか興味をそそられるおもしろさがあった。もちろんそのおもしろさを、まだ年端のいかない自分が理解して想像することなど、とうてい無理だとも感じていた。いま振り返ると、おもしろさを感じている時点で、すでに理解や想像など不可能であることを証明しているようなものである。

実際、分別あるとされる年になっても、「理解や想像など無理だ」という思いは後退するどころか強くなるばかりだ。しかも被爆二世の私に、被爆の悲劇的で凄惨なカタストロフを理解する、ましてやあたかも一九四五年八月九日に長崎で被爆したように語ることなど、とうていできないように思う。被爆一世の経験を背負うことがつらいのではなく、「被爆者に寄り添う」という態度そのものが傲慢であるような気がしてくるのだ。

その結果、私にできることは何もないと思ってしまうことになる。「おじさん」の存在感を目の当たりにするたび、その思いは強まっていく。

映画『ショア』(一九八五年)の監督クロード・ランズマンは、ホロコーストの経験を表象することと、つまり言語化や象徴化は不可能であると不自然なくらい断言している。[11] ホロコーストは言語によって再現したり芸術作品のような隠喩として表現したりすることを拒んでしまうほどの、想像を絶した状況である。その人知を超えてしまったホロコーストという状況について、ランズマンは「語りえぬこと」を表象することは不可能であり、また無理に表象することは過去に対する重大な侵犯行為になるとしている。

では、「おじさん」の彫刻、つまり平和祈念像の制作は重大な侵犯行為をしてしまったことになるのだろうか。だが、おそらくそれには当たらないだろう。「おじさん」はホロコーストを伝えているわけではない。「おじさん」はいわゆる「被爆ナショナリズム」[12]のシンボルにすぎない。国民国家が戦争の原因になったことをめぐって、「物言えぬ場」がこのあたりにあることを人々に伝える標識にすぎない。つまり、理解もできず想像も許さないような「物言えぬ場」として特定されていることがカタストロフの痕跡となっているのだ。

西洋的な芸術史で、比喩としての芸術作品が文化をつくりだし歴史を担ってきたことは確かである。ヨーロッパの歴史そのものは文学的教養人による君主型知識社会の形成の推移と密接な関連がある。君主型知識社会は信仰や啓蒙といった要素を取り込みながら、ある種の階級社会のバランスを絶妙にコントロールしてきた。君主型知識社会では、「語りえぬこと」として場が特定されていることが重要なのだ。

文化（culture）とは耕すこと（cultivation）を語源とする概念だが、その場所に特有な（site-specific）表現のあらゆる痕跡として位置づけることができる。そこに「第一の芸術」として建築が位置づけられてきたことは、誰にとっても直感的に理解できるだろう。記憶をめぐる物理と生理と心理は、言うまでもなく場所に力を与えるテクノロジーに依存しているからだ。アーカイヴはその場所に特有な結び付きに関する来歴や典拠（権威）を保管し、管理している場所にほかならない。

ところが、長崎には原爆にまつわる事実を知るための資料が圧倒的に少ない。言うまでもなく、被爆地・長崎には原爆に関するアーカイヴはなく、原爆の開発や原爆投下に至るプロセスや背景をつまびらかに知る客観的な資料が決定的に不足している。「おじさん」の彫刻で原爆の悲惨さを語りつづけようというわけだ。「おじさん」の彫刻は当たり障りのないモニュメントとなることで、被爆ナショナリズムを支える視覚的な表象として機能してきたのである。

「パラ」の政治学

彫刻は大きく威圧的なものが多い。しかも見るからに重そうだ。この重そうで大きい存在感が彫刻を意味があるものに見せていることも確かである。そして彫刻にとって台座は重要な要素だ。彫刻を威圧的で権威的にしているのはおそらくこの台座だろう。見る人の視線を垂直方向に向けさせることによって、威圧的あるいは権威的な意味をもたせているものが多い。それは彫刻という表現形式に与えられたひとつの運命のようなものである。

ロダンは『カレーの市民』の制作にあたって、彫刻を威圧的で権威的にしている台座について考えた末、大きく高い台座の上に設置しない決断をしている。見る人たちが見上げるのでなく、目線の高さで『カレーの市民』が見られることを意図した。いわゆる垂直状の視線を促す英雄や偉人の肖像とは違って、粉骨砕身で故郷を守ろうとした市民の生きる姿を台座なしで設置することで、水平方向に視線を向けてもらえるような設置をめざした。でもこの設置をめぐって、ロダンと市側はずいぶんともめることになってしまう。

「記念碑という名目で予算を組んでいるのだから、台座で高くして記念碑のように設置しないとまずい」などと市側が苦言を呈したのかもしれない。結果的にこの件は物別れに終わっている。彫刻自体も、六人のなかには、頭を抱えて苦悩するポーズの人もいる。見る人に「あなたたちと同じ普通の人」というメッセージを放っているわけだ。こうしたロダンの考えが反映されたせいか、現在のカレー市庁舎前の『カレーの市民』は（台座自体はあるものの）低い台座に設置されている。しかし、完成当初はそうしたロダンの考えは受け入れられず、一九二四年までは、通例に従って高い台座上に設置されていたそうである。世界各地で設置されている十二体の『カレーの市民』は同じ型から鋳造されているが、おおむねロダンの意図どおり、低い位置での展示がなされている。

さらにアメリカには、これが「ロダンの真意だ」と言わんばかりに、六人をバラバラに配置し、その間を通行人たちも自由に歩けるように設置しているところもあるようだ。ここで問題にしたいのは、台座制作のあり方によって、作品そのものがきわめて政治的なものになってしまう点だ。台座は彫刻作品の一部である。絵画で言えば額縁のようなはたらきをしている。そして、台座や額縁は絵画の画面や彫刻のボリューム以上に「物を言う」ことがある。

作品の価値が台座や額縁といった作品以外の要素によって決まってしまうことがあることを、「パレルゴン」と呼んで論じたのが哲学者ジャック・デリダである。[13] パレルゴンとは語源的には、ギリシャ語の作品を意味する「エルゴン（作品）」の「パラ（傍らにあるもの）」のことを意味する。デリダは大胆にも、芸術の美や真理は、パレルゴンによる枠づけ作用のひとつの効果でしかないと言いきった。むしろ、作品の本質と本質でないものといった二項対立そのものが無意味だと論じたのである。

ここまで言いきってしまうのもどうかとは思うが、確かに芸術の権威的な側面をうまく言いえているのではないか。これは作品とその額縁や台座などの構成要素との関係だけではない。美術館や劇場あるいはホールなどにもあてはまる。たとえば、バイロイト祝祭劇場でおこなわれる演目は

「由緒ある」「権威がある」劇場でおこなわれるだけに、「由緒正しい」「権威がある」演目となる。劇場の「由緒」「権威」は演目にとっては額縁のようなもので、演目そのものとはあまり関係はない。「由緒」と「権威」で観客を迎えているのだ。

平和祈念像は『カレーの市民』と同様に、行政府の依頼に近いものとして制作されている戦争モニュメントである。芸術作品である以前に、記念碑としての役割を負った公共的な建造物である。その公共性が制作にあたる彫刻家には求められている。台座の構造と意匠も作品の一部だが、その技芸は芸術家の資質に委ねられている。だが、結果的につくられた像は「作品」ではなく「記念碑」となる。記念碑はラテン語の「記念物（monument）」を語源としていて、「気づかせる／想起させる」という単語の意味から派生している。台座というパレルゴンは「気づかせる／想起させる」にあまりある「由緒」と「権威」で、観客をある政治的な意図をもって誘導しているとも言える。

もちろんこのモニュメントとしての像に、「エルゴン」と「パレルゴン」の議論が必ずしも有効であるとは思えない。とはいえ「パレルゴン」の「パラ（傍らにあるもの）」が平和祈念像の像（イメージ）を生み出しているようにも思える。たとえば、国立の特別な公園に平和祈念像が設置されていることや国立の東京美術学校出身である北村西望が彫刻家として選ばれていることなど、戦後日本の国民国家を思い起こさせる情報が「パレルゴン」的なはたらきをして、平和祈念像に被爆ナショナリズムの「由緒」と「権威」を与えているとも言える。

台座が語る寛容

さらに言えば、平和祈念像の台座に書かれた北村西望の制作意図が「パレルゴン」の「パラ（傍らにあるもの）」として、この像の性格を決定づけている。一般的に平和祈念像は、「神の愛と仏の慈悲」が表現されているという。[14]「神の愛」については、『新約聖書』の「コリント人への手紙」第十三章四―七節に記してある。[15]また「仏の慈悲」とは寛容の心をもつことという教えである。その仏の慈悲も宗派によって異なるものの、おおむねどの宗派も寛容を説いている。キリスト教と仏教の考え方の違いはあるものの、平和祈念像はおよそ「寛容」を表現していることになる。

平和祈念像が寛容を表現しているのだとしたら、その寛容とはいったいどのようなものなのだろうか。その当時の権力は原爆投下に関して寛容を平和祈念像に託し、政治的な信条として示したということになるのかもしれない。原爆を落としたアメリカに対しても、戦争を引き起こした当時の日本軍や日本政府にも、強制的な労働に駆り出していた軍需産業などにも寛容の意を政治的に表明していることになる。

寛容を表現しているというと聞こえはいいが、現在平和祈念像が果たしている役割を考えると、寛容という考え方もいささかうさんくさいものに思えてくる。寛容にはとても自由で心が広いといった意味でとらえられる印象があるが、哲学者ヘルベルト・マルクーゼはこの語感と歴史的な必然性、つまりカトリックの独善的な父権主義を批判する。[16]マルクーゼは「抑圧的寛容」という考え方から、寛容がもっている本質的な問題を批判した。つまりどんな公明正大な態度をとったとしても、寛容はあくまでマジョリティの論理で、この論理がパターナリズムとしての性質を帯びていて、それを乗り越えることは不可能であると論じる。そして、寛容であるべきか、不寛容な態度をとるべきかという境界線はマジョリティの政治力次第で常に恣意的に決定されるとした寛容の態度をとればとるほど、権力のように抑圧する主体、たとえば権力をもつ国家の体制が隠蔽されてしまうこともしばしば起こる。民主主義の理想や手続きが理想化され強調されるほど、人々は寛容の大義のもとに抑圧されているにもかかわらず、自由だと勘違いし、その「自由」のもとで判断したり振る舞ったりしてしまうのである。それが、二十一世紀になって顕著になってきた「寛容の帝国」[17]である。アメリカ同時多発テロなどをきっかけとして、他者と向かい合うイデオロギーとして寛容が語られるようになっている。

　そうしたテロや地域紛争が世界中で起こっていることを背景として、強い立場の人々が世界を自分たちに有利なように管理する「寛容の帝国」ができあがっているとも言える。寛容は抑圧的な支配の方便になってしまうものである。平和祈念像がある平和公園は、当初から「祈り」や「聖地」の場としてではなく、公園全体の被爆ナショナリズム化が徐々に進められる、被爆ナショナリズムという「寛容の帝国」を捏造する聖地の擬態（ギミック）として、整備されていったのである。

　公園全体の「聖地化」にあたって、平和祈念像は「祈り」のアイコンとして利用されることになった。その第二次世界大戦後の混乱や紆余曲折を差し引いたとしても、寛容にはさまざまなニュアンスが含まれているため、被曝の記憶という点からも細心の注意が必要になる。この点に関して、エヴァ・ホフマンは次のように指摘している。

個人的なものではなく間接的に伝えられる記憶は、いわゆる「集団的な記憶」という概念で説明できるだろう。この概念は一九三〇年代にフランスの社会学者モーリス・アルヴァックスによって初めて使われたもので、私たちは過去の或る部分を共通の文化財産として「記憶」し、共有すると説明されている。[18]

「集団的な記憶」は最近再び注目を集めているが、もともと虚構の理論だったものが都合よく理解されて誤解を招くことになった。そのような「記憶」には、記憶する主体も記憶の過程も、さらに回想と経験の過程も、さらに回想と経験のつながりも存在しない。

過去は決してひとつではない。歴史的な事実はひとつのように見えてしまうが、考え方によってはさまざまな局面が現れてくるものである。長崎の原爆投下はひとつの歴史的で悲劇的な事実であることは間違いないが、永井隆と山田かんとでは事実の受け止め方が大きく異なっているように、「ヒバク」の事実もひとつではない。記憶のあり方に共同性をもたせてひとつのものにまとめようとすると、ホフマンが指摘しているように、「集団的な記憶」という特殊な記憶に誘導されてしまいかねない。広島や長崎で、原爆の表象を「聖なるもの」として彫刻や遺構として視覚化することは、原子爆弾の投下という史上最悪の愚挙のひとつを誤った神秘性に導き、プロパガンダに利用されたり、偏狭なナショナリズムに回収されたりしかねないとホフマンは警戒しているのである。芸術家という専門家が記念碑として造形する「集団的な記憶」は好むと好まざるとにかかわらず、偏狭なナショナリズムへの誘導に手を貸してしまうことにもなりかねないのである。

現代社会で問題になっているホフマンの警戒を、ロダンは十九世紀末の段階で『カレーの市民』の制作にあたって理解し、克服しようとしていた。そして、この試みは歴史的事実のひとつを思い起こさせるだけの記念碑ではなく、個人が見たという経験として感じられ、その経験を伝える可能性を問う賭けでもあった。

ロダンをめぐる驚きは、近代的な社会構想の思想に基づいてつくられたはずの芸術というジャンルに、歴史的な連続性がはっきりと見いだされている点だ。その驚きは同時代（コンテンポラリー）という「現在」に関連づける歴史的な装置になっているにとどまらず、もはや公共性のあり方や倫理的な境界まで引き受けているように思わせる点だ。

もちろんロダンが考えている善が、どんな時代でも誰にでも通用するとはかぎらない。多くの紛争はその背景が宗教だろうと政治だろうと、善をめぐって思考が停止するほど不寛容になった事態である。原子爆弾の投下のように、相手を抹殺してしまおうという判断がはたらいてしまうほどの事態になることだ。つまり、虐殺や戦争などの社会的暴力は別の人にとっての悪になりうるし、最悪の場合、利益や価値観が深刻に対立し、対立している相手の人格や尊厳までを損なってしまいたくなるほど不寛容になってしまうのだ。

不寛容さは、異なる価値観の持ち主同士が協働して問題解決に向き合うことができなくなった思考停止の状況である。

不寛容の末路は、身分や出自、あるいは状況の違いをことさら誇張して、その誇張を根拠に他者を敵視し、抹殺しようとする。抹殺することでカタストロフが訪れるはずだという考え方は、不寛容のなれの果てである。原爆投下という事実はまさにその不寛容の「なれの果て」である。こう考えると、不寛容について寛容で表現している平和祈念像はなんとも自己言及的である。そしてもちろん欺瞞を表象する像（イメージ）でもある。

寛容の芸術史について

寛容は正しさの根拠のようになっていて、寛容になることが正しさを導くといった、ある種の話法として利用されている。寛容は「すべてを許す」といった心の広さを語感としてもっているものの、すべてを均質化してしまうような精神のあり方を意味してしまう語感も含んでいる。寛容はキリスト教、カトリック教会の立場から出てきた考え方で、独善的な家父長主義的な考え方を引きずってどこか上から目線で「偉そう」である。ナントの勅令にしても、平たく言えば自分のほうが正統だが正統ではないものも現実的に受け入れなければならないという寛容を表明したものである。著者は西洋美術史にも寛容と同種の「偉そうな何か」を感じて、息苦しさを感じることがある。主体論はどこかとても息苦しい。デリダもその「偉そうな主体論」が息苦しいのか、寛容がマジョリティからマイノリティに対するパターナリズムであるかぎり、他者をめぐる関係性を問うには、寛容という概念には限界があると考えていたようである。

十六世紀から十七世紀にかけてヨーロッパで生じたカトリックとプロテスタントの宗教対立による殺し合いをなんとかしなければならないという切実さから生まれた寛容は、ある種の理想に向かう意志（イデオロギー）である。寛容は意志であると同時に、切実な状況から発明された合理的で政治的な判断でもある。

誰も得することがない殺し合いという非合理性を回避すべく生まれた合理的な解決策として、寛容は発明されたのである。

いま私たちが触れている西洋美術史は、キリスト教カトリック教会が扱った美術や音楽あるいは演劇などを中心に記述されている。近代以降の芸術史はどんなジャンルも、寛容を根拠にしているのではないかと思うほどだ。キリスト教の父権主義を正統な歴史観としているからこそ、芸術は芸術たりうるとでも言いたげである。暑苦しいし、感じ悪い。この感じの悪さは相当根が深い。

世界中の「キュレーション」や「演出」あるいは「監督」は、「寛容の帝国」を背景としたエリート意識に支えられている。もちろんこの「寛容の帝国」を背景とする選民思想が心地よくて安定感を覚えたりするオーディエンスもいるので、いきおい芸術は社交のツールとなりアートワールドはどんどん高級なクラブやサロンのようになる。そのようなセレブ感に浸る人々が世界中に多くいることも確かである。寛容という態度が、芸術を特権的なものにしてきたのである。前述のクレーマーおじさんは、そういった権威的な芸術のあり方を直感的に嗅ぎ取って物申す人だったのかもしれない。

目線が高い寛容は、イデオロギーとしても非合理性を回避すべく生まれた合理的な解決策としても、誰もが理解し受け入れられるものではない。人間は記憶力という点でほかの動物を圧倒している。でも余計なことも覚えてしまうあまり、人間はそれほど簡単に合理的な判断ができない悲しい動物である。間違っているとわかっていても、多くの人たちが首をかしげる行動をとってしまうものである。またいやな思いをしたことはとてもよく覚えているので、他者とその文化を受け入れることにもまた独自な話法が必要となる。自分を納得させなければならないからだ。その話法としては、記憶力がいい人間が相手を受け入れる合理的な考え方として、寛容は理想的な態度として受け止められてきたのかもしれない。いわゆるマルチカルチュラリズムやダイバーシティという考え方は、いわば「寛容の帝国」の産物でもある。

多様性について

寛容の態度がマルチカルチュラリズムを生んだとすれば、二十世紀のマルチカルチュラリズムは未開人と子ども、そして障害者を発見し、「なんて純粋なんだ!」という驚嘆の話法を駆使して、芸術として組み込む方法を「発明」してきた。

一九八四年にニューヨーク近代美術館でおこなわれた「プリミティヴィズムと近代芸術」展は、オセアニアやアフリカの作品が、いわゆるモダニズムの形式(フォーマリズム)とどのように近似しているかということを探るメルクマールとなった。

自分たちの優越性を確信しているにもかかわらず、アフリカやオセアニアの芸術作品を線、形態、形式としてはモダニズムの芸術家がもっていたのと同様の意識で作品をつくっているとでも言いたげに、自分たちの歴史に組み込んでいくわけだ。モダニズムのフォーマリズムを歴史として正当化したいがために、美術史にとって他者である未開人と子ども、そして障害者を利用していると言われても反論の余地はないだろう。これがエリート主義的な芸術をつくりあげるひとつの手口でもある。これもまたすこぶる感じが悪いが、その手口を楽しむ知的エリート主義も近代的な芸術史にとっては、ひとつの特権のようになっている。

こうしてできあがる多文化主義は、「プリミティヴィズムと近代芸術」展がおこなわれたころにはすっかりアートワールドの中心的なテーマになっていた。一九九〇年代になると、パリでも「大地の魔術」展が大きな話題になるなど、アメリカを中心にアートワールドは多文化主義にすっかり夢中になっていた。いわゆる「西洋」以外の地で生まれた文明と芸術との関係を「主題（Subject）」として取り上げ、人類学や民族学との接点としての役割を果たす新しい美術館が、九五年から「原始美術」（プリミティブ・アート）の研究者ジャック・ケルシャシュらの構想に基づいて計画が開始された。パリの人類博物館にあった民族学資料三十万点と、国立アフリカ・オセアニア美術館にあった民族美術コレクション三千五百点からなるケ・ブランリ美術館が開館した二〇〇六年のころになると、原始美術は西洋美術の重要な一翼を担わされていた。もちろん一九八〇年代後半から九〇年代のアートマーケットにも、多文化主義の波が押し寄せた。

この美術展の多文化主義的モデルは、ある文化的伝統に属する人々がどのように他者の芸術を評価したのかを「理解」しようとする。問題はこの「理解」のあり方である。もちろん、西洋美術は他者の立場を表面的には重んじる。しかしながらあくまで西洋美術は、未開人と子ども、そして障害者などを外部として観察し、もちろん西洋社会の商習慣や歴史的な観点を維持したまま、自らが築きあげた「芸術」というジャンルに編入しようとする。

もちろん二十世紀のヨーロッパは、自らの価値創造の方法を押し付けていないよう装うために、他者を編入する手立てを発見した。その最たるものが資本主義という経済原理である。資本主義はモダニズムと称される作家たちの作品をアートマーケットに飲み込み、市場原理に価値を委ねることによって、表面的には客観性と合理性を獲得したように見せ、作家たちの営為が他者を搾取していないように見せる。だが結果は同じである。芸術という「寛容の帝国」のイデアはその規範のなかであくまでも維持されている。その持続性が芸術史なのだから、当然ながらその「理解」は「なんて純粋なんだ！」という話法を、フォーマリズムというモダニズム的な美学に通じるものとして、寛容の歴史、つまりキリスト教の父権主義に回収される。この回収は当然ながら、西洋文化の内部でも、女性、黒人、ゲイなどマイノリティの芸術家たちの活動にも拡張されていった。もちろんアートマーケットにあっても、同時代性がある作品として市場価値が大きくなっていった。

社会を造形する

「寛容の帝国」を背景に、他者を理解し受け入れる方法として芸術は歴史化されてきた。その歴史化のプロセスで、作品を現実として存在させることが重視されるなかで、世界の芸術史はあまりにもキリスト教の父権主義に寄り添って記述されてきた。それはよしあしの問題ではなく、世界にとって芸術のさまざまなジャンルとその歴史は長くキリスト教の正統性を支える根拠になってきたのである。

少なくとも私たちが芸術を考えたり論じたりするときに、そうしたキリスト教の父権主義がつくってきた建築、彫刻、絵画、音楽、舞踊、詩などのジャンルを想定していることは間違いない。いや、むしろ芸術はジャンルのなかで、歴史として記述され、学問分野を立ち上げ、市場がつくられることで、芸術として確立することになったのである。そうした芸術の資本化とともに、ジャンルが細分化され「業界」のようになってしまった芸術のあり方そのものを問題視し、芸術史の芸術のジャンルを否定することを芸術家の活動だと強く主張したヨーゼフ・ボイスの活動は、芸術史の思考実験としてはいまなおとても魅力的である。

彫刻作品を制作するときのように、社会は創造性を優先して構想するべきだ。簡潔に言えば、それがボイスの「社会彫刻(Soziale Plastik)」[19]である。社会彫刻は、ロダンの『カレーの市民』のように社会のなかに設置される彫刻作品として社会と芸術のあり方を投げかけるようなものではなく、「社会を芸術化する」というある種のトリック(詐術)をもちいて、社会そのものを素材に彫刻のように創造することを扇動する、ある種の社会運動だった。

芸術家と名乗りながら芸術というジャンルを否定し、彫刻をメタファーとしながら芸術家という専門家を疑問視するのだから、そもそも出発点からしてジレンマに陥っている。だが、そのジレンマをはらんだ荒唐無稽な運動も、二十世紀の芸術家の活動としてはとても興味深い。

ボイスの社会に向けた批判的な考え方の多くはルドルフ・シュタイナーという人物からの大きな影響によるものだということは広く知られている。オカルト的な部分を持ち合わせながら、教育者、宗教者、また哲学者でもあったシュタイナーは、なんとも魅力的な妖しさと艶めかしさを伴った思想家として、さまざまな人たちに大きな影響を与えつづけてきた。シュタイナーが提唱する「社会有機体三層化運動」の「自由、平等、友愛」は、言わずと知れたフランス革命の理念である。もともとはフリーメーソンのスローガンでもある。フランス革命とフリーメーソンがボイスの活動に関係するかもしれないと考えるのは刺激的ではあるものの、ここで問題にしなければならないのは、フリーメーソンのことではなく「社会有機体三層化運動」のなかの経済生活である。シュタイナーの「老化するお金」[20]はいきすぎた資本主義への批判として提案された。シュタイナーは、成長するものだと信じられている資本主義経済の成長神話と正面から向き合った。この姿勢はグローバリゼーションが進んでしまった世界に生きる私たちが現在でも考えるべき問題であるにちがいない[21]。「社会有機体三層化運動」をアーティストとして受け継ぐものとして、ボイスの社会に対する批判的な観点は、おおむね資本主義のあり方に向かった。どんなことよりもお金が大切で、いろんなことがお金で解決されて、その結果として社会的な秩序もお金のなせる業と考えたりする資本主義のあり方も当たり前になっている。そんな資本主義のあり方はいまもグローバリゼーションといった大義を得て、お金が何よりも大切だという考え方が、より深く広く世界中に蔓延している。そんな資本主義のなれの果てとも言える経済の状況を予言するかのように、ボイスは強い批判を向けたのである。

寛容を丸呑みする「お金」

ボイスと同様に、ミヒャエル・エンデも、シュタイナーの「老化するお金」に大きく影響を受けた作家である。エンデにとって、「老化するお金」はシルビオ・ゲゼルの「自由貨幣の理論」とともに、資本主義批判のよりどころになっていた。[22] その資本主義批判を、時間が経済的な価値に取り込まれている日常を著書『モモ』（一九七三年）のなかで物語として展開している。ここでは「利が利を生む、自己増殖する貨幣経済」を「時間どろぼう」として真っ向から批判し、仕事やモノの価値を考えなおすべきなのではないかという問題提議が物語として展開されている。その「パン屋でパンを買うお金と、投機や株式市場で取り引きされているお金を同じに考えていいのか」という問いは二十一世紀に入ったころから現在に至るまで「エンデの遺言」[23] として、資本主義経済の再考を促すメッセージを残した。「エンデの遺言」がいまでも資本主義のあり方に根源的な問題を投げかけているように、政治も日常生活も、資本主義経済の影響が避けられなくなっている。しかしながら、そのことに疑いをもちながら生活している人はあまりいない。人間の行為が労働というお金に換算されて市場に組み込まれていることにも慣れてしまっている。

貨幣を介して「買う」や「売る」が日常的なルーティンとなっているばかりか、お金はさまざまな問題を解決する打ち出の小槌となっている。

お金（資本主義）というシステムは、もはやジョージ・オーウェルの小説『一九八四年』（一九四九年）に登場する独裁者ビッグ・ブラザーである。その独裁者は世界をつくって君臨している。お金があれば、モノともサービスとも簡単に交換できる。貯金や金融商品といった手段によって、価値の保存もできる。犯罪の原因をつくるのも、「お金」である。

資本家は資本主義では「お金」を投入すること、つまり投資によって資本がさらに大きくすることをめざす。「お金」を投入すると、分業が発達し発明や開発が盛んになって生産性が上がる。インターネットもスマートフォンも、最新の医療技術もそうした資本主義の発展プロセスのなかから生まれるに至った。さらには、「お金」で「お金」を稼ぐことができるようになっているのが資本主義である。「お金」で何かを買うことが生活の中心にあって、そのときよりどころになるのは結局「お金」だけだ。モノやサービスを買っても「高い」とか「安い」といった金融市場では「お金」そのものも商品になっているのだから、資本主義もきわまった感がある。

「お金」はさまざまなイデオロギーをも丸呑みしてしまう。寛容もその例外ではない。さんざん殺し合いをしたあげく、雌雄が決すると負けた国が勝った国に払う戦争の賠償金。これほど「お金」が寛容を丸呑みにしている例はない。エンデが『モモ』を反・資本主義的世界観を表した一冊の書物としてつくりあげようとしたように、ボイスは「社会彫刻」という社会運動を通して、寛容さえ丸呑みしてしまうような資本主義経済の再考を促すメッセージを芸術の同時代性の渦中に、あらわにしてみせようとしたのである。また「お金」そのものが商品となっているような金融資本主義ももはやグローバル化して、ネット上で妖怪のように跋扈している。もはや「お金」の価値からは逃れイスは表現という人間の本来的な能力とその影響力を信じて正面から向き合ったのである。

芸術は拡張されたか

世界中での美術作品の売上高はだいたい六百八十二億ドル（約七・八兆円）くらいだという[24]。世界中の株式市場で取り引きされる金融商品の時価総額は五十兆ドル（約五千五百兆円）を超えるとされているので、美術品という資産の取り引きは大した規模ではないようにも思える。

しかし、株に比べたら美術品は堅実な金融商品である。少なくともヨーロッパでは古くから、そう考えられてきた。国家が侵略や内戦によって離合集散を繰り返し、国そのものがなくなってしまうのは、ヨーロッパでは歴史的に言ってそれほど珍しいことではない。またちょっとした政治的な状況で、株は乱高下する。ひとたび戦争になってしまうと、株式市場や銀行などの金融機関は機能不全になってしまう。その結果、現金や株などは何の資産価値もなくなってしまうリスクを潜在的に抱えている。いざ国を追われるようなことがあれば、土地の所有など何の意味もなくなる。だが宝飾品や美術品は違う。有事に強い資産としての地位がしっかりとできあがっているのである。美術品を所有しているお金持ちは単に芸術家のパトロンを気取っているわけでも、知的スノッブを誇示しているわけでもない。しっかりと自らの資産について見きわめた結果、美術品に投資しているのである。宝飾品や美術品への投資はヨーロッパの資産家にとって人生そのもののリスクヘッジであり、それはいわば大陸の知恵だとも言える。その結果、スイスのバーゼルは有事に強い資産を取り引きする見本市（フェア）を開催する都市として、世界中にその名を知らしめている。▼25

この市場規模を支えているアートワールドは美術館、アートマーケット、芸術学校（美術学校）という「アート・パワーのトライアングル」を下部構造としてもっている。この下部構造に、アートフェアという見本市やオークションのビジネスモデルやジャーナリズム（批評や動向調査のレポートなど）が上部構造として機能している。

この「アート・パワーのトライアングル」と呼ぶべき権力の構造に対して、ボイスは批判の矛先を向け、自らの実践を積み重ねていった。このアートがつくってしまう権力は、そもそもは資本主義が価値を保存したり、資本の拡大を是としたりするメカニズムを備えてしまったせいでつくりあげられた。ボイスは「アートのトライアングル」そのものに向き合うことが、結果的に同時代の問題と向き合い、解決していく方法になると考えた。初期フルクサスにも参加したボイスは、脂やフェルトを使った彫刻やパフォーマンスで美術館やアートマーケットで取り引きされるような財としての芸術を拒絶し、芸術の価値を考えることを促すような活動を次から次へと展開していった。単体の作品（アート・ピース）として高額な価値がついて、それが商品のように売買されることに異を唱える必要があったのだ。

ボイスのさまざまな活動は、美術館を飛び出し、誰もが社会をつくる、あるいは変革するプロセスに加わるべきだということを私たちに投げかけている。既存の芸術がもつ概念を拡張するその思想は、アートワールドにセンセーショナルな話題を巻き起こした。

こうしてボイスは芸術の超ジャンル化を構想し、そのジャンルを乗り越えた芸術が社会を改良することを夢想した。人間が生きる意味を資本主義や近代社会のあり方に搾取されているのと同様に、芸術もブルジョアジーのために搾取されてきている。近代的な社会の成り立ちは合理的な手続きや規範が基本となっているので、芸術もその手続きや規範に取り込まれて、社会性や政治性を表現する表現の手段とは見なされなくなっていった。

近代以降の芸術の意味は、アートマーケットでの資本主義の市場原理と美術館のように制度的な規範に基づいて蓄積され、その意味を拡大再生産するのが芸術の役割だと考えられてきた。

芸術の理想状態を、精神の必然性に基づいて生まれる表現や行為であると考える人たちもいる。そして、芸術が自由を実践する行為だと思い込んでいる人たちもいるかもしれない。どちらの理想を掲げたとしても、現代芸術は社会と隔絶して、社会に対して現実的な影響力を失っていることは間違いない。

それがボイスの芸術をめぐる問題意識の出発点だった。その問題意識から「芸術の拡張」が提案される。つまり、人間の活動を「生と労働のあらゆる場で、社会のあらゆる力の場で造形しうる活動にしていく」ことを目的として芸術を拡張していくことをめざした。人間の「生きる」意味と自らが生活する社会のあり方を、「つくる」という実践を通じて再構成することを促したのである。「つくる」という実践によってできあがった聖像や仏像は、もともと美術史のなかで重要なアイテムで、キリスト教や仏教の世界化とともに様式を多様化・洗練化させてきた。寛容がカトリックの独善的なパターナリズムであるように、芸術もまた異教徒などの他者を歴史的に取り込みながら、寛容をイメージとして具体化していった。

もともとキリスト教や仏教は偶像崇拝を否定していた。時代が進むにつれてキリスト教や仏教でも、世界中に布教するうえで偶像をもちいることは合理的な手段だと考えられるようになる。[26] さらには国家宗教としてキリスト教や仏教が統治の便宜として採用されるようになると、イコンというイメージの実体化は数多くつくられ、世界中に拡散していった。イメージの実体化は見方を変えれば、合理性の伝統なのだ。この伝統は市民社会と言われるブルジョアジーの経済生活に受け継がれていった。ところが、その市民社会は分業と競争を原則とし、他者との優位性で価値の最大化を図るため、人と人を分断するエゴイズムだけが突出するようになった。

そのブルジョアジーのエゴイズムに支配されている芸術からの脱却をめざして、新しい社会を構想し変革していくことが芸術の役割であると、ボイスは位置づけたのである。ところがボイスはどうあがいても、ブルジョアジー（要するに、社交好きの貴族的な「セレブ」）が支えるアートワールドから脱出できなった。なぜならば、彼は革命家や社会運動家としてではなく、社会をモチーフにした作品を発表する芸術家としてしか見られなかったからだ。彼がどのように活動してもそれはアートの文脈でしか解釈されず、ギャラリーやアートイベントでは十分な活動の余地を与えられたとしても、それはあくまで芸術作品や表現活動であり、それ以外のものとしてはなかなか認知されなかった。そして皮肉にも、結果としてヨーゼフ・ボイスという芸術家そのものがイコンになり、ある種のトリックスター[27]となって記号消費されてしまったのである。

「ヨーゼフ・ボイスの芸術」はマーケットのなかで拡張することにはなったが、残念ながらボイスが考えるように、「芸術が社会を造形する」ことはなかった。そして、ボイスが展開した批判的な活動をせせら笑うように、交換され取り引きされるような芸術作品は多様化し、金融化にも拍車がかかり先にも述べたような市場規模になっている。

トリックスターとしての芸術家

ボイスのトリックスターぶりは、現代美術の歴史ではマルセル・デュシャンが投げかけた「作品」とともに、現代芸術の歴史としてはきわめて突出したエピソードとなっている。このトリックスターとしての歴史的なコンテクストのなかに、古くはマルセル・デュシャンやジョン・ケージ、ボイス以後のアンゼルム・キーファー、ジェフ・クーンズ、マシュー・バーニー、レベッカ・ホルン、トーマス・ヒルシュホーンらが含まれると考えても、不自然なことではない。「偉大なアーティスト」とはこうしたトリックスターの仲間入りを果たすことだと言えるかもしれないのだ。

トリックスターは、そもそもは神話のなかで善玉と悪玉、破壊者と救世主、賢者と愚者などといった、相反する性格を同居させたキャラクターである。[28] その二面性で、神や自然界の秩序を攪乱し、風刺と滑稽あるいはエロスを漂わせながら、独自の存在感を発揮する特異なキャラクターである。

山口昌男が「道化」という言葉を使ってトリックスターを見事な手さばきで整理[29]してくれているように、ギリシャ神話のオデュッセウスやヘルメス、北欧神話のロキ、古代インドの黒き英雄神クリシュナ、シェークスピアの喜劇『夏の夜の夢』に登場する妖精パックなど、トリックスターはそれぞれの場面設定で非日常性と反社会性の時間をつくりだしている。コヨーテなど実在の動物がトリックスターと関連づけられることもある。ボイスにもコヨーテを扱ったパフォーマンス作品がある。[30]

トリックスターはとりわけ近代以降では、既存概念や社会規範を破壊し、時代の先駆者として位置づけられ、同時代の文化英雄として称賛されることも多い。トリックスターは自分たちにはできないことをやってくれるので、共同体のメンバーの間では特別視されていることが多い。もちろん、秩序を乱す者のように見られることもあるため、時の権力者などに迫害されることも少なくない。

ボイスは自らをトリックスターとして自覚しながら、それを逆手に取って政治的・環境団体「緑の党」設立にも尽力し、経済の友愛という理想に向かって、実際の政治活動に深く関わった。また教育に関しても自由国際大学を設立し、独自の活動を展開した。しかしながら、ボイスの理念と実践はいつまでもボイスというアーティストのものにとどまり、イデオロギーとして市民社会や都市生活に浸透することはなく、ボイスの大きな存在感が結果的に、アートワールドのなかから出て浸透することはなかった。ボイスが芸術の概念から逸脱しようとすればするほど、彼の行為は芸術の領域に飲み込まれていた。それはアートワールドに備わった権力の問題ではなく、アートワールドをつくってしまう近代社会の構造や資本主義経済が強い社会構想力にある。政治や実体経済、都市生活からそれほど大きく逸脱していない共同体であることが保証されているからこそ、人々に影響力をもっているのがアートワールドなのだ。

ボイスの社会構想力は、観客をつくりだす芸術の条件を拡大する受容者実験にはなっていても、社会変革を促すような動機には至らなかった。さらに、ボイスの作品の一回性や即興性は人間関係に関する知見や経験を蓄積していく社会の構造となんとも矛盾していた。でもこのことを肯定的に考えてみると、アートワールドは社会制度や政治的な思惑が介入しない場所として、芸術家という個の強さをある程度発揮できる場として保証されてきたとも言える。

「私たちは何をすべきか」という問いについて考えるボイスは、社会構想家としては凡庸なまでにきわめて倫理的だった。そしてその態度はその実、一貫してアートワールドの一員として規範的でもあった。実はこの規範的だったところに、社会構想家としてのボイスには限界があったことは間違いない。

ただ、芸術の社会的な限界性能を示したということでは、やはり意味がある活動だったことは確かだ。つまりアートを使って社会に何ができるかというボイスの芸術家としての固有性（作家性などと呼ばれることもある）とは何か、さらに言えば、人間の悪や醜さに満ちた社会でどのようにして表現の固有性や独創性を解放できるか、そこに表現を実体として立ち上げられるかという試みは、モダニズムを踏襲しながらも、それを乗り越えようとする美術史的な運動だったことを暴露することになった。ボイスはデュシャンやジョン・ケージとともに、二十世紀の「ポスト・ヒストリカル」の草分け的な時期に登場したトリックスターである。だからこそ、情報化が進んだ社会のなかで、人々はその表現の固有性や独創性をトリックスターの言動で共同制作しはじめる。換言すれば、共同正犯を確信するトリックスターでなければ、世界の解放を表現し、それを歴史化することは困難なのかもしれない。

「五歳のママ」

芸術祭や音楽祭や演劇のフェスティバルを見ていると、芸術家がテクノクラート（専門官僚）として官僚機構のなかにすっかり取り込まれてしまっているのではないかと思うことがある。

かつては芸術家がシャーマンのように扱われていたのに、小役人に成り下がってしまっているのではないかと考えるとさみしくなってしまう。もちろんシャーマンのようにいま扱われても、予言者のようなうさんくさい存在と思われるだろうが。古代から神にもたとえられるような超越した存在というのは、予言者や救世主のような存在でもあったことは確かである。見方を変えれば、かなり面倒な存在である。面倒であるからこそ、人々はその言動に注意を払い、理解に時間を使おうとする。実はそのうさんくささを受け止める実感さえ、資本主義がつくりだす時間に抑圧されている。

時間は労働のなかに組み込まれている。どんな場所にいても、人生を送る時間は資本化されている。住居の購入費や賃料が人生を送る時間を保証している点では、私生活ももちろん資本化されている。食べることも、寝ることも、セックスすることも、装うことも、いわば資本化されている。このルーティンから逸脱することは、もはや日常生活を破綻させることにもなりかねない。

そうなると、人間はもはや根拠や背景がない妄想でしか、この資本化のルーティンから逃れられないことになる。確かに「ごっこ遊び」は子どもたちの妄想である。社会を擬似的になぞっているようで、資本化されることはない。「ごっこ遊び」での「五歳のママ」はおもちゃなどで資本化されるが、その行為そのものが資本化されることはない。「五歳のママ」は規範が消失する瞬間をつくりだす。そして、その規範が消失した「遊び」では、「五歳のママ」がマイクのようなものを持てば明日には「五歳のアイドル」になれるし、自動小銃のおもちゃを持てば「五歳の兵隊」になることもできる。この労働に組み込まれない主体の行為は、どんな局面にあっても常に超越的である。

こういった妄想は情動をそのもとにしている。この情動という母から、遊びという行為が生み出される。理性的な近代社会でいくら人間の私生活が資本化されるようになっても、パトスつまり情念（心が奮わされることや感情が揺さぶられること）という心の揺れは収まることはない。むしろ近代化が先鋭になればなるほど、情動は激しいものになる。ここに「五歳のママ」が大きな意味をもつ。「五歳のママ」は情念への侵犯であると同時に、それが「遊び」であるというメタ・メッセージになっている。このメタ・メッセージが「遊び」の正体で、この侵犯は社会規範から束縛されたり阻害されたりすることはない。むしろ社会規範を「遊び」のモチーフとして使うことも少なくない。「五歳のママ」は、遊びという行為によって情念を取り戻すための必要条件なのである。その倒錯では日常と非日常、正常と異常、道徳と反道徳という二項対立はもはや意味がない。

「五歳のママ」というシミュラークルはいわば日常にありながら、ひとつの倒錯である。この倒錯を経験としてもっていれば、他者の表現に対して、本来の文脈がどうであれ「すばらしい」とか「おもしろい」と理解し感動できるかもしれない。とりわけ同時代の芸術に関しては、同時代を違った見方で示してくれるわけで、それは喜びを分かちあえるきっかけとなる。

完全な理解など不可能であることを承知で、共有できるテーマを見つけてそれを「遊び」として分かちあえるというのが、芸術が世界を理解するうえで有効な思想だと考えられたり、アートはコミュニケーションだと位置づけられたりする根拠となっている。

アーサー・ダントーが述べる「芸術の終焉」[31]とは、「芸術とは〜である」という規範的なナラティブ（物語）やマニフェストのような話法が通用しなくなったという意味で「様式の死」が訪れた状況である。同時代を不可避のテーマとしている以上、芸術は人々の情念に侵犯するゲーム（遊び）[32]として生き延びていく。ロダンが『カレーの市民』で発揮した、マニフェストのような話法で様式を貫き、芸術の役割を説くことは事実上不可能である。

その情念への介入には、遵守したり対抗したりする規範が存在しない。遊びは様式から解放されてこそ遊びだが、それは決して反道徳のメッセージなのではない。「遊び」は規範に対抗したり逸脱したりする状態ではなく、規範が消失した理想状態を想定し、その状態を「語りえぬものとして」実践することなのだ[33]。

芸術ゲームの倫理的転回

「五歳のママ」という超越性は遊びにとっては必要条件である。それを「そんな人いるわけない」とか「そんなことあるわけない」などと言ったとたんに、遊びは破綻してしまう。「そんな人もいる状況もあるかもしれない」あるいは「そんなこともあるかもしれない」という倒錯を含んだ遊びであるからだ。そしてその遊びは、プレーヤーが自らの情念を最大化しようとするゲームでもある。だからこそ、芸術家たちは「遊び」を提案しつづける。シミュラークルを逆手に取った確信犯的な「遊び」は、情念を導くための「倒錯」がゲームとして構想されている。観客を含めて、関わるプレーヤー全員に「五歳のママ」を要請するのだ。まさに虚像としてのシミュラークルが生み出されるプロセスとは遊戯なのである。こうしたゲームの顚末として知覚され共有されるシミュラークルが作品やプロジェクトと呼ばれるのだ。

こうした芸術ゲームが意識されるとき、ゲームのプレーヤーには特別な時間がつくられることになる。特別な時間をつくりだす芸術家は、そのシミュラークルとしてのゲームに関わるプレーヤーたち全員を政治的あるいは教育的にすることもある。ゲームが人々の情念に侵犯するからだ。

同時代の芸術家は、移民や差別の問題を、シミュラークルがシミュラークルであることを暴露する「遊び」で意識化しようと試みる。移民や精神疾患など複雑な問題に向き合えば向き合うほど、寛容というパターナリズムで考えることに限界があることを暴露することにもなる。「遊び」に夢中になる「特別な時間」。それが芸術的な実践としてのアートプロジェクトの正体である。その時間を過ごしてこそ、それを経験した人たちは移民や差別の問題を内面化できるのである。

そういうふうに考えると、その作品に向き合った人たちを巻き込んで、芸術ゲームという特別な時間をつくることが芸術的な実践の役割だとも言える。表現を通して無条件に他者を受け入れるシミュラークルは、まさにカントが定義し二百年たってデリダが継承した歓待をめぐるゲームを実践することでもたらされる。もはや同時代芸術がめざす理想は一体感（ミメーシス）でも美学でも崇高でもない。実践こそが芸術の成立条件となるのだ。[34]

寛容というパターナリズムは表現の形式としての芸術を発明した。いわゆる人間がルネサンス以降の西洋社会で発明されたように、芸術は寛容というパターナリズムのなかで世界中の突出した表現を芸術というジャンルに取り込んで権威化してきた。ところが、デュシャンやケージなど同時代を表現のモチーフにした芸術家たちは寛容というパターナリズムで考えることに限界があることを直感していた。デュシャンやケージを芸術史的な前提として、ボイスは寛容の倫理的な限界に挑戦したのである。

民族、宗教、習俗などの違い、障害や社会的な性差など、寛容というパターナリズムで表現することなど、もはやできるはずもなかった。したがって、その寛容という目線の高さをさっさと放棄してしまい、無条件に他者を受け入れるという新たな考え方で他者と向き合うようになった。この潔さは近代芸術の限界を軽々と乗り越えているようでとても挑戦的である。ボイスが繰り広げた芸術ゲームは権威化している芸術という枠組みはそのままで、芸術があまりにもキリスト教の父権主義に偏っていて、その宗教的な権力構造やキリスト教の政治性と切り離せない「寛容」に見切りをつけたがっているようにも思える。

寛容は「私たちの立場」でいつも考えることを迫る。そして、その「私たち」という主体論はキリスト教の父権主義をどうあっても払拭できない。それならば、いっそのこと、主体論を乗り越える仕掛けとして「歓待」という概念で他者と向き合う思考を進めてみてもいいのではと、ボイス以降の同時代芸術も寛容の限界を指摘しながら、新しい歓待のゲームを更新しつづけている。

歓待は日常的には、「おもてなし」などと言われ、他者に対して優しく接して同一性を共有することで喜びを分かちあうといったニュアンスでもちいられる。だが実は、歓待は同一性とはまったく違った世界観である。歓待は、変化してやまない世界に、同一性の相が現れたとしても、自己という立場を超えて他者であることを認識することを通じて世界を理解しようとする態度にほかならない。歓待はそうした態度を通じて、他者に対する感銘と共感を示す政治的な姿勢なのだ。

侵入者の超越性

「五歳のママ」という侵入者が出現することは社会にとっては、取るに足らない些細な日常である。日常でありながら、どこかで遊びの喜びをもたらしているという意味では、その表現は「芸術的」である。「芸術的」とは遊びが喜びとなってさまざまな人々を巻き込み、生の意味を拡張する快感を形容した言葉にほかならない。その実、歓待という態度あるいは身ぶりによって、「五歳のママなんていているわけない」という規範的な「わたし」は修正を余儀なくされ、五歳のママを受け入れなければならない。規範的な「わたし」という習慣から逸脱することを余儀なくされ、その逸脱した自らの状況に喜びがもたらされるのだ。このような「五歳のママ」と同様のキャラクターは神話でもたびたび登場し、人々に教訓や元気を与えたりしている。

歓待が遊びを介した喜びをめぐるゲームであることを示唆しているということについて、有名な「鶴の恩返し」という民話を通して論じておこう。「鶴の恩返し」は一般的に「善行をおこなうと必ず別のいいことが自分に戻ってくる」という教訓めいた話として解釈されることが多い。だがこの話は、典型的に「見るなのタブー」[35]がモチーフになった民話である。決して見てはいけないと言われたことを見てしまい悲惨な目に遭う、という結末で物語が完結するパターンである。この神がかった超越性が描かれているのは、「鶴の恩返し」に限った話ではない。神話や民話では超越性をもった第三者の存在が誇張されて表現されることが多い。

そもそも「鶴の恩返し」で「見るなのタブー」を成立させているのは、娘の姿をした鶴という侵入者の超越性にある。突然目の前に現れた娘はおじいさんにとっては日常への侵入者で、身分も明らかにしないにもかかわらず、家に迎えられている。この侵入者の歓待に応えるかのように、鶴の化身である娘は超越性を発揮する。この物語のクライマックスは鶴の化身である娘が超絶的な技芸を発揮して糸を機で織り、おじいさんは織られた織物の筆舌に尽くしがたい美しさに目を奪われるシーンである。ここで織られた織物の筆舌に尽くしがたい美しさに目を奪われた老夫婦は、娘の姿をした鶴という侵入者の歓待に感銘を受ける。ここで「決してのぞかないでください」というたったひとつの誓約に、おじいさんは「見てみたい」という欲望と葛藤し、ついにはそのタブーを破ってしまう。しかしここでは、欲望に抵抗できず誓約を守れない愚かさを描いているわけではない。タブーこそが侵入者の超越性を示しているのだ。「見てはいけない」というタブーに、娘が鶴の化身であるという超越者の正体が隠されているからだ。さらには、侵入者がいなければここで織られた織物の美しさに目を奪われることもなく、まさにここに情念を導くための「倒錯」がゲームとして仕込まれている。さらにこのゲームは「見てはいけない」という倫理的な境界が表現され、その境界はときには法や社会規範の基礎になったりもする。

ここでカントの歓待論に立ち戻って考えてみよう。カントは世界市民法を構想するプロセスで、「〈もてなし〉というのは、外国人が他国の土地に足を踏み入れたというだけの理由で、その国の人から敵として扱われない権利をさす」[36]とし、歓待について心の広さ（博愛）ではなく法の権利として考えなければならないと主張している。鶴の化身としての娘は侵入者であるからこそ、歓待という法の条件を満たしているのである。

歓待は訪問した人や集団をとりもなおさず絶対的に、無批判に全面的に受け入れる。もちろんそのことは、安定した共同体に大小さまざまな波紋をもたらす危うさをはらんでいる。それまでの安定した社会あるいは共同体に著しい動揺を引き起こすかもしれない。また歓待をおこなおうとする者（ホスト）はゲストを受け入れることで、共同体を逸脱する者と見なされることがある。冒頭にあげたクレーマーおじさんが外人を目の敵にするのは致し方ないのかもしれない。外国人アーティストという侵入者を歓待するディレクターを共同体の安定を揺るがす者として恐れているとも言える。襲来してくる人や集団を歓待するためには、「わたし」は自分の関心や利害を犠牲にしなければならない。

ただここには、「歓待」のパラドックスがある。「完全な受動的行為」としての「歓待」は、「自分が歓待をおこなっている」と意識したとたんに「歓待」ではなくなる。なぜなら、意識したとたん、「わたし」は自身の視点から、訪れる歓待される人を客人（ゲスト）として位置づけ、自身を主人（ホスト）として見るディコノミー（二分法）の罠にはまってしまう。「歓待」が「完全な受動的行為」であるためには、行為者がいっさい意識しないことが求められる。しかし、意識されない以上、行為は行為として、行為者に認識されることも、理解されることも、ましてや語られることなどない。

ここからゲストとホストの二分法をめぐるゲームが作動しはじめる。ゲストとホストの絶妙な交錯（あるいは共謀）が、人間関係の活力と魅力をつくりあげ、「喜び」がもたらされることを期待して、芸術は芸術としてそのかたちを現しはじめる。このゲストとホストというディコトミー（二分法）の間には、潜在的な対立と緊張関係が永遠に続く。

芸術家が世界について、細心の注意と親愛を込めて丹念に観察し、表現したとしても、その芸術家が世界に関われば関わるほど、目撃者としての観客が生命のように息づいている存在だということがわかってくる。観客の側からすると芸術家は侵入者のように見えるかもしれないが、芸術家からしても、観客は侵入者のように、自分の思考や創造のプロセスに介入する。まさにそのゲームが進行するプロセスに生まれる束の間の均衡が、歓待を通じて「喜び」のダイナミズムをつくるのである。

先にも述べたように、同時代芸術は「喜び」という情念に介入するゲームである。その情念への介入には、遵守したり対抗したりすべき規範が存在しない。遊びは規範から自由であるからこそ遊びなのだが、反道徳のメッセージなのではない。

その「喜び」という情念に介入するゲームは、遊戯を通じて情念が流れるための条件づくりであって、道徳と反道徳、正常と異常という対立はもはや問題にならない。遊びとしての芸術、つまり芸術ゲームは規範に対抗したり逸脱した状態ではなく、規範が消失した理想状態を構想することなのだ。

「ゾレン sollen」の芸術実践

「喜び」としての芸術にとって重要なのは、物質へのはたらきかけでもなく精神の純化でもない。さまざまな他者を無条件に受け入れる歓待をシミュラークルとして表現することである。世界の多様さや豊かさを知って、それを経験知として抽象化し提供することだ。芸術で発揮される技芸は表現にとっての本質を発現する。そしてその発現は同時に、宗教と倫理の起源につながっている。精神と物質を分離した瞬間に、貨幣が商品の交換と切り離されてしまって違う価値が歪曲され捏造されるように、他者を無条件に受け入れる歓待の本質は見えなくなってしまう。

他者を無条件に受け入れる歓待は、社会実験がむずかしい。だが、歓待については具体的に思索を深め実践を積み重ねることはできる。たとえば移民や障害者の問題を考えれば考えるほど、歓待という課題に向き合うことになる。ダイバーシティといった言葉では簡単にかたづけられないほど、世界の現実は切実で複雑である。その切実さと複雑さが人工知能や生命科学の知見で一挙に解決されることはないだろう。いつも意識していないと、人間は記憶力がいいのに、忘れたふりをしてしまうずるい動物である。歓待をめぐる遊び（ゲーム）が芸術というコンテクストでは、生々しい現実から目をそむけることなく思索を深め実践を積み重ねれば、解放に向けて考える機会を獲得することができる。

歓待のゲームが始まると、誰がホスト（主人）で誰がゲスト（観客）かという受容者実験の様相を見せはじめるだろう。このように他者と向き合う態度や覚悟を突き付けることによって、受容者ができると同時に、作品が完成するのである。この瞬間から、表現は受容者実験というゲームになり、社会化し、最終的にその表現は倫理的な態度をもホスト（主人）とゲスト（観客）に迫ることになる。

芸術はもちろん政治思想ではない。むしろ政治思想から自由でなければならない。その意味で芸術とは消極的な自由でありつづけなければならないし、理性的な技芸であることを原則としなければならない。だからこそ、古代から政治は芸術に憧れ、尊び、嫉妬する。そのため権力は芸術を自由の名の下に利用しようともするのだ。

中央集権国家が集団化し経済の利得をネットワーク化している事態、すなわち政治と経済のグローバリズムが進んでしまい、世界という認識そのものが時々刻々と変化している。しかもそのスケールとスピードは「ひとりの人間」では知覚できなくなっている。そのわりに、人間にしろ、自由にしろ、個人にしろ、国家にしろ、民族にしろ、宗教にしろ、どこか古めかしい考え方で世界は考えられている。「基本的なことは昔から何も変わっていないのだ」とうそぶく人たちも少なくない。変わっていないのであれば、二十一世紀のいま、芸術が社会的になったり教育的になったりしているばかりか、スピノザの「喜び」のような倫理的な転回さえ求められていることをここでわざわざ問題視することなどないはずだ。

自然の観察や先人の知恵、あるいは歴史の記述だけで世界をとらえる表現をすることは、次第にできなくなりつつある。世界の解明は近代以降、自然科学が担ってきた。しかし芸術表現が近代化で息苦しくなってしまった世界を解放することをめざしてきたとすれば、こうした解放の方法論は世界の解明をめざす自然科学とは大きく異なってしかるべきである。自然科学は「ザイン（そうあるもの）の学問」を扱う。自然科学は「ザイン sein」を扱っているが、実践はドイツ語の「ゾレン sollen」、つまり「そうあるべきもの」という、ある種の理想を扱う。シュタイナーは経済学について、理想に向かう解放の学問、つまり実践的な学問なのではないかと問いかけた。それに答えたのがボイスやエンデといった芸術家たちだった。自然科学は真理を解明して、それを事実として積み重ねる。だがその積み重ねだけでは「世界とは何か」という命題は解けない。

近代人たちは世界の解明が進んできたと思っているかもしれない。確かに多くの病気を克服した人間の死生観は大きく変わり、日常生活は著しく便利になっている。そのなかで、いわゆる自然権思想で言うところの個人的な自由や経済的な自由の双方を重視する、本来の意味での自由主義を思考したり実験したりする機会として、芸術を「ゾレン sollen」つまり「そうあるべきもの」という理想を扱う実践として位置づけてみたらどうだろう。この問いも重要な芸術ゲームのひとつとなるかもしれない。こうした遊びを通じて、「そもそも表現すべき正しい内容とは何なのか」を要請する倫理的な転回が芸術実践論の核心となるかもしれない。

その思考や実験、すなわちアートプラクティスという実践は検閲などの中央集権的な国家干渉やグローバルな企業統治を乗り越え、規範としての道徳を更新し、人倫のあり方を拡張させる方法になるだろう。さらにそのプラクティスは同時代という歴史認識という意味でも、あらゆる人間関係と政治と経済が折り重なる、いままさにここにある個人と自由をめぐる思想でありつづける。その創造性と想像力は少なくとも保守反動の中央集権主義（国家社会主義）や企業統治、あるいは狂信的な暴力を軽々と乗り越えることができる信念となるにちがいない。そう、芸術は自由をめぐる理想が倫理的であればあるほど、情報財の消費を超えて、同時代の信念となることができるはずだ。

その信念に身を寄せながら「第二の社会」を実験する芸術的な実践は、「都市の勝利」がつくりあげた超越的記号表現に揺さぶりをかけ、それらをせせら笑い、インターネットのような超越的記号表現をもハックしてしまう力とならなければならない。芸術的な実践だからこそ、生きていることの尊重を身ぶりと言葉で配置していくことができるのだ。検閲を嘲笑し権力の行使を最小化しようとする歓待のゲームこそ、資本主義の搾取がもたらす残酷さに抵抗して生の尊重を表現し「喜び」を追求する芸術的な実践にほかならない。そして、その実践がカトリシズムを根拠に記述されてきた芸術史を刷新するものであれば、「歴史的」と呼ばれるものになるはずである。

注

▼1 普仏戦争は一八七〇年から七一年にかけてプロイセン（かつてドイツ北部に存在した国家）とフランスの間でおこなわれた戦争。この戦争でナポレオン三世が失脚し、フランス第二帝政は崩壊、ドイツの統一が完成した。

▼2 渡辺一夫「寛容は自らを守るために不寛容に対して不寛容になるべきか」『寛容について』（筑摩叢書）、筑摩書房、一九七二年

▼3 いまや日本語でもちいられる「リベラル」という言葉は混乱の極みに陥っている気がするが、「リベラル」が自由主義を意

味するとすれば、この善の共約不可能性が自由主義の基礎となっている。善の共約不可能性はジョン・ロールズの『正義論』に代表される現代のリベラリストが共有する事実認識である。ジョン・ロールズ『正義論 改訂版』川本隆史／福間聡／神島裕子訳、紀伊國屋書店、二〇一〇年

▼4 ルース・バトラー『ロダン 天才のかたち』馬渕明子監修、大屋美那／中山ゆかり訳、白水社、二〇一六年

▼5 Chad R. Diehl, "Resurrecting Nagasaki: Reconstruction, the Urakami Catholics, and Atomic Memory, 1945-1970" Submitted in partial fulfillment of the requirements for the degree of Doctor of Philosophy in the Graduate School of Arts and Sciences, Columbia University, 2011. Available at https://academiccommons.columbia.edu/doi/10.7916/D8TH8V1G（二〇一九年十二月二十日アクセス）

▼6 高瀬毅『ナガサキ 消えたもう一つの「原爆ドーム」』平凡社、二〇〇九年、八四―一〇六ページ

▼7 永井隆『長崎の鐘』（アルバ文庫）、サンパウロ、一九九五年、一四三ページ

▼8 山田かんはクリスチャンによる感傷的な被爆体験の出版や表現を「ナガイ的なるもの」として偏向的であるとし、さらには行政による被爆の観光化を真っ向から批判している。山田かん「長崎の原爆記録をめぐって」『記憶の固執――山田かん詩集・エッセイ集』長崎文献社、一九六九年、一九八―二二三ページ

▼9 ここでの「浦上燔祭説」は高橋眞司によっている。高橋眞司『長崎にあって哲学する――核時代の死と生』（北樹出版、一九九四年）と同『続・長崎にあって哲学する――原爆死から平和責任へ』（北樹出版、二〇〇四年）。

▼10 ハンス・ゼードルマイヤー『中心の喪失――危機に立つ近代芸術』石川公一／阿部公正訳、美術出版社、一九六五年

▼11 クロード・ランズマン『Shoah』高橋武智訳、作品社、一九九五年

▼12 米山リサ『広島記憶のポリティクス』小沢弘明／小澤祥子／小田島勝浩訳、岩波書店、二〇〇五年

▼13 『絵画における真理』上（叢書・ウニベルシタス）、高橋允昭／安部宏慈訳、法政大学出版局、一九九七年

▼14 その根拠は台座に書かれた北村西望による「是人種を超越した人間　時に仏時に神」という記述に由来していると思われる。特に「慈悲」や「愛」と言った記述は見られないが、観光協会や自治体の説明では、なぜか多くが「神の愛」や「仏の慈悲」と説明されている。

▼15 『新約聖書』「コリント人への手紙」第十三章四―七節には「愛は寛容であり、愛は情深い。また、ねたむことをしない。愛は高ぶらない、誇らない、不作法をしない、自分の利益を求めない、いらだたない、恨みをいだかない。不義を喜ばないで

真理を喜ぶ。そして、すべてを忍び、すべてを信じ、すべてを望み、すべてを耐える」とある。

▼16 R・P・ウォルフ／B・ムーア・jr.／エ・マルクーゼ『純粋寛容批判』大沢真一郎訳、せりか書房、一九六八年

▼17 ウェンディ・ブラウン『寛容の帝国――現代リベラリズム批判』向山恭一訳（サピエンティア）、法政大学出版局、二〇一〇年

▼18 エヴァ・ホフマン『記憶を和解のために――第二世代に託されたホロコーストの遺産』早川敦子訳、みすず書房、二〇一一年

▼19 ボイスが提唱した社会彫刻（Soziale Plastik）に関しては、「社会そのものは可塑性が高く、造形する対象としてふさわしい」というニュアンスでボイスはもちいているとも思われ「社会造形」と訳したほうが適切な気もするが、ここでは従来日本でもちいられてきた呼称を尊重して「社会彫刻」としている。

▼20 ルドルフ・シュタイナー『社会問題の核心』廣嶋準訓訳、人智学出版社、一九八一年

▼21 ルドルフ・シュタイナー『シュタイナー経済学講座――国民経済から世界経済へ』西川隆範訳、筑摩書房、一九九八年、二〇一ページ

▼22 「貨幣の内的本質への洞察」を重視するシルビオ・ゲゼルは、利子という考え方が商品交換の仲介をする存在であるはずの貨幣の原理と原則を阻害すると批判している。シルビオ・ゲゼル『自然的経済秩序〈II〉』山田明紀訳（ゲゼル・セレクション）、アルテ、二〇一八年

▼23 河邑厚徳／グループ現代『エンデの遺言――根源からお金を問うこと』（講談社＋α文庫）、講談社、二〇一一年、ミヒャエル・エンデ『ものがたりの余白――エンデが最後に話したこと』田村都志夫 聞き手・編訳（岩波現代文庫）、岩波書店、二〇〇九年

▼24 二〇一五年に世界のアート市場動向を調査する欧州美術財団（TEFAF）が発表したレポートによるもの。最新版はTEFAF「ART MARKET REPORT」（[https://www.tefaf.com/about/art-market-report]［二〇一九年十二月二十日アクセス］）で入手することができる。

▼25 現在時計に関しては、より富裕層に特化した「ジュネーブサロン」が開催されている。また美術品に関しては、ニューヨークやロンドンはもとより、香港、マイアミ、東京、シンガポールあるいは上海など、世界の各都市に「アートフェア」のビジネスモデルが拡散している。

▼26 イスラム教がキリスト教のそのような偶像崇拝を批判したことから、それに直面した東方キリスト教世界のビザンツ帝国で起こったのが聖像崇拝問題だった。七二六年にビザンツ皇帝レオン三世が聖像禁止令を出すとローマ教会はそれに反発し、そこから十一世紀までにキリスト教会の東西分裂という事態が進行していく。

▼27 ポール・ラディン／カール・ケレーニイ／カール・グスタフ・ユング『トリックスター』山口昌男監訳、皆河宗一／高橋英夫／河合隼雄訳（晶文全書）、晶文社、一九七四年

▼28 「トリックスター」という用語は、民族学者ポール・ラディンがインディアン民話の英雄伝説を研究するなかで、民話に登場するキャラクターの類型として命名したものである。同書『トリックスター』

▼29 山口昌男『道化の民俗学』（岩波現代文庫、学術）、岩波書店、二〇〇七年

▼30 「私はアメリカが好き、アメリカも私が好き」（一九七四年）という作品で、自身がニューヨークの画廊で、実際のアメリカ人といっさいの接触を断ち、一週間コヨーテだけと暮らすというパフォーマンスをおこなっている。

▼31 アーサー・C・ダントー『芸術の終焉のあと――現代芸術と歴史の境界』山田忠彰監訳、河合大介／原友昭／粂和沙訳、三元社、二〇一七年

▼32 ここで述べている「遊び」は、その多くをグレゴリー・ベイトソンに負っている。グレゴリー・ベイトソン「遊びと空想の理論」、前掲『精神の生態学 改訂第二版』二五八―二七八ページ

▼33 アーサー・ダントーは美術館の存在意義を問題提起しながら、ブルックリン美術館でのジョセフ・コスースの「語ることができない遊び（The Play of Unmentionable）」というインスタレーション作品を例に挙げて、近代美術から現代美術への展開が芸術家の「言語論的展開」にあったという仮説を慎重に提示している。前掲『芸術の終焉のあと』二九ページ

▼34 カントは歓待という新たな考え方で他者との関係性を論じていた。それをうまく拾って、寛容があまりにもキリスト教の父権主義に偏っていて、デリダはその「偉そうな主体論」が息苦しいのか、その宗教的な権力構造やキリスト教の政治性と切り離せない「寛容」に見切りをつけようとした。

▼35 北山修『定版 見るなの禁止――日本語臨床の深層』岩崎学術出版社、二〇一七年

▼36 カント『永遠平和のために／啓蒙とは何か 他三編』中山元訳（光文社古典新訳文庫）、光文社、二〇〇六年、一八五ページ

あとがき

本書は著者にとって初めての芸術論である。その芸術論は、簡単に言えば芸術と社会の関係をエチカ（倫理学）というコンテクストで分析した論考である。「これがなんで芸術なの?」「芸術って、何でもありなの?」「芸術って、何か近寄りがたい」「これって、誰でもできるじゃん」といった、現代芸術に対する否定的な意見や批判あるいは皮肉な態度に接することは、僕にとってとても楽しい。楽しいだけでなく、芸術について考えるうえでの動機にもなってきた。それらのべつに答える必要もないような問いには、どこか広い意味で「よいこと」や「正しいこと」のニュアンスがたっぷり含まれている。だからこそ、一度は正面きって倫理という問題にも芸術論は向き合わなければならないと考えていた。

一般的な芸術学や芸術史のように、本書では作品や作家を取り上げた事例研究の方法をとっていない。事例はできるだけ社会的で日常的なものを心がけたにもかかわらず、結果として観念的な論じ方に終始している箇所も多いという批判を受けそうである。また本書の記述は、単に観念的あるいは抽象的である以上に、論点があちこちに行ったり来たりして、錯乱的な印象を与えて読みにくかったりするかもしれない。これは僕の思考そのものが、それほど緻密に整理されていないだけでなく、同時代の芸術を論じるうえでのスタイルになっていると弁解するしかない。その点で、観念的な論じ方になっているというご指摘には、「そのとおりです、ごめんなさい」と平謝りするしかない。

でも、芸術的な実践とは社会の文脈にもみくちゃにされて錯乱的なものにならざるをえないというのが、著者の基本的な考え方でもある。錯乱的な思考のスタイルは、ぶっ飛んでいるわけでも狂っているわけでもなく、単に倒錯しているだけである。僕は不遜にもそうした倒錯した芸術実践を、本書でエチカ（倫理学）という立場から「知のアーキテクチャ」として思考しようと思ったのだ。同時代芸術の「同時代性」に触れ、社会、歴史、資本主義、倫理といった観点から脱近代（ポストモダン）も視野に入れた知のアーキテクチャとして、同時代の芸術を素描するという本書の目的を貫くためには、こうした錯乱的な印象が不可避的な思考のスタイルとならざるをえなかったと、ここでは白状しておくしかない。

「知のアーキテクチャ」としての芸術実践は、世界と関わる「喜び」を与えるという意味で投企（プロジェクト）にほかならないと思う。だからこそ、秀逸な作品や意義深いプロジェクトは、人々の耳目を集めるし、考える時間をたっぷりともたらすのだと思う。

芸術的な実践にとって、作品やプロジェクトが成就するためには、飛躍や破綻あるいは倒錯は付き物である。むしろ飛躍や破綻あるいは倒錯があってこそ、人々の耳目に残り、そこから感じられる新しさや豊かさに陶酔する。つまり、どうあっても、作品やプロジェクトが成就の所在とその成り立ちについてはきわめて抽象的なのである。その抽象化をたどろうとする書き方は、一見したところ観念的な思弁に終始していると嫌われてしまいそうだが、そこは抽象化のプロセスだと観念して読者のみなさんにはお付き合いいただければ、と考えている。

本書がめざしているものは、あくまでこれまで現代芸術の文脈であまり議論されてこなかった問いであり、その問いの核心に位置する問題意識には「エチカ」のコンテクストがたっぷりと含まれている。「エチカ」を知のアーキテクチャとして論じることの方向性が特徴づけられ、またそこに今後の芸術論の可能性を示していることができているとすれば、著者として望外の幸せである。

本書は以下に掲載した初出の論考に大きく加筆と修正を施して構成している。

「序説・芸術の社会的な実践を考えるために」「LOOP映像メディア学」Vol07、東京藝術大学大学院映像研究科、二〇一七年

「ポスト・アーカイヴ型のアーキテクチャをめぐって」「LOOP映像メディア学」Vol08、東京藝術大学大学院映像研究科、二〇一八年

「歓待のゲーム 芸術実践の論理と倫理」「LOOP 像メディア学」Vol09、東京藝術大学大学院映像研究科、二〇一九年

美術系の大学に勤務してそろそろ二十五年がたとうとしているにもかかわらず、芸術に関する単著としては初の公刊となる。書く気がなかったわけでも機会がなかったわけでもない。しかしながら、結果としてこれだけの時間を要してしまった。本書の企画が立ち上がってからも、著者の試行

錯誤や体調不良などの鈍重な足取りに時間ばかりが過ぎていった。こうした著者の遅々として進まない作業に終始辛抱強くお付き合いいただいた青弓社の矢野恵二氏に対しては感謝しかない。

また、本書が誕生する直接のきっかけとなったのはgeidaiRAM（現RAM Association）という東京藝術大学大学院映像研究科のノンディグリープログラムである。それは新しい教育プラットフォームである同時に、参加している人たちと芸術実践を通じて問題を投げかけていくリサーチ・コレクティヴでもある。このコレクティヴのスタッフはもとより、これまでに参加してくれた研修生やフェロー、ゲストのみなさんにも、心から感謝したい。このプロジェクトがなかったら、おそらく本書は世に送り出されていなかったと思う。末筆ながら、ここでみなさんにあらためて感謝の気持ちを伝えておきたい。

二〇一九年十二月

桂 英史

［著者略歴］

桂 英史（かつら えいし）

1959年、長崎県生まれ
東京藝術大学大学院映像研究科教授
図書館情報大学大学院修士課程修了。ピッツバーグ大学客員研究員、東京造形大学造形学部助教授、東京藝術大学美術学部先端芸術表現科助教授などを経て現職
専攻はメディア論、芸術実践論、図書館情報学
著書に『人間交際術――コミュニティ・デザインのための情報学入門』（平凡社）、『東京ディズニーランドの神話学』『メディア論的思考――端末市民の連帯意識とその深層』（ともに青弓社）、『インタラクティヴ・マインド――近代図書館からコンピュータ・ネットワークへ』（岩波書店）、『図書館建築の図像学』（INAX）、監修に『美しい知の遺産 世界の図書館』（河出書房新社）など

表現（ひょうげん）のエチカ
芸術の社会的な実践を考えるために

発 行 2020年1月27日 第1刷
定 価 2600円＋税
著 者 桂 英史
発行者 矢野恵二
発行所 株式会社青弓社
〒162-0801 東京都新宿区山吹町337
電話 03-3268-0381（代）
http://www.seikyusha.co.jp
印刷所 三松堂
製本所 三松堂

ISBN978-4-7872-7427-4 C0070